朝日新書
Asahi Shinsho 821

歴史なき時代に

私たちが失ったもの 取り戻すもの

與那覇 潤

朝日新聞出版

そして、彼はこの日、自分の話を聞いている人々に向って、恐れるところなく、こういうであろう――「皆さん。その時期《とき》は来ました。すべてを信ずるか、さもなければすべてを否定するかであります。そして、私どものなかで、いったい誰が、すべてを否定することを、あえてなしうるでしょう?」

カミュ『ペスト』宮崎嶺雄訳（新潮文庫）

まえがき——さようなら、学者たち

つくづく歴史学というものが嫌になってしまった。

本書の入稿が大詰めとなっていた2021年の3月下旬、日本史研究の界隈《かいわい》をめぐってちょっとした揉《も》め事が起こった。今回は関係した個人の責任を問うことが目的ではないので、固有名詞は伏せて書かせてほしい。

そもそもの発端は、「実証的な歴史研究」に基づく新書をベストセラーとしていた学者A（日本史学。男性）が、「自分に言わせれば網野《あみの》善彦はただのサヨク」という趣旨の放言を、SNSで発信したことである。往年の大歴史家として知られる網野の読者は、学界の外部も含めて今も多く、諸方面からの批判が集まってAは謝罪し、発言を撤回した。

このとき別の学者B（英文学。女性）が、「Aのような冷笑系には、そもそも網野のロマンティシズムを読み解くことができないのではないか」と仄《ほの》めかす言及をした。Bが用いた語彙である「冷笑系」は、斜にかまえたシニシストを指すインターネット上のスラングで、一般にはあまりよい意味ではない。

嗤《わら》われた格好になったAの同業者C（日本史学。男性）――Aを上回る部数の、やはり実証的な歴史書のベストセラーで知られる――が、これを「Bこそ思い込みしか根拠がないのに、妄想で当てこすっているだけだ」と論評した。Cは投稿の読者を制限しており、本来B自身に読まれることは想定していなかったが、なんらかの形で情報を入手したBが「陰口のように言い返すやり方はどうか」という趣旨でCの書き込み（の写真）を広く公開したため、一般のユーザーにも知られることになった。

ここまではよくある、SNS上の学者どうしの論争である。本人に見えないところで相手を腐《くさ》すのも、当人が非公開にしている発言を一方的に「晒《さら》す」のも上品ではないが、いまのネット社会では日常的にみられる諍《いさか》いだといってよい。

ところがこれが契機となり、Cが1年半ほど前から仲間内で、Bの言動をたびたび揶揄《やゆ》していたことが判明した（Bのフェミニストとしての振るまいの妥当性に、疑問を感じたのが理由）。そうした過去の発言を入手したBが再度、写真を公表の上で、強く非難したことをきっかけに大量の見物人が集まり、かなりの規模の炎上騒動となる。結果、CはBにかつての行為を謝罪し、非公開としてきたSNSでの発言の履歴もオープンにした。

すると驚いたことに当初は無関係だった面々が、それらを恣意的に切り取って誇張し、「CはBを中傷しただけでなく、全面的な性差別・民族差別主義者だった」として拡散するキャンペーンを張り始めた。私がそうした「不当なバッシング」の範囲に限って、ネットで批判したところ（当然だが対象は無責任な野次馬たちで、Bではない）、まったく理路が不明なのだが「與那覇も内心では女性を憎悪しており、Bへの二次加害に加担している」なる珍奇なレッテルを貼られ、たいそう迷惑した次第である。

なかには、途中から参入して自身が経緯を知らないことを棚に上げて、「網野をめぐる論争が発端だとする與那覇の記述は捏造《ねつぞう》。コイツは歴史学者の資格がない」などと、非礼な中傷を撒《ま》き散らした者もいる。当事者であるBは、さすがにそうした事実に反する議論には同調しなかったものの、興奮気味に脈絡のない挑発を——炎上の渦中にあることを考えれば、やむを得ない面もあるが——私の文章にもぶつけ、ますます野次馬がイキり立つ事態となった。

数カ月前の些事を蒸し返して、主要人物だったA・B・Cや、ましてその他の有象無象《うぞうむぞう》に恨み言をいう気持ちはない。むしろこの矮小《わいしょう》なスキャンダルに象徴的な形で現れた、わが国の歴史と人文学の惨状こそが、いま考えるべき主題ではないかと思う。

平成の末期から、出版界では「名前だけなら多くの人が知っているが、内実を詳しく語れる人はいない」歴史上の事件をこと細かに叙述する新書が、不思議と続々ベストセラーになり、「実証史学ブーム」と言われていた。哲学者や社会学者に比べると、文学部でもメディアに採り上げられることの乏しかった歴史学者に奇妙な光が当たり、「次は自分の番だ」と内心で算盤《そろばん》をはじく者も少なくなかったらしい。

野心を抱くのは結構なことだが、問題は、結果として歴史学は「実証さえすればよい」――自身が興味を抱く過去の事実をただ発掘していれば十分で、その意味を関心の異なる他者に伝える工夫など必要ない、といった風潮が生まれたことである。私自身、そうした空気に染まった昔の研究仲間に「だから與那覇の評論活動なんて、もう我々にとっては別に価値がない」といった趣旨のメールを送られ、絶縁したことがある。

こうした浅薄な流行が示すのは、歴史学その他の日本の人文学がもはや、社会でともに暮らす**他者との「共感の基盤」を養う使命を忘却している**という事実だ。

研究対象とする時代の「一次史料」（古文書）に直接触れてははしゃぎ、先行研究者にあたる泰斗《たいと》を「もう要らない」とばかりに侮蔑する。堂々と相手を論文ないし論説で批判するのではなく、インターネットという「バーチャル居酒屋」でくだを巻いて盛り上がる道を選んでしまう。いかに多くの味方を煽って「相手を潰すか」だけに熱心になり、その

ために は不都合なテキストは無視するか、粗雑な読解に基づいて罵倒する。
専門の違いはあれ「言葉」を扱うプロであるはずの研究者たちが、かように対話の契機を欠く実践を繰り広げ、SNSでフォローした／されたといった「近接感」だけで読者を動員してゆく。残念ながら、ニューメディアを介して学問を一般社会に開くことがめざされた平成の30年間を経て、それが私たちのたどり着いた現在地なのだ（詳しくは2021年8月刊予定の、拙著『平成史　昨日の世界のすべて』〈文藝春秋〉を参照）。

どうしたら、いいのだろう。

率直にいえば、私は既存の人文学のうち、むしろ〝共感を損なう〟方向にばかり発展してきた部分をすべて、この際隔離して埋めてしまうのがよいと思う。

たとえば歴史には本来、描かれる往時の人びとに対する感情移入をもたらす作用があった。それが非常に強力であるからこそ、使い方を間違えると危険なナショナリズムの母体になって（たとえば戦前の皇国史観）、まずい。だから、そうした共感を作り出す力は「気をつけて使っていきましょう」というのが、主に1990年代に展開された歴史学批判であった。

ところがその後主流になったのは、共感のあり方を適切な形に持っていくのではなく、むしろ〝共感それ自体を断ち切る〟ことで、歴史の不適切な使用法の弊害を封じるアプローチだった。ぶっちゃけた言い方をすれば、専門家が見て「カチン」とくる歴史叙述を目にしたら、史料に基づくファクトチェックを行って徹底的に叩き、「実証こそが歴史学。読み手のお気持ちのケアなんて知らない」と勝利宣言する。そういったあり方が、学界の主流となっていった。

右派系の日本史教科書の採択を目指す運動や、各種の陰謀史観が出版界で流行する中で、そうしたカウンターの姿勢に一定の意義があったことは、私も認めるにやぶさかでない。しかし、それは長く続きすぎたのだと思う。はっきり言えば、「もう、うんざりだ」というのが正直なところだ。

共感を創造するのではなく、排除してゆく人文学のあり方は、いつしか担い手の人間性も摩耗《まもう》させる。冒頭の騒動でいえば、歴史家Cはそうした潮流にきわめて忠実で、俗流歴史本（おおむね右派系）への史実に基づく反証に最も貢献した人物だった。しかし、あきらかに実証的に見て不当なバッシングがCに対して殺到したとき、その非を指摘した歴史学者は本人との交流も薄く、とうに学界を離れて久しい私くらいのものである。

思えばそうした光景は、2020年以来、ずっとこの国を覆《おお》っていた。新型コロナウィルスへの対策と称して、自粛への同調圧力が異常な統制社会――あたかも戦時体制が再来したかのような、私権の制限の当然視を眼前にもたらしているのに、過去を扱う専門家であるはずの歴史学者たちだけが、なにもしない。

たとえば「実証史学ブーム」の流れにも乗って、近代日本で生じた社会パニックの歴史を振り返る新刊が、緊急事態宣言下の体験もあり注目を集めた。ところが同書の後記をみるかぎり、その著者（大学教員）にとってのコロナ禍の意味とは、〝校正で図書館が使えずに不便だった〟ことに尽きるらしい。感染者への「コロナ八分《はちぶ》」や「不謹慎狩り」の報に接しても、それを自身の研究の延長線上に位置づけられぬこの歴史学者氏、先に触れた同業者のネット炎上でも流行するハッシュタグや署名活動の波に乗り、オンラインの民衆暴力を煽っていたそうな。

仮にも話題の研究者ですらそれなら、大学での歴史学の教育を通じて、一般の学生や聴講者が学べる**有益なことは「ない」**と考えるのが妥当だろう。だったら歴史学にはこの際、コロナでお亡くなりになっていただくほうがよさそうだ。他人に共感する力を〝弱める〟人文学などというもの自体が、もともと語義矛盾だったのだから。

欧米諸国に比べて、現時点までのコロナウィルスそれ自体の被害（たとえば死亡率）はさしあたり軽微だった日本だが、しかし社会的な共感の不足――自分が罹《かか》らないためなら「他のやつらは黙って自粛しろ」といった態度の横行のために、被《こうむ》った損害は世界屈指にのぼる。世相が殺気立つ中で国の借金だけが嵩《かさ》み、街には閉店・廃業にともなう空き物件があふれ、平時には考えられないほど女性や子どもの自殺が増えた。

もう、おわりにしよう。

私たちのポストコロナは、共感を作り直すことから始めなくてはならない。正反対の方角を向いたままの旧来の歴史学は、コロナ禍の間ずっと宝の持ち腐れに終始した、いわば「知性のフードロス」のようなものだ。ネットをぶらつく野良犬の餌《エサ》としてしか、いまや社会の耳目を集めないのだとしても、それはそれでしかたあるまい。

大事なのは、そうして歴史（学）が死んだ後に、なにをするかだ。

本書の構想は、２０２０年１～８月にかけて『朝日新聞』に連載したコラム「歴史なき時代」を、編集者の二階堂さやかさんが１冊にまとめたいとお声がけくださったことに始まる。連載中に新型コロナ禍が到来し、「あるべき人文学のあり方」を問う文章を他でも多数執筆する事態となっていたこともあって、両者を合わせて時評集／学問論を編むことになった（第2〜5章）。

ばらばらの寄せ集めとなってしまうことを避けるため、同年10月に二階堂さん、および「歴史なき時代」をご担当いただいた朝日新聞記者の大内悟史さんのお二人を相手に、全体のテーマを貫くロング・インタビューを実施していただいたのが、第1章である。また第6章として、近日行った対談から本書のモチーフと重なる4点を、一面的な「ひとり語り」の弊を矯《た》める目的もあって再録することとした。ご協力くださった各位に、深く感謝したい。

名義として単著となっているものに限ると、本書は私の8冊目の書物になる。あってもなくても変わらない「無難な本」は作らないことを信条としている私だが、今回はおそらく最も論争的な内容となった。ひょっとするとこの序文の時点ですでに、「イラッ」と感じた読者もいるかもしれない。

そうした人にはぜひ本書を批判する形で、「歴史学の意義は不滅であり、歴史が生きていたからこそ日本人はコロナを乗り切れた」、あるいは「SNSは民主主義を進化させており、日々新たな正義がそこでは実現している」と主張する書物や論説をものしてほしいと思う。ある歴史観に対抗するのであれば、本来別の歴史観が必要なのだから。

対して発泡酒の泡のように膨《ふく》れてはすぐ消えるハッシュタグでわいわいと盛り上がり、長期の熟成を経た蒸留酒の味まで格付けしたつもりになる人には、「お子さまなんですね」という以外にかける言葉を持たない。そうした刹那《せつな》の楽しみも人間には必要だし、あっていいが、それだけですべての価値観を覆えると信じ込む薄っぺらな全能感を誇るのは、ただのガキである。

ポストヒストリー（＝歴史が終わった社会）を生きてゆくためのモデルは、かつてそう見なされたような「社会化されざる子ども」ではない。むしろ歴史を研究するだけではなく、実際に〝生きて〟、その苦い重みを嚙みわけた大人だけが、初めて歴史に代わりうるものを見出し得る。そのヒントが少しでも、本書に詰まっていることを願っている。

２０２１年４月　三たびの緊急事態宣言のさなかに

著者

歴史なき時代に

私たちが失ったもの　取り戻すもの

目次

まえがき――さようなら、学者たち　5

第1章　インタビュー　歴史学の埋葬から再生へ
1　「時間軸」が消えた世界で　24
2　学者たちはなぜコロナで無力だったか　44
3　「危機の主体性」を養う読書体験　72
書評　小説十八史略　陳舜臣 著　81
書評　草の根の軍国主義　佐藤忠男 著　95
4　未来は続く、たとえ歴史がなくても　101
書評　花井沢町公民館便り　ヤマシタトモコ 著　108
書評　人権を創造する　リン・ハント 著　121

第2章　理論　歴史なき時代のヒント
「歴史」を捨てた方が幸せになれるとしたら？
――ガンダムとアボリジニから、歴史のリアルを考える　132

書評　「線」の思考——鉄道と宗教と天皇と　原　武史 著　138
変われない「私」の攻撃性　140
歴史なき時代 1　三島の最期　守った倫理　142
歴史なき時代 2　「流れで決まった」楽園　144
歴史なき時代 3　「見える化」で高まる不信　145
歴史なき時代 4　『夜と霧』が自己啓発本？　146
書評　民主主義を救え！　ヤシャ・モンク 著、吉田 徹 訳　148
歴史なき時代 5　「問題と共にある」社会を　150
歴史なき時代 6　誰もが誰かのパラサイト　151
歴史なき時代 7　若者よ、だまされるな　152
同調から多様な時間軸へ　154
書評　誤作動する脳　樋口直美 著　156
「司馬史観」に学ぶ共存への努力　158

書評　日本の外交――明治維新から現代まで　入江 昭 著
戦後和解――日本は〈過去〉から解き放たれるのか　小菅信子 著　172
国家と歴史――戦後日本の歴史問題　波多野澄雄 著

第3章

時評Ⅰ　歴史学者かく戦えり――自粛の「戦時体制」に抗う
歴史が切れたあとに――感染爆発するニヒリズム　176
歴史なき時代 8　今年の桜、見逃したって　200
歴史なき時代 9　差別するなと言いながら　201
歴史なき時代 10　日本社会が克服すべきは　202
書評　天皇論――江藤淳と三島由紀夫　富岡幸一郎 著　204
コロナで滅びゆく歴史　209
書評　皇国日本とアメリカ大権
――日本人の精神を何が縛っているのか？　橋爪大三郎 著　232
歴史なき時代 幻の掲載中止回　小説『コロナ』を書くなら　235

歴史なき時代 11 ネットで代替できるのか 236
歴史なき時代 12 ゴジラより怖い敵とは 238

第4章 時評Ⅱ 人文学には何ができたか——ポストコロナへの青写真

学者にできることはまだあるかい 242
インタビュー記事 議論収縮、失った未来
——この国はどこへ コロナの時代に 246
歴史なき時代 13 学問の自粛、安易すぎる 252
歴史なき時代 14 「自国の手柄話」の懸念 253
歴史なき時代 15 過去の追体験 教育に必要 254
目利きが選ぶ一押しニュース 一人ではこのゲームには勝てない マット・リーコック 著 256
理系の限界、人文系の沈黙 259
日本のコロナ対策が〝首尾一貫しない〟本当の理由——「実体語と空体語」の呪い 273
歴史なき時代 16 刺さり続ける三島の檄文 283
歴史なき時代 17 宿命や必然と別れて 284

第5章　時評Ⅲ　そして新たな危機へ――菅義偉政権考
現状追認という保守化　288
中抜きの宰相？　政治家・菅義偉考　290
迷惑かけあえる個人主義に　302
「元・学者」が日本学術会議騒動に抱いた大いなる違和感
――平成の諸学界の総括こそ必要だ　306
書評　不寛容論――アメリカが生んだ「共存」の哲学　森本あんり 著　317

第6章　対話　歴史はよみがえるのか
平成文化論――「言葉の耐えられない軽さ」を見つめて
與那覇 潤×浜崎洋介　320
歴史喪失のあとに〈歴史〉を取り戻す
――『荒れ野の六十年』『歴史がおわるまえに』をめぐって
與那覇 潤×大澤 聡　361

「成熟なき喪失」の時代——批評の復権にむけて
與那覇 潤×先崎彰容 382
日本文化論の欠落が最大の「盲点」
與那覇 潤×開沼 博 424

あとがきにかえて
100年前の少女たちに学ぶ「成熟による安心」
——映画『フェアリーテイル』とコロナパニック 441

【凡　例】

・収録する論説は、できるだけ掲載の順に従って配列する方針とした。ただし通読する読者の便宜に沿うよう、適宜順番を入れ替えた箇所がある。

・直近の過去についての同時代の記録でもあるため、既発表の文章に対する内容面での修正は、極力控える方針とした。「安倍首相」など、役職名も初出時のままとなる。今日の観点からふり返って大きな補足・訂正が必要な場合は、「†」の印をつけて頁末注に記した（「※」印の注は、初出時から附されていたものである）。

・ただし表現面では表記の統一をはじめ、書籍としての読みやすさを優先して文章を改めた箇所がある。「今年」などの表現も、時制が一致するようなるべく西暦に変更した。

・雑誌の「4月号」が3月に出るように、書誌上の巻号数と実際の発行日がずれる場合があるため、月刊誌については書店に並ぶ刊行日（概ね号数の1カ月前）の方を、再録にあたり冒頭に附した。週刊誌の場合はさほど大きな相違ではないため、号数上の表記をそのまま採用している。日刊紙やインターネット記事は、掲載日を表記した。

・著者以外の書物についての「書評」ないし「紹介」の形で執筆した論考については、コラム（囲み記事）の形式で、テーマ的に関連する箇所に挿入した。

第1章

［インタビュー］

歴史学の埋葬から再生へ

著者近影

1 「時間軸」が消えた世界で

コロナ禍で受けた批判から

２０２０年の春から本格化した新型コロナウィルス禍では、さまざまなものへの信頼が失われました。定見のない政治家や「専門家」の失墜は言わずもがな、日本では「コロナ八分」のような感染者の社会的排除まで行われ、国民どうしがお互いを疑いの目で見あう状況が生まれてしまった。少なくとも第三波まで（～21年3月）の現状では、欧米諸国と比べてはるかに軽微な被害しか出ていないにもかかわらずです。

そのなかで気づかれることのないままに、ひっそりと存在感を失っていったものがある。それこそが「歴史」だ、そう私は考えているんですよ。

考察のきっかけになったのは、２０２０年5月20日にネットに掲載した文章（本書、２０９頁より再録）への反応でした。同年4月に「人との接触を8割削減する」という極度の自粛を呼びかけて発出された最初の緊急事態宣言が、いったん延長になるもさすがに副作用が大きすぎだと、批判も受け始めていた（結果、5月25日に全面解除）。そのタイミングで、明らかに政府の対策は過剰、かつ方向性として間違っていたと、昭和の戦争の失敗を参照しながら論じたものです。

これは当時、ネットで賛否両論を呼んだのですが、面白いのは寄せられた悪口コメントの中に、こんなのがあったんです。

「こういう後出しじゃんけんをする有識者って、汚いよね。それにコロナの問題は、まだ終わってないし」（大意）

これ、そもそも本人が矛盾していますよね。「後出しじゃんけんだから汚い」というなら、コロナは終わっていなければならない。確かに過剰な自粛は不要だったけど、結果が出た後になって言うのは卑怯だ、というのが「後出し」の意味ですから。

逆に、コロナがまだ続いている——最終的な結論が判明するよりも前に、私が「8割削減は誤りだ」と言っているのなら、当否は別にして後出しじゃんけんではない。ちゃんと勝負の最中に発言していることになるわけです。

もし私が大学で教える歴史学者のままだったら、きっと「バカ」の典型として笑い飛ばしたでしょう。しかし幸か不幸か離職していたおかげで、違う風に見えたんです。

「いま」だけがあって「時間軸」がない

この投稿者が言いたいのは、「いま」じゃない、ということだと思うんですよ。私の論考の内容に文句があるというよりも、「いま、こういうことを言うな」と。仮にお前が語る批判の中身が全部正しかったとしても、それを言うタイミングは「いま」じゃない。そのことに俺はムカついたと、そう伝えたいのではないでしょうか。

言い換えると、この投稿者にとっては、時間というものが**線の形をしていない**。むしろ「いま」というポイント（点）だけがあって、さぁ「いま」、これはアリか？　ナシか？という二者択一ですべての物事を見ている。

だから、與那覇の論考は「いま」じゃない、という不快感ははっきりしている。しかし「いつなら妥当なんですか。もっと前に書くべきだったのか、後まで待つべきなのか？」という問いについては、おそらく意識していないのだろうと思うんです。

よく考えると、この「いまなのか、違うのか」という点としての時間意識って、侮《あなど》れないですよね。

たとえばサッカーでシュートを蹴る、漫才で相手をどつく。後からＶＴＲで見れば、「早すぎた／遅すぎたね」とは言えるでしょう。でもやっている当人は「いまか？　いまだ！」という感覚で、行動を選択している。あるいはずっと好意を持ってきた相手に、「好きだ」って言うタイミングもそうかもしれません。

政治にも通じる「歴史学の危機」

こうした目で見ると、なぜ日本では政治が機能しないのか、少しわかる気がしますでしょう。マクロにはたとえば、消費税を上げるタイミング。ミクロにいえばもうずっと話題の、いつコロナ対策での規制をすべて解除するのか。

いつかはやらなきゃだめだとは、みんなわかってる。しかし「いま」なのか？　という感覚がネックになって、責任を負う地位の人ほど決断できず、逆に「いまじゃないだろ！」的な民意を乗りこなすポピュリストの方に、支持が集まってしまう。平成の終わりからずっと、そういう状況が続いています（†1）。

歴史とは基本的に、線形の「時間軸」に沿って過去を叙述する営みですが、史料だファクトだを云々《うんぬん》する以前に、そもそも時間が軸として見えてこないよと。私たちの社会のそ

†1　與那覇潤・石戸諭「もう歴史学者なんていらない（か）？」『週刊読書人』2019年11月15日号。

うした状態こそが、歴史学にとっての最大の危機だった。本当は大学で歴史を教えている人ほど、しっかり考えるべき問題だったんです。

ところが彼らは、なにもしない。やるのは一般向けの歴史エッセイや、極端な場合は小説やドラマのようなフィクションの粗捜《あら》しをして「ここが史実と違う。作者は不勉強でなっとらん」みたいな、ファクトチェックもどきだけ。

私のようにもともと歴史学の素養がある——ファクトレベルではまず間違えない書き手を叩くときは、「史実に反してはいないが、話が大きすぎて雑だ」とか言うわけです（笑）。

「古文書はただのゴミ」と言われたら？

私もついに、コロナ禍で堪忍袋の緒《お》が切れました。彼らが目を覚まさないなら、多少は強い言い方もやむを得ません。

ネットで流行ったスラングに「コロナはただの風邪」ってありましたよね。正確な表現ではないからあまり使うべきではないけど、しかしコロナをエボラ出血熱のような「罹ったら誰もが死を覚悟すべき」病気だと勘違いし、パニック状態で感染者の排除を叫ぶ人たちに対しては、「落ち着けよ。一から考え直せ！」と冷や水を浴びせる効果はあった。

大学の歴史学者に対しても、同じ意味で言うことにしますけれども、もはや今日の社会では「古文書はただのゴミ」なんですよ。彼らはまず、それに気づいてから口を開かれた方がいいと思いますね。

たとえば中世史の大家だった網野善彦に、没後にベストセラーとなった『日本の歴史をよみなおす（全）』という文庫があります。同書に記された有名なエピソードに、能登（石川県）の時国家《ときくに》で発掘した古文書の話がある。

網野さんは旧家の蔵に残っていたものだけでなく、なんと襖《ふすま》の下張（下地に貼られている紙）として使われていた文書までをも剥《は》がして読み解き、大きな発見をした。江戸時代の百姓は「農民」だと思われがちだけど、そこには海運・金融など農業以外の形で活躍する姿が記録されていた。同家の事例をどこまで普遍化できるのか、ごく少数の特殊なケースではないのかといった論争はありますが、とにかく既存の近世史像を覆《くつがえ》すイメージを古文書から描き出したわけです。

網野善彦

頭の悪い歴史学者はこの話を、「いかに古文書が大事か」の説明に使ったりしますが、よく読めば事実は逆でしょう。後世の歴史家の目には「大発見！」として映る、貴重な一級史料がかつては襖の下地に転用されて、誰も「価値ある古文書として、ぜひ後世に伝えねば……」などとは思っていなかった。つまり、かつて古文書はゴミだったわけです。

捨てられた歴史を復元した網野善彦

少し通の読者向けに附言すると、中世・近世でも納税に関連する文書は、私たちが確定申告の控えを取っておくのと同じで、それなりにきちんと保存します。時国家でも蔵に保管してある文書は、課税対象となる土地（水田など）に関するものが多かったらしい。

その意味ではゴミでない文書もあったのだけど、そうした今でいうと公文書に近い「最初から大事にされている文書」にばかり引きずられたら、歴史家は間違えますよと、網野さんは強く戒《いまし》めていました。

あるいは史料学に「紙背文書《しはいもんじょ》」という概念があります。古い時代に遡《さかのぼ》ると紙自体が希少な資源なので、片面になにか書いちゃった紙でも、裏返して別の用途に使っていた——今日でいう「裏紙」ですね。有名な正倉院文書にもいっぱい入っています。

これだって言い換えれば、最初に片面に書かれた文書が、ある時点で「ゴミ」になったわけでしょう。だからこそ裏返して、反故《ほご》紙としてリサイクルされていた。かように歴史家がありがたがる古文書とは、**もとはただのゴミ**です。

ゴミを「史料」に変えた近代という時代

あえて雑駁《ざっぱく》にまとめますが、たとえば中世には、古代に書かれた文書はゴミであった。近世にも、中世に書かれた文書はゴミであった。

ところがなぜか近代になって、それらはゴミじゃないよと。貴重な「古文書」であり「史料」であって、国の予算を投じてでも収集・保存し、読み解く人材まで育成するんですよとなった。ものすごく新しくて、見ようによっては珍奇な習慣が生まれたわけです。

ここで問題です。なぜそんなことが起きたのでしょう？

まさに、歴史という意識が成立したからですよ。時間とは単に四季のように循環したり、断片化された「いま」の連続だったりするのではなくて、過去から現在を経《へ》て未来へと続いていく、線形の軸をなすものなんだと。こうした感覚が定着し、たとえば「国史」の形で日本および日本人の歴史を綴《つづ》っていくことは、国家的なプロジェクトじゃないかとする共通理解が生まれたわけです。

逆にいうと、そのような意識――愛国心云々ではなく、「時間軸」を捉える意識――が消えてしまえば、歴史はなくなる。なくなれば、あたかも魔法が解けたかのように、古文書はまたゴミに戻る。

劣化した歴史家が騒ぐ「公文書問題」

私たちが生きているのは、そういう時代なんです。いいか悪いかは別にして。

たとえば長く続いた安倍晋三政権、しょっちゅう公文書を捨てては不興を買っていたけど、でも最後に病気の再発を告白して辞任会見を開いたら、ポンと支持率が跳ね上がる。実際のところ官邸だけじゃなく、一般国民にとっても公文書なんかどうでもよくなっていた。単に、イライラして政権に当たってみたいときの「ネタ」でしかなかったんです。

どうしてか？　歴史っていう意識がもう、ないからですよ。あるのは「いま」だけなのですから。

だから歴史学者が本気で「公文書管理、しっかりせい！」って言いたいなら、やるべきことはスキャンダルで反アベを叫ぶとかじゃない。歴史ってものそれ自体を、取り戻さなくちゃいけないんです。

たとえば公文書を使って昭和天皇でも、吉田茂でも田中角栄でも、研究対象はなんでもいいから「これは知らなかった！」という新たな相貌を描いてみせる。それを通じて、「ほら、やっぱり歴史って面白いじゃないですか。必要じゃないですか」と実践で示していくのが、学者としての戦い方でしょう。

ところが現状はそうなっていない。歴史家としての代表作を1冊も書いていない、二流の研究者が「僕は歴史学者だから、公文書管理に詳しいんです」とか言って、メディアに出てアベ叩きでウケようとする（224頁参照）。卑しいですよね。盛り上がっている時事ネタにいっちょかみしてキャンキャン吠えるだけで、自分の頭と力とで「ゴミを一級史料に変えていった」網野善彦のように歴史を綴る気概は、一切ないわけです。

コロナ禍への対応で歴史学者たちと絶縁

新型コロナ禍はまさに、そうした歴史学者の醜態をまざまざと示しました。狭義の歴史学者以外では、かなり多くの人が過剰自粛を批判して、「科学的な合理性が乏しく、法的根拠も不十分なのに〝空気〟で同調圧力を煽る点は、戦時下と似てきている。昭和史の教訓はどこへいったのか」としっかり書いていた。

それに比べて、大学に属する歴史学者のやっていたことはなんですか。自分の頭で一度も世論を疑うことなく、実質的にワイドショーに同調しては世間の空気に埋没し、ＳＮＳでは「工夫して遠隔講義をしてる俺、ＩＴスキル高い！」みたいなしょぼい自慢（苦笑）。要は、お仲間どうしで「大政翼賛ぶり」を誇りあっていたわけです。

つまり歴史の専門家とされる人も含めて、時間軸が過去とつながらなくなっている。世の中が急速に自粛一辺倒へと傾いてゆく異様な雰囲気を前にしても、「おかしくないか。あの時（昭和戦前期）と同じじゃないのか？」というセンサーが働かない。

身体感覚としてビクッと来て、その正体を模索すると過去から続く（集合的な）記憶が見えてくる、そうしたものとしての歴史が衰弱しているわけです。

先述の2020年5月20日の論考では、「これ、まずくないですか」と問いかけました。そうしたら自称・アカデミックな歴史学者たちのSNSアカウント曰く、「歴史の意義は教訓話じゃない、実証だ。パチンコも外食も不要不急だが、史料調査は常に〝要にして急〟なんだ。俺たちがGoToトラベルで古文書の発掘に行けるのは当然だ！」ですって。さすがに呆れ果てて、発言主を特定できる知人には絶交を通告しました。

大学の歴史学が「ガンダム学」になる日

一言でいえば、もう日本の大学でやっている歴史学は「ガンダム学」と同じになっているんです。

ガンダム学なりエヴァンゲリオン学なりだって、手間暇《ひま》かけて「真実」に迫っている点ではなかなかのものですよ。TV版だけでなく映画版・コミック版・小説版と多様な資料体に隅々《すみずみ》まであたり、「このときのシャアの狙いとは」「人類補完計画の真相は」と考察していく。場合によっては監督や原作者に取材して、いわばオーラルヒストリー（聞きとりによる歴史の解明）までやるわけです。

しかし、ガンダム学の講座は大学にはない。歴史学はある。なにが違うんです？　繰り返しますが「貴重な原資料」に当たる努力という点では、ガンダム学と歴史学に違いはありません。

正解は、歴史学が描き出す過去の世界――中世の荘園なり、近世の大名家なり――は、私たちの生きる現実とつながっている。ガンダムはそうじゃない。だから歴史学はアカデミズムとして、公的な制度や財源で支援される対象になるけど、ガンダム学は趣味だよねとする区分が成り立っていた。逆にいえば、もしガンダム研究で大学にポストを得たかったら、「戦後日本の映像文化史」としてメディア論の教員をめざすとか、そうした現実世界とつなげる工夫が必要になるわけです。

俺たちは過去の世界そのものに浸《ひた》っていたいんだ、現実とのつながりなんて関係ねぇっていうなら、ガンダム学みたいに趣味でおやりになればいい。オンラインサロンで「中世荘園旅行社」でも、「江戸時代復元工房」でも開いて、クラウドファンディングで同好の士からお金を募り、成果をシェアする。素敵な実践だし、誰も文句を言いませんよ。

そんな甲斐性もない人たちが「俺さまは大学に所属するプロだ。だから俺たちの研究内容こそが〝真の歴史〟であり、メディア上の教訓話より偉いんだ」などと居直っている。正直勘違いというか、思いあがっておられるのではないですかね。

「ストーリーからキャラへ」は歴史でも？

ちょうど20年前の2001年に、東《あずま》浩紀さんが『動物化するポストモダン』で「ストーリーからキャラへ」という問題提起をしました。このとき直接の対象として論じられていたのは、それこそガンダム学的なオタク文化です。

古いタイプの昭和のオタクは、ガンダムの世界観の中の（架空の）時間軸＝ストーリーを再現して楽しんだわけです。宇宙世紀の年表を作ってみるとかして。ところが平成のエヴァンゲリオンのファンになると、物語に沿って敵と戦う気がそもそもない人が結構いる。むしろ主人公たちの中学校に自分も一緒に通って、お気に入りのキャラとずっと戯《たわむ》れていたいみたいな。

そうした感性はコンテンツを作ったり、そこから二次創作する側にも反映していくわけです。もうストーリーはあってもなくてもよくて、むしろ髪型とファッションと性格とを各5類型ずつ準備すれば、掛けあわせて125種類の美少女キャラを作れるから、後は勝手に遊んでよとか。実際に作中の物語を無視するどころか、違う作品のキャラをカップルにして「もしこの2人がボーイズラブだったら神だな」みたいに楽しむ視聴者だって、普通に出てくることになります。

そして実はもう、架空じゃなく現実の歴史も、同じように消費されている。それが、歴史学が「ガンダム学」と等価になったことの帰結です。

知人に紹介されて、アメリカ史の松原宏之先生のエッセイを読んだのですが(†2)、たとえば歴史ゲームの世界がそうです。昔は歴史ゲームといえばシミュレーションのことで、現実に展開した歴史を（ｉｆを交えつつ）「追体験」するものでした。織田信長なり上杉謙信なりになって、戦国時代の日本を再現したマップ上で天下統一に挑む、とかですね。

ところが、スマートフォンで流行のゲームはそうじゃないらしい。ＲＰＧのような冒険旅行の仲間に、歴史上の有名キャラを加えていくのだけど、地域も時代もバラバラなのはおろか、男性の人物が美少女化して出てきたりするのだとか(苦笑)。要は「ナポレオンと家康と諸葛孔明《しょかつこうめい》で作った俺のチーム、最強じゃね？」みたいに遊ぶのが、いまは歴史への入っていき方なんですね。

†2　松原宏之「人は「歴史する」、ゲームでもアニメでも」『史苑』77巻2号、2017年(立教大学学術リポジトリにてウェブ公開中)。

『鬼滅の刃《やいば》』に頼るお寒い歴史教員

「それはしょせん遊びだからだろう」という受けとめ方は、違うんです。出口治明《はるあき》さんという、ビジネスマン向けの歴史本でヒットを連発している実業家がおられますね。私は『中央公論』の同じ号に寄稿した際に初めて拝読しましたが（†3）、驚きましたよ。

リーダーシップがテーマの講演で、大きく4名を取り上げるのですが、最初は①ビスマルク。これはわかる。ところが次が②始皇帝で、さらに③ムハンマドを経由して、最後に④シュレーダー（メルケルの前の独首相）に戻ってくる。この時間軸の欠如、ないし無効化ぶりはちょっとすごい（笑）。

そうした「ビジネス歴史談義なんてそもそも下らないんだ」と嗤う歴史学者は、むろん昔から多くいます。しかし不思議なことに、「コロナ禍の社会が戦時下に似てきた」という考察を「ただの評論だ。実証性がない」と軽んじるタイプの学者に限って、歴史のキャラ化という現象自体には意外と甘かったりするんですよ。

たとえば自粛に同調しながら『鬼滅の刃』の新刊だけは買いに行き、マジで最高の教材だ、舞台になっている「大正時代の授業に使える。学生のウケが違う！」とSNSで騒いでいた人であるとか。学生は教員のそういう姿、内心では冷ややかに見ていると思いますよというのが、私が老婆心で贈る最後の忠告です。

世界中で歴史が「ファッションのネタ」に

気をつけてほしいのは、これはけっして「日本人が」ダメだ、という話ではないんです。私自身、学者時代には勘違いしていたのですが、実はそうじゃない。

2018年の秋、全世界的に人気の韓国のボーイズグループ・BTS（防弾少年団）が、ナチスに酷似した服装でパフォーマンスしていた件が問題になりました。これ、20世紀中だったらどこの国でも「一発退場」の案件ですよ。ところがいまは、形式的に謝るだけ謝れば、普通に活動を続けられちゃう。

BTSに対してはもともと、原爆のキノコ雲のTシャツを着ていたことを、日本のネット右翼（ネトウヨ）が「こいつらは反日だ」として叩いていたのですが、それは違ったんです。彼らは別に韓国の愛国史観にコミットしていたわけではなく、「歴史なんて俺らにとっちゃ、単なるファッションのネタですよ」という価値観を表明していた。そして、そ

---

†3 出口治明「リーダーシップはこの偉人に学べ」『中央公論』2018年12月号。ちなみに同号の特集は、「名君と暴君の世界史」。

ういった態度はもう、グローバルに公認されている。

先ほどのゲームの話題と同じように、これもまた「それはアイドルだから」ではすまない話なんですね。たとえば、米国でトランプ政権（2017年1月〜21年1月）を支えたオルタナ右翼やQアノン。彼らは何者かといえば、まさに歴史をファッションとして扱う右派勢力でしょう。

アメリカという国は、まずヒトラーのドイツ（ファシズム）、その後長い冷戦を経てスターリンらのソ連（共産主義）を倒した「専制と闘う、自由の国」である。そうした歴史観が民主党のリベラルはむろんのこと、共和党の保守派においても当然の前提だった。トランプが画期的だったのは、そうした共通感覚をぶっ壊した点でしょう。「ぶっちゃけ独裁してぇや！」という空気で人びとを動員して、共和党を乗っ取っちゃった。

本書にも書評を再録しましたが（148頁）、米国の政治学者によると、冷戦下の記憶を持たない若い世代ほど「権威主義体制へのあこがれ」が強いという調査があります。歴史の教師はよく「日本人は戦争の記憶を忘れすぎだ。反省が足りない！」とお説教しがちだけど、その戦争に勝った側もだんだん似た状態になってきた。歴史の無効化というのは、日本が特殊なのではなく世界的な潮流なんです。

「三島自決50年」が問いそこねたこと

こうしたいまの風潮は、国民的な過去の共通体験から、社会の秩序やモラルを汲み上げようとする立場にとっては、かつてない脅威でしょう。

たとえば2013年末、安倍晋三首相が靖国神社に参拝したときは、アメリカ（当時はオバマ政権）からすごく怒られましたね。「あなた、かつての戦争の歴史をちゃんとわかってるのか」と。ところが15年夏に安倍さんが戦後70周年の談話を出したときは、肝心の戦争の実態については記述がぷつんと切れて「言及しない」という内容だったけど、どこの国も気にしない（本書、376頁以下を参照）。

過去の史実とは、ものすごく重たいものなんだと。だからその実情をしっかりと知り、共通の歴史認識——時間軸に則《のっと》った物語をみんなが身に付けてこそ、国民統合なり世界平和なりがあり得るのだと。そうしたあり方が消えていく、ひとつのメルクマールが安倍談話だったと言えるでしょう。それ以降は「歴史なんてただの、キャラづくりのネタ帳だろ?」という、軽やかなスタンスが国際的に主流になっていく。

コロナ禍で吹き飛んでしまいましたが、2020年は三島由紀夫の自決から50周年でした。実は同年3月には研究者相手の講演を頼まれていて、そこでは大学の歴史学者を三島

1970年11月25日、「俺は自衛隊が怒るのを待ってた！」と改憲のための決起を促す三島由紀夫。自衛官からはヤジを浴び、この後割腹自殺する

のように怒鳴るつもりだった。「安倍談話から5年間、俺は歴史学者が怒るのを待ってた。諸君らが血と涙で待った史実に基づく戦後和解の機会はないんだよ！」ってね（笑）。それもコロナで、キャンセルになってしまいましたが。

いま、私たちは岐路にあるんです。それこそ三島みたいに、命を懸けてでも「歴史とはそのために、人が生きたり死んだりできるものなんだ」ともう一度叫んで、同志を募っていくのか。これ、マンガチックな絵空事じゃないですよ。たとえば聖書やコーランに描かれた「歴史観」を現実のものにしてみせるぞと、そのためなら死んでもいいって人たち、世界中にいっぱいいますから（†4）。

もしその道をいかないなら、歴史抜きで——時間軸の上に再現される過去の共通体験なしでも、どうやってお互いのあいだに共感を生み出していくのか、一から考えなくちゃい

けない。それこそが歴史学も含めた、人文学の研究者の任務として、いまある。

ところがコロナ禍での彼らは、ニワカ有名人になった疫学者にやすやすと座を明け渡して、「理系の先生が自粛しろって命令すれば、みんな言うこと聞くじゃないか。それで別にいいじゃないか」とね。こんなにも志《こころざし》の低い人びとだったかと、唖然《あぜん》としたわけです。

大学の先生だとか、何学の博士号を持っているとか、そんなものが「信頼できる人」の指標にならないことは、多くの人が今回のコロナ禍で感じたと思います。だから私も、コロナでなにもしなかった歴史学者たちを、もう同志とも友人とも思わない。これからは信じられる人にだけ向けて、独りでやっていこうと考えています。

†4　先崎彰容・與那覇潤「三島、純化つき詰め『原理主義』に」『読売新聞』2020年11月23日。

2　学者たちはなぜコロナで無力だったか

日本の歴史学者だけが役立たず

２０１５年の安倍談話が、いわば国家（政府）による歴史学へのリストラ通知だったとすると、20年のコロナ禍で起こったのは、むしろ社会（国民）の側からの「歴史学なんていらない」という不要宣告でしょう。

そして、それは世の中が間違っているわけでは別にない。単に歴史学者がやるべき仕事を何もしないから、「あの人たちは役に立たない。もう必要ない」と見なされるようになった。しごく当然の帰結なんです。

たとえば邦訳で読める範囲でも、米国（出身は英国）のニーアル・ファーガソンや仏国のエマニュエル・トッドは、自身が専門とするマクロな歴史学の見地から「ロックダウンは副作用が大きすぎる。過剰対応だ」として、明確に政府の対応を批判しました（†5）。日本より、はるかにコロナの被害が甚大な地域に住んでいるのにですよ。

彼らの論説が出た20年6月の時点で、アメリカ（人口3億3０００万人）は新型コロナウィルスの死者が10万5０００人、イギリス（人口6６００万人）は3万8０００人、フランス（人口6300万人）は2万9000人です。こうした状況でコロナ対策を「やり過ぎだ」と主張するのは、とても勇気がいることでしょう。そうした力をくれるのが、本来なら歴史という教養だったわけです。

対して、日本で歴史学者と称している人たちはなんですか。日本の総人口は1億2000万人を超えているのに、同じ時点でコロナの死者はわずか900人。日本で死者が累計1万人に達したのは、丸々1年間をかけた21年4月で、この時米国の総死者数は57万人超。脅威の度合いが比較にならない規模なのは、誰にでもわかる。

ところが、あたかも「政府が自粛しろって言うんだもん。民意も怖がってて、逆のことを言ったら叩かれるもん」と言わんばかりに、彼らはこの間、大学の研究室どころか自宅に引きこもり、SNSではお友達どうし、ずーっと内輪でZoom研究会の宣伝だけ（失笑）。そりゃ、「こいつらに税金使いたくない」と思われてもしかたないでしょう。

†5　「歴史が問うコロナ対策　ニーアル・ファーガソン氏」『日本経済新聞』2020年6月25日。エマニュエル・トッド「犠牲になるのは若者か、老人か」『文藝春秋』同年7月号。

日本で第一波が収束した2020年６月時の、
人口100万人当たりの新型コロナウィルス感染症死者数

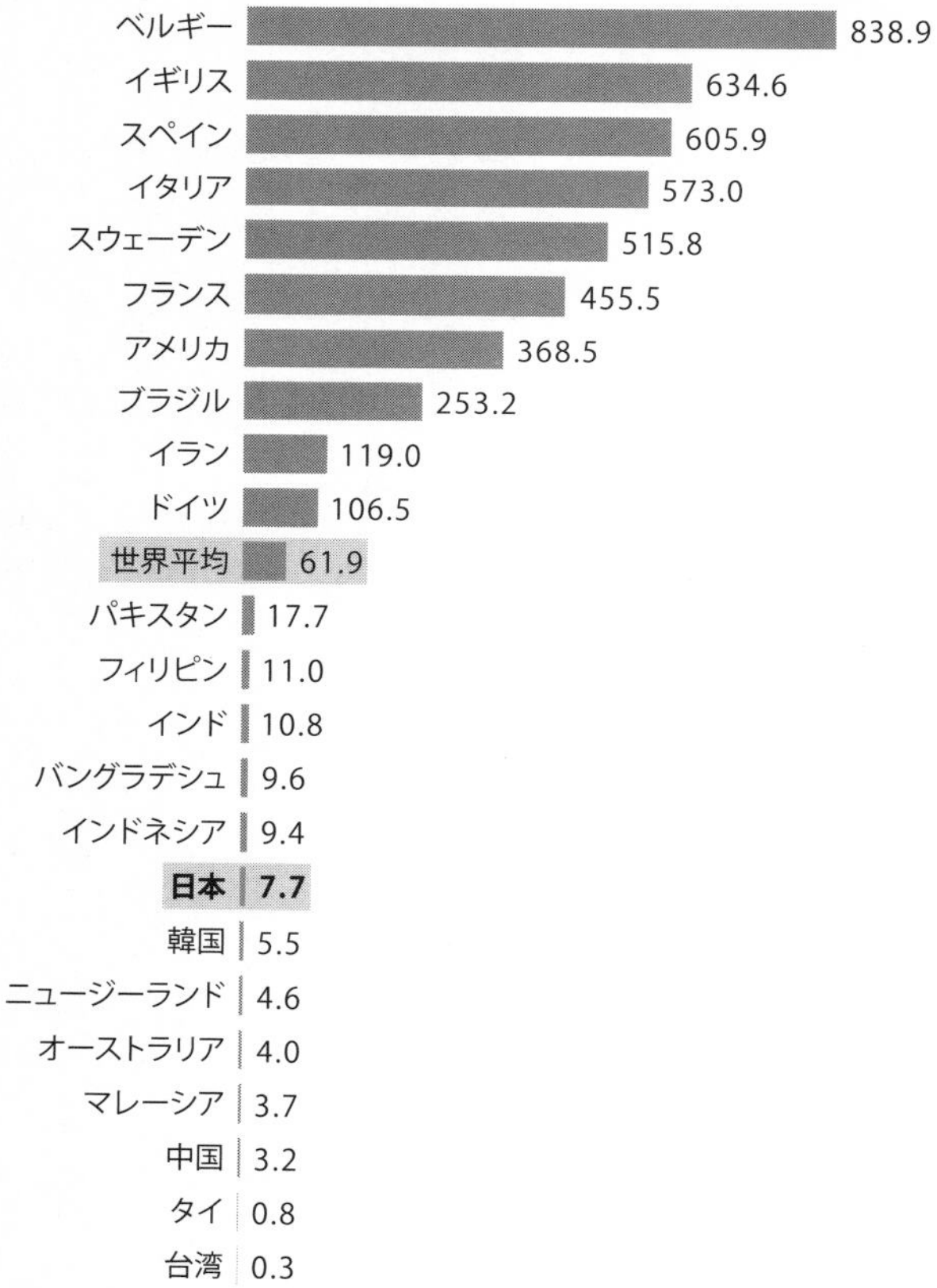

2020年6月25日時点。
出典：札幌医大　フロンティア研　ゲノム医科学
朝日新聞（6月29日）より引用

学術会議問題、惨敗は「自業自得」

もっとも日本では2020年7〜8月の第二波が軽微だったため、そのころは「ちょっとコロナ対策、やり過ぎだったんじゃない？」という空気が生まれました。こうなると、気まずいのは大学教員たちですね。春先にまともな議論もせず対面授業を放棄し、遠隔講義で感染対策に貢献する「意識の高さ」を誇っていたことの欺瞞《ぎまん》がバレちゃうから。

そんな彼らが食いついたのが、同年10月の「日本学術会議騒動」です。通常は会議側の推薦どおりに任命される新会員105名のうち、6名が政府（菅義偉《すがよしひで》政権）によって拒否され、そのなかに加藤陽子氏（日本近代史）・宇野重規《しげき》氏（政治思想）という著名な学者が入っていた。とくに加藤さんの『それでも、日本人は「戦争」を選んだ』（2009年）はベストセラーですから、研究者以外への知名度も高い。

だから彼女をお神輿《みこし》に載せて「とんでもない強権的な政府が出現した。ここで押し返さなければみなさん、日本は戦前に戻ります！」とやれば、安倍政権の自粛要請を丸呑みした過去は帳消しになって知識人のプライドが保てると、多くの学者が踏んだのでしょう。哀しい人びとですよね。それが、あの空騒ぎのすべてですよ。

この抗議活動は国民の支持を得られず、霧消していくわけですが、自業自得と言うほかはないでしょう。普通の国民はまさに、4～5月の緊急事態宣言下で私権を制限され、とっくに「戦前に戻されて」いたわけ。その時は率先して大学のキャンパスを封鎖し、政府の政策のお先棒を担いだ先生たちが、自分らの業界団体に手を突っ込まれたときだけは「日本を戦前に戻す菅政権を許さないぞ！」って、意味わからんじゃないですか。

個人的には宇野先生がこのときノーコメントを貫いて、政府批判のお神輿に載らなかったのは、正しい意味での学者の見識を示されたと思います。困ったのは加藤先生が示されたご対応と、なによりそれを批判する歴史学者が出てこなかったことですね。

実証史家の「陰謀論」をスルーする人たち

加藤先生は当時『毎日新聞』で月1回のコラムをお持ちで、問題の発覚後にそこでなにを書かれるか、見守っていた読者も多かった。そうしたら10月になんと、任命拒否は政府が夏に科学技術基本法を改正して、人文・社会科学を対象に含めたところに端を発するんだと。「科学技術という言葉が初めて公的な場に登場するのは1940年8月、総力戦時の学会大再編の時だった」(†6)、つまりこの改正は国家総動員体制に向けた布石であり、私はその犠牲になってパージされたのだと、事実上そう書いてしまったわけです。

しかし、そんな陰謀があったと裏づける史料は何もない。むしろ、反証だけはしっかりあります。

ネットで多数指摘され、実は加藤氏自身も認めるように、そもそも人文・社会科学も振興する対象にしてくださいと繰り返し求めてきたのは、学術会議の側なんですから（†7）。政府がようやくそれに応えたら、今度は「政治家が人文・社会科学も支配しようとし始めた！」とは、とんだマッチポンプという他はないでしょう。

問題は、そういうことを歴史学者どうし、ちゃんと批判してるのかということです。ピア・レビュー（同僚間の相互批判）という言葉があるように、どんな学者だって間違いを書いちゃうことはある。しかしそれを常にお互いチェックし、指摘しあって修正していくしくみが備わっていることがアカデミアの価値であり、ジャーナリズムや商業出版には委ねられない部分なんだと、学者たちはずっと唱えてきたわけですよ。そのくせ「実証的な歴史研究者が、つい上手の手から水が漏れて、陰謀論に近い叙述をしてしまう」という大問題が目の前にあるのに、なにも言わなかったわけだ。

†6　「加藤陽子の近代史の扉「人文・社会」統制へ触手」『毎日新聞』2020年10月17日。
†7　日本学術会議（科学者委員会・学術体制分科会）が、「第6期科学技術基本計画に向けての提言」（2019年10月31日、4頁。ウェブ上で公開中）で、自ら明記している。

つまりこのとき、学者たちは自ら長所を棄てたんですよ。もしご自身の権威ゆえに、あれはまずいですよと助言してくれる「忠臣」が周りにいなかったのであれば、加藤先生もまた、そうした学界の堕落《だらく》の被害者であるようにも感じます。

「#フリーアグネス」に隠れた自己欺瞞

２０２０年10月9日にネットで発表した文章では、こうした学術会議騒動の幼稚さを「代償行動」の観点で分析しました（本書、３１３頁以下）。自国のコロナ対策への違和感を表明すべき場面では、民意が怖くてできなかった分を取り返そうとして、「みんながついて来てくれそう」に思えた他の材料でぎゃあぎゃあ叫ぶと。

実際には大学教員なんてとっくに見捨てられているから、誰もついて来なかったんですけど、これは深刻だなと感じたのはその２カ月前に発生した「#FreeAgnes」（アグネスを解放せよ）のサイバーデモです。

香港の民主活動家として知られる周庭（アグネス・チョウ）さんが、20年8月10日に国家安全維持法違反の容疑で逮捕されたことに対して、ＳＮＳ上で抗議する運動ですね。実業家や芸能人など、後の学術会議騒動は「スルー」するタイプの人たちも声を上げ、かなり大きなうねりになりました。もちろん私も、抗議の内容自体は正しいと思っていますよ。

しかし彼女は民主化運動の闘士だから、これまでだって逮捕された体験があるわけです。それを「いま知りました」みたいに抗議するって、ちょっと恥ずかしいと思いませんか。しかも一応は香港の法律がまだ生きているようで、このときは翌11日の深夜に保釈されています。日本だったら、政治的な理由で逮捕された容疑者が2日で出てこられるなんて、絶対あり得ないでしょ。どっちが人権後進国なんだか（苦笑）。

結局、まさにこれが代償行動ということなんです。おそらく本当は、日本政府が「自粛のお願い」という形の擬似ロックダウンを発動し、自分の権利が侵害されていることにいちばん苛立っている。しかし口にすると周囲からの反発が怖いので、黙っている。

代わりに「邪悪な中国共産党が、美しい香港の女神を弾圧し始めた！」みたいな、これなら声を上げてもみんなが味方してくれるだろうというネタにだけ飛びついて、溜《た》め込んだ憂さを晴らしていた。それって、そんなに立派なことなのかな。

その証拠に、彼女は12月2日に実刑判決（禁錮10ヵ月）が言い渡され、今度こそ本当に収監されるのですが、8月に騒いだ人のほとんどは、このときは文字通りなにもしない。全力で抗議すべきはこちらのタイミングなのに完全に無視して、ＳＮＳでは「第三波でまた感染者が増えてきた、コロナ怖い」トーク。ひどい話だと思いますよ。

中国に呑み込まれつつある香港のように困難な地域で、政治運動している人たちは命を懸けてやっている。それを外国という安全圏にいる人間が、コロナネタが低調になった「挟間《はざま》」のストレス発散の素材に使っちゃいけないだろうと。なんでそんなあたりまえのことがわからないのかと、悲しくなりましたね。

忘れられた「治安維持法」の反省

現役の大学の歴史学者たちがなにもしないせいで、引退した私がやらないといけないわけですが、コロナ禍でのロックダウンと香港での民主派弾圧、この両方に通底する危険性を指摘しなきゃだめなんです。そこに目をつむっているせいで、「自粛に抗議するのは怖いから、中国の悪口言っとけ」みたいな恥ずかしいことになる。

日本近代史では飽きるほど繰り返し指摘されてきた、戦前の「治安維持法」（1925年成立）の教訓。それをいまこそ思い出さないといけません。

周庭さんの逮捕に使われた香港国家安全維持法、これは現代中国版の治安維持法だとよく報じられますが、その理由は「なにが犯罪になるのか」をきちんと定義していないからですね。当局がいくらでも恣意的に解釈して「おまえは国家を危機にさらしたんだ」として、その人の具体的な行為ではなく、思想を理由に逮捕できる。これが絶対に許してはいけない点なんです。

かつてのわが国の治安維持法にも同じ構図があって、その最大の問題点のひとつは「予防拘禁」でした（1941年の改正で導入）。たとえば共産主義者が革命のためにテロ行為を「起こした」のであれば、そうした行為を犯罪として取り締まること自体は国家として当然でしょう。ところが、それに留まらないことを戦前の日本はやっていた。

ざっくりいえば一度でも治安維持法違反で有罪になる――「アカ」だと国に認定されると、こいつはテロを起こす「かもしれない」からという口実で、なにもやっていないのに予防拘禁の名目で収監することが認められていた。これが、同法が事実上は思想を弾圧する法律であり、日本史上に汚名を残す悪法となったゆえんです。

「理系の専門家」の感染予防策は特高警察レベル

大事なのはここからで、実はこの発想、コロナ禍でのロックダウンとも相似形でしょう？

ウィルスに感染するのはもちろん犯罪じゃないし、無症状で感染した人はごく普通に「いつもの日常」を送っているだけ。行為としての犯罪はおろか、社会的な逸脱行動すらどこにも存在しない。

しかし、おまえらはウィルスを広める「かもしれない」からとして、活動が規制され、しかもその対象や範囲はどこまでも広がっていく。いつの間にか検査で陽性じゃない人でも、あらゆる生活の諸側面で自由を制限されている。究極の予防拘禁じゃないですか。「ウィルスと思想は違う」とか言い出す人がいそうだけど、共産主義の感染力はコロナよりすごいですよ、とくに戦前の日本は格差社会だったから。①国家の統治者にとっては「これ以上、広まってほしくない」ものだからという理由で、②事実上は刑罰にも等しい自由の制限を、③裁判所での違法行為の認定をスキップして科していく。

そうした構造では、(自粛要請も含めた広義の)ロックダウンと治安維持法、まったく同じじゃないですか。いや、もっとひどいかな。事実上、「食事中は会話するな。思想(ウィルス)がうつるだろ!」と主張するに等しい、悪名高い戦前の内務省ですらさすがに言わなかったことを、いまは理系の専門家と称する人たちが平気で嘯《うそぶ》いているわけですから。

「コロナ八分」を予見する歴史感覚が必要

こうした目で見るとすっと理解できるのが、いわゆる「コロナ八分」の問題です。人口が少なく全員が顔見知りの地方の集落などでは、家族に感染者が出たというだけで周囲から排除され、転居を余儀なくされる例まである。私も東北に住む友人から、実例を聞きました。

こういう村八分って江戸時代まで遡らなくても、戦時下の日本にもあったんです。共産主義者や反戦運動家、徴兵忌避者を出した家を「八分」にして、官民を挙げてみんなでいじめたわけ。黒澤明が敗戦直後に撮った『わが青春に悔《くい》なし』（1946年）に、そうした激しい迫害のあり方が描かれています。

旧著『中国化する日本』（初出は2011年）にも反映されているように、私は大学で歴史を教えるとき、良質なフィクションを含めたなんらかの映像作品を、必ず見せるようにしていました（†8）。たとえば「戦時中の日本」といったとき、身体感覚として「こういう感じかな」と湧き上がるものがあれば、同じ状態が目の前に再来したとき「……なんか、ヤバい？」って気づけますから。

線形のストーリーを形作る歴史観というよりは、その手前の段階で、正しく過去からの積み重ねを感じ取るための「歴史感」でしょうか。前者については教科書問題等で始終やかましい歴史学者たちでも、後者に関しては一般庶民と大差ないレベルにあることが、今回のコロナ禍をめぐる対応でわかってしまったわけです。

---

†8　コロナに通じる別の事例は、拙稿「再上映中の『もののけ姫』を「日本史と中国史」で読み解く」現代ビジネス、2020年7月8日を参照。

歴史学者もミスリードしたスペイン風邪

広く読まれた磯田道史《みちふみ》先生（日本近世史）のコロナ論にも、遺憾ながらそのことを感じざるを得ません。『文藝春秋』で2020年5〜10月号に6回「感染症の日本史」を連載され、同じタイトルで1冊にまとめた文春新書（同年9月）も7万部以上のヒットですから、一般の読者にとっては、コロナ禍で「活躍した」歴史学者の筆頭と呼べる方でしょう。

私は初出の雑誌版でしか読んでいませんが、しかし今回わかったのは、論じる問題に適した「歴史感」を持っていなければ、いかなる歴史家でもまちがえるということです。

本書にも批判を再録したので（223頁）、簡略に述べますが、磯田さんは彼にとっての先生でもある速水融《あきら》さん（歴史人口学）の『日本を襲ったスペイン・インフルエンザ』（2006年）を何度も引用し、コロナ禍でもこれが参考になるんだ、歴史の教訓だという。

しかしスペイン風邪は大正時代、1918〜20年の出来事です。そのころの日本の医療や衛生環境の水準、あるいは栄養状態を決める富の豊かさは、いまと同じですか。

近代化したといっても当時は抗生物質がないので、子どもが「風邪をこじらせて死にました」といったことが珍しくもない日常だった時代です。有名人の例を挙げると、たとえば田中角栄（1918年生）は8人中4番目の子ども（次男）として生まれましたが、うち

3人の兄妹（兄1人・妹2人）は若年で亡くなっています。

世界初の抗生物質にあたるペニシリンが英国で発見されるのは1928年、薬品としての実用化は42年。だから45年の敗戦直後の日本では、占領軍からペニシリンを手に入れられたかで「生死を分けた」「ケロイドが残るかが決まった」例が無数にあったんですね。

正しい比較の対象は「アジア風邪」

戦後の闇市を描いたフィクション（小説や映画）やノンフィクション（ルポや回想記）に触れていれば、抗生物質ができる「以前と以後」では妥当な比較ができないことくらい、直感ですぐにわかる。まして体験者が多く存命だった昭和の終わりまでなら、そんなことは歴史学なんか専攻しなくても、自明の常識だったはずです。

簑原《みのはら》俊洋さん（国際政治史）が明快に批判されましたが（†9）、こうした相違を考慮に入れた場合、コロナと比較するべきなのはスペイン風邪ではなく、1957年の「アジア風邪」でした。ともに内実は新型インフルエンザですから、その点は大差ありません。

---

†9　簑原俊洋「疑問多い「スペイン風邪」との比較」『産経新聞』2020年6月14日（ウェブ版あり）。

抗生物質なし、かつ中途まで第一次世界大戦中だったスペイン風邪の総死者（全世界）は、推計により異なりますが5000万人から1億人。一方、今日に条件が近いアジア風邪は200万人で、新型コロナの発生後1年間での死者数とほぼ同じ。もちろん新型コロナの死者は今後も増えますが、しかし世界全体の人口が往時（30億人弱）の倍以上ですから、統計の大幅な改定がないかぎりは「アジア風邪レベル」と見るのが妥当です。

歴史学者に安倍官邸を批判する資格なし

興味深いことに内閣官房のウェブサイトには、新型コロナでも一貫して政府のアドバイザーを務める岡部信彦さん（川崎市健康安全研究所所長）が、このアジア風邪を解説した記事が載っています（†10）。それによると1957年の流行では、罹患率は小中学校年齢が圧倒的に高く、死者の実数は幼小児と高齢者で多かったと。小中学校での集団感染が起爆剤になり、うつされた場合は抵抗力の弱い幼小児と、高齢者が死に至る例が多かったということでしょう。

新型コロナ禍で2020年2月末に、当時の安倍首相が小中高校に一斉休校を要請したときは、唐突かつ過剰な対応としてずいぶん叩かれました。この時点でのわが国では若年層で重症化した例がほぼなく、また新型コロナでスプレッダー（拡散者）になりやすいのはむしろ高齢者のようですから（†11）、確かに対策としては空振りです。しかし、もしアジア風邪の事例を参照して「まず学校という感染経路を塞《ふさ》ぐ」と決めたのであれば、必ずしも無根拠な判断ではなかったかもしれません（†12）。

少なくとも、前提条件が今日より大幅に不利なスペイン風邪を引き合いに出して不安を増幅し、「だから、過剰なくらい自粛しよう」と煽ってきた歴史学者たちに、政権を批判する資格はまったくない。もともと誰にも実利を期待されていない学問なのだから、せめて黙っていたほうがよかったのではないでしょうか。

さすがに磯田さんはそこまで書かれませんでしたが、歴史学者か否かを問わず、今回のコロナ禍を「人類史的な大事件」「文明の転換をもたらす」と喧伝した識者は、日本にも海外にも多くいました。もちろん、全員がウソつきです（苦笑）。だって「アジア風邪が

†10　岡部信彦「アジアかぜ（アジアインフルエンザ）・香港かぜ（香港インフルエンザ）（前半）」内閣官房「新型インフルエンザ等対策」ウェブサイト、2019年4月26日。

†11　あくまで米国での調査に基づくものだが、松岡由希子「新型コロナのスーパー・スプレッダーになりやすい3つの要因が明らかに」Newsweek日本版（ウェブ版）、2021年2月16日。

†12　20年9月11日に安倍氏自身が、それを示唆する証言を残している。アジア・パシフィック・イニシアティブ『新型コロナ対応・民間臨時調査会　調査・検証報告書』ディスカヴァー・トゥエンティワン、2020年、131頁。

戦後史の転換点」「冷戦構造を変えた」なんて言っている人、いま誰もいないでしょう？　せいぜいが数十年に1回起きる、慣れれば忘れ去られる感染症に過ぎないんですよ。

理系への信頼を失墜させた西浦博氏

加藤陽子・磯田道史の両先生は、どちらも緻密《ちみつ》な実証に基づく専門的な研究書を書かれた上で、一般書でも広く読まれるベストセラーを出していた、歴史学の——というか日本の人文学全体のトップスターといってよい学者です。しかしそうした方のコロナ禍での実績が、ゼロどころかマイナスだった。もう少し文系の学者さんは自らの社会的な信用の問題として、危機意識を持つべきではないでしょうか。

そして同じコロナ禍では、文系に比べれば相対的に威信を維持してきた理科系の学問も、大きくその信用を失いました。典型はもちろん最初の緊急事態宣言下（２０２０年４～５月）、政府の助言者として「接触８割削減」の旗を振った西浦博氏（当時は北大教授。のち京大教授）です。「なにもしなければ、日本だけで42万人が死ぬ」と会見し（４月15日）、マスコミを大騒ぎさせながら、５月末の累計死者数はわずか９００人。

彼が防疫対策の立案でも、リスクコミュニケーションの面でもいかにまちがっていたかは何度も書いたので（本書２１２・２６３頁など）、再論する必要はないでしょう。むしろ問題はそうしためちゃくちゃな学者の暴走を、なぜ政府や国民が許してしまったかということです。むろんそこでいう国民には、彼の予言を疑うことなく遠隔講義とステイホーム自慢に明け暮れていた、多くの学者や言論人も含まれます。

接触8割削減は「第二のSTAP細胞」だったのか？

死者数の予測を外したこと自体は、当然ながら西浦氏本人も認めています。しかし奇妙なのは、その事実を指摘し原因を問おうとすると、なぜか「そこまで責任を追及したら、今後は科学者が自由に発言できない」といった謎の擁護論が現れることです。

率直にいって、こうした光景は、２０１４年に起きた「ＳＴＡＰ細胞事件」で見られたものと同じです。衝撃的な学説の発表が、なかばメディアジャックのような形で行われ、多くの人がそれを「確定済みの真実」のように思い込まされてしまう。

もちろん小保方晴子さんのように生物学の実験データを「捏造」したのと、西浦氏のように理論疫学でシミュレーションを「外した」のとは、まったく別のことですが、自然科学と一般社会のあいだで生じたミスコミュニケーションの質としては、類似した点が多いと考えています。

たとえばＳＴＡＰ細胞事件を追ったルポを読むと、小保方さんは実験画像の使いまわしが発覚するごとに、大略「それは、実験のデータとモデルを示す概念図を取り違えただけです」と弁明していました(†13)。西浦さんの場合はシミュレーションなのだから、そもそもはじめから、彼が言及できるのは(コロナの感染拡大の実態ではなく)モデルの話でしかありません。ところが厚労省で「クラスター対策専門家」の肩書で公表したことで、あたかも試算通りに感染が広がっていくという「事実」があるかのような印象が作り出されました。

私はこの点に関して、西浦氏自身が研究倫理から逸脱していたと考えますが、人によっては意見が違うかもしれない。しかしより大きな問題は、そのときどうして「いや、それはあくまで想定されたモデルであって、現実そのものじゃないでしょう」というツッコミが、メディア上でストッパーになる形で入らず、今日にいたるまで責任が問われないのかということです。答えをひとことで言えば、背景にあるのは平成期以来ずっと蔓延してきた、学界や論壇の理系コンプレックスではないでしょうか。

数式や図表・グラフで示されるデータこそが「現実」なんだと。それ以外のごちゃごちゃ言葉でなされた分析みたいなものは、単なる個人の「感想」にすぎず無価値なんだと。そういう風潮が、このところすごくあるでしょう。

「理系の学問は客観的、文系はしょせん主観的」みたいな価値観もそうですね。大学を業績主義——論文が何本でインパクト・ファクターは何点といった数値化された指標で、優劣づけする発想が席巻してゆくなかで、当の文系学者までもがそうした自嘲的な姿勢に陥っていきました。

イラク戦争の失敗を再演した「能力の忖度《そんたく》」

政策科学に関していうと、ここには二重の問題があります。まず①現実とは本当に、すべてを数値に換算してデータ化可能なものなのか。そして②仮に可能だったとしても、そうしたデータを全員がアクセスできる形で公開できるのか。

まともに人文学を研究していれば、①の時点で明白にノーと言えるのですが、それはいったん措《お》いておきましょう。今回のコロナ禍では、厚労省のアドバイザーである西浦氏が②情報を独占し、途中まではシミュレーションの計算式さえ示さずに「分析の結論はこうだ!」とやってしまった。それでもその予測を疑わずに従ってしまう人が——理系・文系問わず研究者も含めて——続出したという事実は、なにを意味するか。

コロナより前から論じてきた主題ですが(†14)、私はそこで作動していたのは「能力の忖度」だと思うんです。

†13 須田桃子『捏造の科学者 STAP細胞事件』文春文庫、2018年(原著14年)、184・349—350頁。

「西浦氏だけがデータを独占して、ただ自分の計算を信じろと主張するのはおかしい」というまっとうな思考が起動する前に、「いやいや。政府のアドバイザーを務めるくらいだから、西浦先生はきっと優秀な学者なんだ」と、彼の（意図ではなく）能力を忖度してしまう。そうすると結論が裏返って、「42万人死ぬとかは正直信じがたいけど、でも現に西浦さんは（自分と違って）データを見ているんだ。つまり、そこまで強く警告すべきだという現実が、きっとあるに違いない！」ということになってしまう。

これ、実はコロナよりだいぶ前からあったんですよ。文系の主に社会科学を揺るがしたのは、2003年に開戦したイラク戦争のときです。

アメリカのブッシュ（子）政権が、イラクが大量破壊兵器を保持しているという証拠がないのに開戦に踏み切ってしまったものですが、このとき米国支持の錚々《そうそう》たる学者や言論人はなんと言ったか。「ホワイトハウスには世界一優秀なスタッフが揃《そろ》っている。彼らがやると決めた以上、そうさせるだけのデータが（日本人にはアクセスできないだけで）あるんだ」と。戦争でイラクを負かせば、必ず後から証拠は出てきますよと。そう唱えて開戦を支持したのに、そんなものは最初から最後まで存在しなかった。

コロナ禍では同じ力学が、国際政治から国内政治に舞台を移す形で縮小再生産されました。米国の統治エリートに対してコンプレックスを感じるのは、正直わかりますよ、なにせわが国の宗主国だから（苦笑）。しかし同じ日本人どうしでそれを再演してしまうのは、もはや社会的な病理というほかはありません。

政治も歴史も堕落させる「貴重品化」

この能力の忖度という病ですが、歴史学がここまでダメになった理由とも、根っこは同じなんです。大学に勤めているときは皆目わからなかったダメっぷりの根源が、最近ようやく私にも見えてくるようになりました。

元ＴＢＳの山口敬之《のりゆき》さんという方をご記憶でしょうか。彼はいま別のこと（性暴力での民事訴訟）で有名ですが、もともとは「安倍総理と一番親しい記者」という肩書で売れっ子になったジャーナリストです。正直、私は最初驚いたんですよ。

政治家にもお気に入りの記者さんくらいいるだろうけど、当の記者の側がそれを看板にしたらマイナスのはずじゃないですか。視聴者も当然、「じゃあこの人の発言は安倍さんベッタリで、官邸の意向に沿ったものだな」という目で見るようになるのだから。ところが意外に、それで商売できちゃう、これに大変びっくりした。

---

†14　拙稿「大学のなかでこれ以上続いてはならないこと」『現代思想』２０１８年10月号、１０２―１０４頁。

ここで起きているのは、いわば政治の「貴重品化」です。——難しくいうと、かつてマルクス主義の哲学で議論された「物象化《ぶっしょうか》」になりますが、本当はモノではない働きや構造を、あたかも手で触れられる**具体物のように錯覚する**という意味です。

「政治ってなにか」といえば、本来は目に見えないプロセスの積み重ねであり、国民ひとりひとりの行為の集合体ですね。人びとがそれぞれに疑問を感じ、こうしてほしいという希望を抱き、お互いに話しあったり論説として発表したりし、最後は政治家を動かすことで、実現したりしなかったりする。その「総体」こそが政治である。少なくとも、民主主義の社会ではそう考えてきたわけです。

ところが山口さんや彼を支えたファンは、そこが違ったんですね。彼らはむしろ、端的に「首相官邸の中で起きていること」が政治だと捉えていた。だから、そうした限られた場所にアクセスできる、レアな権利を持っている俺ってすごくない？　と。そういう感覚をキャッチコピーにしたのが、「安倍総理と一番親しい記者」であったと。

実はこれ、まさにダメな歴史学者とも同じ構図なんです。

「歴史とはなにか」といったとき、優れた学者は現在から過去への問いかけがあって、初めて歴史が始まると考えます。現在という時代のなかで、たとえば人が悩む。その悩みはどこからくるのかと問うた結果、過去からの系譜を見出し、その延長線上に同時代を位置づけて、他の人びととも共有可能な物語を作っていく。

本来の意味での政治と同様に、歴史もまたそうしたキャッチボールのはずなんですよ。ところが先に見てきたとおり、ダメな歴史学者は同じ問いに「古文書に書いてあることが歴史です」と答えてしまう。そして、レアな一次史料にアクセスできる——収蔵者へのコネがあり、さらには読解する特殊技能を持つ俺さまだけが「正しい歴史を知っている」んだと、こういう意識になっていく。まさしく安倍総理と一番親しい自分こそ、日本政治を語れるプロ中のプロだと信じていた山口さんのご同類です。

利用者の「主体性」を削ぎ落とすSNS

日本には「虎の威を借る狐《きつね》」という、便利なことわざがありますね。堕落した政治ジャーナリズムにおいては、安倍さんが虎で山口さんが狐。同じ構図でダメになった歴史学では、元はゴミだった古文書が虎で、歴史学者が狐です。

実際、「私に聞いてもらえれば、安倍さんのホンネを教えてあげます」と同様に、「私の授業に出れば、古文書という〝生の歴史〟に触れられます」で商売している学者は非常に多い。かつて私も職場で一緒に働いて、散々不快な思いをさせられました。なにせ、山口敬之さんが政治学を教えている法学部のようなものですから（失笑）。そんな学科には勤めない・進学しないに限りますよ。

むろん消費者が支持する以上は、なにで商売しようが勝手じゃないかと、そういう考え方はあるんでしょう。しかしそうしたサービスに関わっていると、購入者だけでなく供給者のほうも、往々にして自分の「主体性」をすり減らしていくんです。

こんなに立派な「虎」と私は近しい関係なんだ、というところに生き甲斐を見出している狐は、絶対に虎を批判できないですよね。虎の正体が空っぽだとわかった瞬間、自分もまた存在意義を失ってしまうから。結果として、嘘でも虎の虚像を膨らませ続けないといけなくなる。「狐たる自分ごときにはわからないだけで、虎さまの中にはもっとはるかに深遠な真理があるんだ」と、そう思い込むようになってしまう。

お気づきのとおり、これこそが「能力の忖度」を生む源泉なんです。

すべてをネット社会のせいにするつもりはありませんが、そうした問題性が集約されているのが現在のSNSです。もともと始まったときには、ユーザーひとりひとりの主体性を活性化する場所になると期待され、だから2010年末からの「アラブの春」のような民主化運動のインフラともみなされた。でも、いまはそうじゃないでしょう。

インフルエンサーその他の名目で、プチ権威のような虎を自称する人ばかりが持ち上げられ、彼ら彼女らに「フォローされた」「いいね!をもらった」という満足感にすがる狐が増えてしまった。メディアの特性上、やむを得ない部分もありますが、なかにはそうした構造に乗っかって、露骨にあこぎなビジネスをやる人もいるわけです。「虎に褒《ほ》めてもらえる権利」を、狐にお金で売るとかですね。

専門家までが「インフルエンサー・ワナビー」に

そうしたメンタリティの副作用はSNSに限らず、いまや政治や言論、あるいは学問にも滲《にじ》みだしている。今回のコロナ禍は、それを如実に示しました。

たとえばSNSでいかに鋭く安倍政治を分析する文章を書いても、たぶんそんなにバズらない。むしろ安倍さんとのツーショットをアップして、「会場にいらしてびっくり！辞任後もお元気そうでした」とだけ添えた方がウケる。それと同類の編集方針になっている論壇誌、いっぱいあるじゃないですか。

私がオーラルヒストリーの現状に批判的なのも（253・309頁）、それが理由なんです。いかに「大物」を捕まえて喋ってもらうかが第一義で、内容は二の次だという研究姿勢が蔓延している。

文書ベースの歴史学も同様で、いかに「レア度が高い」史料にアクセスしたかのみを競い、結果的に構築される歴史像は凡庸でもかまわないと、そういう態度の実証史家はごまんといます。

コロナ第一波で政府方針を極端へと偏らせた西浦博さんも、本人が自分から「8割おじさん」なる自称をPRして、露骨にキャラを作ってメディアに売り込みました。いまはSNSの手法でウケるのが、いちばん世論に影響力を持つ方法だ――「今回はなんとあの、8割おじさんが生出演！」的な形でインフルエンサーになれば、どんどん自分の学説の支持者が増えるぞと、そう考えての振るまいでしょう。

実際に西浦氏は「クラスター対策専門家」の名義でツイッターアカウントを開設し、広告代理店の関係者もチームに加えていました。死者42万人の試算公表と同様、厚労省での上司にあたる押谷仁《おしたにひとし》氏（疫学解析。東北大教授）には反対されたのに、押し切っての行動だったことも調査報道でわかっています（†15）。

もうSNSを「ネットで承認を得ようとする、イタい人間のたまり場」みたいに、上から目線でスルーできる時代ではないんです。SNS社会の毒は、ふだんネットを利用しない人も含めて、社会中に回りきってしまった。そのことの反省なしに、まともなアフターコロナの構想はありえない。

「虎の威を借る狐」を脱する道とは

どうしたら私たちは、「虎の威を借る狐」的な生き方を脱け出せるのか。「古文書の威を借る歴史学者」の卑小な実存は、大変よい反面教師になると思います（苦笑）。

たとえば私が西浦博氏を批判する際に利用したのは、おそらく緊急事態宣言下で最も読まれたネット記事である、彼のインタビューでした（212頁以下を参照）。このとき私の分析を読んで、最終的な賛否はいずれにせよ、自分の頭で考えられるのか。それとも「貴重なデータを持つ政府の専門家に、ネットしか見てない素人が逆らってる」と嘲《あざけ》って、思考停止してしまうのかが分岐点。

残念ながらSNS上の歴史学者には後者が多く、彼らはあとで大恥をかくことになりました（†16）。でも私自身としては、こうした公開情報でもその深部に潜む「書かれていないこと」を看取して、既存の権威に臆《おく》さず発言する姿勢こそ、いい意味での歴史研究のトレーニングを通じて、得てきたものだと思っています。

そうした歴史学からの「ギフト」のほうを、私は大事にしていきたい。母体である歴史学それ自体については、堕落してギフトの力を発揮する障害になっているのなら、むしろ火をつけて全部焼き尽くす。そういうつもりで、いまいるんですよ。

†15　広野真嗣「ドキュメント感染症「専門家会議」」『文藝春秋』2020年7月号、172頁。
†16　拙稿「自粛とステイホームがもはや「正義」ではないこれだけの理由」現代ビジネス、2021年1月9日。

3 「危機の主体性」を養う読書体験

依存の「良し悪し」はどこで見分けるか

映画『パラサイト』を論じた際にも書きましたが（151頁）、どんな人であれ他の誰かに依存しながら生きていく。ただし、その依存のしかたには良し悪しがある。「狐になって虎の権威に依存する」というのは、誰が見てもわかるように悪性の依存なんです。むずかしいのは、その依存の良し悪しをどこで見分けるのかですね。同語反復になってしまうけど、鍵になるのはやはり主体性。本人の主体性を賦活《ふかつ》して、自立の方向へと徐々に傾けていく、そうした再出発のための安心できる「基地」としてなにかに依存するのは、ポジティヴだから大いにありだと思う。

逆に主体性がどんどん削ぎ落とされ、涸渇《こかつ》して他人に隷従してしまうようになる依存はネガティヴなもので、認めてはいけない。古文書依存症の歴史学者の多くは、感染症の危機に際して「専門家依存症」も発症して国策に追従したわけですが、彼らは「悪い依存が、また別の悪い依存を呼ぶ」典型例ですね。

古文書はこれからまたゴミに戻るので、依存する人も自ずといなくなるでしょうが、むしろポストコロナで問い直すべきは「技術依存」、テクノロジー依存の問題です。

コロナ禍を深刻化させた「テクノロジー依存症」

平成の終わりごろから、よく目にしたじゃないですか。たとえばベーシックインカム（BI）の正当性を論証して、国民全体を説得していくのはすごくむずかしい。そこで「いやいや。遠からず人工知能（AI）が人間を追い抜いて、みんな失業しますから。放っておいても必ずBIになるんです」とか言ってごまかす人たち。

要は、自分の他人に働きかける力の不足――主体性の欠如を「技術トーク」で埋め合わせている点で、悪い形でテクノロジー（テック）に依存しているわけですが、コロナ禍ではその副作用が猛烈に出たわけです。

①本当に大規模な自粛が日本でも必要なのか？　を吟味する作業をスキップし、仮に必要だとしても②不利益を被るなど、にわかに同意しがたい人たちとのあいだで、お互い協力しあえる論理を構築する営みも放棄する。そして、目の前の難題を「酒で忘れりゃいい」としてアルコールに依存していく人のように、とにかく緊急事態宣言を出して「後はテックで解決すればいいいんです！」とやってしまった。

映画館やコンサート会場が閉まっても「ネット動画があるじゃないですか」、周囲に観客がいなくたって「ＳＮＳで盛り上がれば同じじゃないですか」、仲間と飲食店に集まれなくても「デリバリーを頼んで、Ｚｏｏｍ飲み会ですよ！」とか。ＩＴ起業家がそう言うのはむろんビジネスチャンスだからですが、同調して「こんなに意識高くステイホームしてます！」とＰＲしていた有名・無名の人たちが山のようにいたんですね。

その結果、いったい何が生まれたんですか？　気に入らない動画出演者をネットリンチで自殺に追いやる悲しい事件であり（236頁）、「テックで飲食店支援」（ＧｏＴｏイート）をうたって実現したのは、３００円で1杯飲むだけで税金から１０００円分ポイントもらいますみたいな「バーチャル食い逃げ」の顛末ですよ（†17）。

そうした風潮の片棒を担いでおきながら、しらを切って「いやいや。あの時点ではベストなコロナ対策だから、恥ずかしいことはしていない」みたいな顔をしている面々には、きちんと責任を取らせなくてはいけません。それは、戦争が終わった後で「あの時はしかたなかった」と称して反省しなかった人たちと同じですから。

「メルケル推し」の人が見ていないもの

海外に目を転ずると、任期満了での引退を表明しレームダック（死に体）だと言われてきたドイツのメルケル首相が、コロナ禍では政治家のお手本と呼ばれて国際的な名声を回復しました。日本でも最初の緊急事態宣言以来、「メルケルさんのスピーチは感動的。対してアベは、スガは……」といったコメントはずっとネットに溢《あふ》れています。

しかし自分の国への鬱憤《うっぷん》を晴らすテコとして、よその国を持ってくるだけなら、「武漢《ウーハン》市を即ロックダウンした、習近平主席の無限の権力は偉大だ」と変わらない。メルケルを持ち上げる人ほど、彼女のなにがすばらしかったのかをわかっていないんです。

ひとことで言えば、歴史が持っている「共感を生み出す力」を最大限に引き出した。それが、メルケルのスピーチが人びとの心をつかんだ理由でしょう。

世界が彼女に再注目した2020年3月18日のテレビ演説では、冷戦下の東ドイツで育った過去を踏まえて、「私のように、旅行の自由・移動の自由をようやく権利として勝ち取った者には、それを制限することは、絶対に必要な場合にしか正当化されません」と言った。つまりコロナ対策で規制される個人の自由について、①いかに歴史の苦闘の中で獲得されてきたかという経緯に触れ、②だからその価値をわかっていますと表明し、③その上でもなお、今回は一時的な制限が必要なほどの事態だとして理解を求めた。

†17 拙稿「コロナ禍酔いどれ天使」『ひらく』5号、2021年、も参照。

こうした語り口だったから、同じ**歴史を共有してきた**と感じる視聴者のあいだで、「そうか」と。そこまで言うなら、俺だって協力するよと、こうなったわけでしょう。

もっとも彼女の対策が妥当だったかは別の問題で、ロックダウンを繰り返しても感染の再流行は止まらず、国内の不満も高まっていきました。12月9日には野党の激しい追及に対し、珍しく感情を露《あら》わに反論して再度、注目を集めましたが、ここでもドイツのクリスマスの伝統——ホットワインやワッフルを屋台で楽しむあり方は「すばらしいものだ」と。その価値を自分も本当に大事にしています、だけれども……という形で、もう一度、どうか規制することを許してほしいと述べたわけです（†18）。

ここにあるのは、自分は「完全な英雄」ではない、というメッセージです。もちろん人命を救いたくてロックダウンするのだけど、まさにそれと表裏一体の形で、どれだけ「権利の制限」「文化の破壊」という罪深いことをしているか、私は自覚していますと。

そして、それを聞いたときに「この人は〝わかっている〟人だな」と、そう感じて支持していける国民の情操を養ってきたのが、「歴史の共有」なわけです。歴史上、完璧で欠点のないヒーロー／ヒロインなんて、いたためしがないのですから。

「マンガよりマンガチック」な小池都政の皮相さ

これに対して、日本の「メルケルファン」はまったく逆ですね。彼女なり、早期の鎖国政策でコロナの流入を一時的に抑えた台湾の蔡英文《さいえいぶん》や唐鳳（オードリー・タン）なりをにわかに持ち上げ、「彼女たちは完璧だ。しかしアベは完璧じゃない、よってアベはクソだ」みたいな。そういう人に限って、危機感を漂わせた喋り方や舶来語の頻繁な使用など、海外の指導者のうわべだけを真似した小池百合子都知事にあっさり騙される。

マンガチックと呼んだらマンガ文化に失礼なほど、日本人の人間観が痩《や》せ細っているわけです。ステイホームとかニューノーマルとか、必殺技の名前のような新語をパクって叫び、「私は100%の正義です。私に従うならみなさんも正義です。さぁ、一緒に不要不急のいらないもの、不謹慎な悪の勢力を叩きましょう」と。こんな薄っぺらな話、いまどきマンガの中でも見ないですよ。

ところが、それに釣られてしまうのが今日の日本人なんですね。「究極の新兵器が開発されれば大逆転！」みたいな、凡庸なSF作品にしか出てこないテクノロジー万能論に依存してしまう人が多いのと、まったく同じ構造です。歴史の実在感を失った結果、人間社

†18　宮台真司・與那覇潤・宮沢孝幸「緊急鼎談　コロナと日本人」『週刊現代』2021年2月20日号、160頁。

会の理解がそこまで浅薄になっている。

もっとも私はメルケルのリーダーシップは、彼女を最後として幕を閉じていく「歴史の黄昏《たそがれ》」だと思っています。ドイツは2回の世界大戦でともに敗北、両者の狭間ではナチズムの悪夢を生み出し、戦後も東側の半分は非人間的なディストピアの体制だった。背負っているものが大きかった分、「歴史の重みに訴えかける」というレトリックが、今日でも機能する最後の国になったという側面があります。

先にBTSの例を出しましたが、いまやホロコーストの記憶ですら軽くあしらい、「ネタに使うくらい別にいいじゃん、なにが悪いの？」としか感じられない世代が、世界中でどんどん主流になっています。歴史の存在感を前に、人間が互いに謙虚になり、共感を作り出してゆく——そうした実践が完全に不可能になってしまう前に、なにができるのか。

「理系コンプレックス」の文系学者は要らない

歴史学は本来人文学の一部として、人間というものの「厚み」を描き出すのが仕事だったはずでした。100％善行しかしていない英雄なんて、ありえない。ある国の視点では栄光の軌跡であるプロセスが、他の国から見たら屈辱の連続だったかもしれない。

しかし、それでも全部をひっくるめて「これが、私たちの歩んできた道のりじゃないですか」と。そういう苦みを伴った経験の共有を通じて、いっしょにやっていこうじゃないかと。そうした共存の基盤を作り上げていくことに、かつては歴史を研究し、語ることの意義があったわけです。

対してコロナ禍が炙《あぶ》り出したのは、平成期に人文学の切り捨てが進んでいった結果、歴史学を「二流のデータサイエンス」だと勘違いして、生き残りを図る卑小な実証史家たちの存在でした。だから「データの数字を見ている理系の専門家に従おう！　価値ある人間関係なんて全体の2割程度だ、さぁ8割削減！」みたいなことになってしまう。

そんな理系の太鼓持ちのような学問が今後も必要かというと、率直に言って、要りません（笑）。そもそも私にしても、人間の複雑性や多面性——歴史が人文学の対象となるに値《あたい》する、いちばんの基礎たるゆえんを教わったのは、学者からではなかったですから。

陳舜《ちんしゅん》臣《しん》の小説に「人間の歴史」を学ぶ

たまたま2020年の1月、つまりコロナ禍の直前に『日本経済新聞』から「読書日記」の執筆を依頼されて、これまでの遍歴をふり返ったのですが、少年期に作家の陳舜臣さんが描く中国史から得たものはすごく大きかった。「三国志のこの武将が好きになった」的な浅い関心ではなく、まさに「人間とはなにか」といったレベルで自分の認識の根底を作っていたんだなと、あらためて感じます。

先ほどメルケルのスピーチには「私は完全な存在じゃない」と、そういう自覚が滲み出ていると話しました。それなら誰が完全なのかといえば、彼女の場合はやはり「神」になるわけでしょう。キリスト教民主同盟の党首で、お父さんも牧師さんですから。

陳舜臣

完全なのは神だけだ。人間とは不完全さを抱えて、自らの欠点とつきあい続けながら、ベストを尽くしてゆく生き物なんだ。そうした発想がキリスト教圏では、伝統として根を張っているのだと思います。だからこそ反動でニーチェのように、「そんな自己卑下した人間観は奴隷道徳だ」と唱える反逆者も出てくるのですが。

しかし東アジアの場合、一神教的な「絶対者」を持ち出すことで人間を限界づける発想には、バックボーンとなる宗教がない。だから陳さんの小説は、いわば神に代わるものを「歴史」に求めている――歴史というものの前に立つと、英雄や名将を含めたあらゆる人間が小さく見えるけれど、しかしそれは彼らが無価値だというのとは違う。そういう構図で描かれているんですよ。

小説十八史略（講談社文庫） 陳舜臣 著

人間臭い英雄、最良の描写 2020年1月9日 日本経済新聞夕刊「読書日記」

平成のはじめ、面接入試で「尊敬する人物」を尋ねられた時代のことだ（いまは個人情報への配慮から、訊くことができない）。きまじめな小学生だった私は、児童向けの図鑑を手に焦っていた。

ない。「尊敬してます」と言って問題が生じなそうな、「なにも悪いことをしていない偉人」はいない。みんな悪事に手を染めているか、後世の批判にさらされている。

結局中学入試の際に、どう答えたかは覚えていない。しかしそんな自分を救ってくれたのは、進学以降に読み出した陳舜臣の歴史小説だった。

陳さんの描く中国史にヒーローはいない。項羽《こうう》と劉邦《りゅうほう》や『三国志』の名将のような英雄たちでも、下品で欲深かったり頼りなかったりして、とても人間臭く描かれる。「彼らは、私たちと違わない」。そうしたヒューマニズムに基づく最良の描写が、そこにある。

この人間への温かい視線は、歴史の冷徹な観察に裏づけられている。とめどなく押し寄せる時代の大波のなかでは、善人や才人が恵まれるとは限らないし、勝者が徳のある人物かもわからない。モンゴルの侵攻による南宋滅亡で終わる『小説十八史略』は、特にその色が濃い。

いまも日本には「選挙で勝った人」「市場で当てた人」に群がっては、彼らは正しさゆえに成功したと説くのが言論の仕事だと、勘違いしている識者がいる。そうした営みの卑小さを理解するには、日本人が経験した蹉跌《さてつ》と絶望はまだ少なすぎる――「歴史」が短すぎるのかもしれない。

教え子の就活で悩んだ「神の不在」

私自身は無信仰な人間なのですが、「神の不在」って結構ヤバいよねというのは、大学教員として学生と接しているころから感じていました。具体的にいうと、彼らを「励ます」ことのむずかしさに、本気で悩むことがあったんです。

たとえばゼミ生から「就職活動で欠席します」というメールが来る。もちろんＯＫだよと返事をするのですが、そのとき「頑張って」とは書きたくないわけです。自分が（彼らがやっているような意味での）就活をしたことがないのに、頑張れって伝えるのは無責任だし、なによりその言い方には際限というものがない。何社落ちたとしても、「頑張りが足りないからだ！」みたいに、いくらでも言えてしまいますから。

さすがにこういうときだけは、無神論者でも神にすがりたくなるもので（笑）、「欧米はいいなぁ」とずーっと思ってました。たとえば〝Good Luck〟というのは「神の恩寵」を前提にして、あなたがそれに恵まれますように、という意味でしょう。〝Do Your Best〟にも、努力して達成できる限界は「神が決めているのだけど、そのなかでベストを」という含意がある。そうした言い方のほうが、相手を傷つけないと思うんです。

東アジアでは「代理人」をモラルに

そうした目で陳さんの作品をふり返ると、歴史小説ですから有名な君主や武将をはじめとして、「頑張る」人はいっぱい出てくる。しかし、それが暑苦しくないのはなぜかというと、私が「代理人の倫理」と呼んでいるものがあるからなんですね(†19)。たとえば、いまも名軍師の代名詞になっている諸葛亮孔明。陳さんには『秘本三国志』をはじめ三国志への言及は多いし、ずばり『諸葛孔明』という作品もありますが、彼が描く孔明は「完全無欠の名参謀」ではまったくない。

とりわけ主君の劉備玄徳《りゅうびげんとく》を亡くして、本人が軍勢を率いざるをえなくなってからは、「しょせん助言者に過ぎなかった自分に、本当にできるのだろうか」と悩み続けている存在。そうした孔明がどうやって危機を乗り切るかというと、自国の兵士や敵の軍勢にも流布している「諸葛孔明は無敵の天才軍師だ」というイメージを利用するんです。

完全な人間などというものは、虚像としてしか存在しない。しかし現実に存在する不完全な孔明の方が、いわばそうした虚像にとっての「代理人」として振る舞うことで、まさに(本人以外のものが定めた限界の中で)ベストを尽くしていく。

そうした姿勢に胸を打たれて、高校生のころまでは何冊も読んだものですが——。一神教の文明ではない東アジアで、神を前にしたときの欧米人のような「限界があることを知りつつ、しかし完全に諦めもしない」敬虔《けいけん》さ、謙虚さを、どうすれば実践できるのか。ここにひとつのモデルがあるように、いま思うんですね。

こうした目で見たとき、コロナ禍の日中両国は両極端のどん底まで行っています(苦笑)。中国では共産党が「絶対者」になっているから、おそらくは2020年4月に死者数のカウントをやめて、「収束したことにすると決めたんだ、従え！」で終了。日本は逆に野党やマスコミが、不可能だと知っているくせに「感染者がまだゼロじゃない。ゼロにしろ！」といった「無限に頑張れ」的な要求を政府に突きつけ、国民を巻き込んでいく。

過去の軌跡を前に自分のあり方を反省し、完全さとは異なる「中庸さ」の基準を汲み上げていく使命を、歴史学に果たす気がないことはわかってしまったし、どうやらマスメディアも当てにならない。後は、フィクションの側がどこまで持ちこたえて、可能なモデルを示してくれるのか。そうした局面が迫っているのかなとさえ感じています。

---

†19　拙稿「偶然性と代理」『歴史がおわるまえに』亜紀書房、2019年(初出『GA JAPAN』154号、18年)参照。

遠藤周作が試みた戦国武将の「価値転倒」

歴史学者になってみた後で、あの影響は大きかったなと感じる歴史小説は、他にも二つありました。ひとつは遠藤周作の『宿敵』。読んだのは中学のときでしょうか。

タイトルが指しているのは戦国武将の小西行長《ゆきなが》と加藤清正で、普通だったら主人公にするのは武名の高い清正の方でしょう。しかし遠藤さんはカトリックの人でもあるので、むしろキリシタン大名となる行長のほうを「隠れた英雄」として描いています。豊臣秀吉の朝鮮出兵に際して、めっぽう戦《いくさ》に強いかわりなにも考えない清正に対し、行長の方はこの戦争に大義がないことを悟って、人知れず早期和平のために努力したんだと。そうしたストーリーですね。

とはいえ前線に出ないわけにもいかず、戦下手の行長は朝鮮王朝の精鋭部隊に苦戦しますが、長篠《ながしの》の戦いの故事を思い出し、いわば織田信長の「代理人」になることで勝利するシーンもある。もちろん虚実ないまぜでしょうけど、人間にできることは結局「代理」までなんだと、そうしたクリスチャンらしい筆致と合わさって印象に残る作品です。

韓国の歴史小説に「認識のギャップ」を実感

「清正より行長の方がカッコいい」というのも、ひとつの価値転倒ですが、朝鮮出兵は当然、侵攻した側とされた側では受けとめ方が違う出来事です。その点で遠藤さんの本以上に衝撃的だったのは、韓国の作家・辛奉承《シンボンスン》が書いた『倭乱』という本。1987年の邦訳が上下巻に分かれる厚めの小説（元はより長い大長編の一部）ですが、高校のころに地元の公共図書館で手にとって、一気に惹き込まれました。

日本は侵略したのだから「反省せねばならない」的な、お説教的な感想とは違ったんです。日本人としては、活躍した朝鮮側の武将は李舜臣《イスンシン》くらいしか知らないですけど、他にもいろんな将軍・廷臣や、さらには民衆の指導者の姿が活き活きと描かれている。

それに接すると逆に加藤清正はじめ、日本人なら知らぬ人はない「戦国の名将」だって、韓国の人からしたら同じように――「こいつ誰やねん」みたいに見えているだろうなぁというのが、自ずと想像がつくでしょう（笑）。この「ギャップ」を実感する体験が大きかったんですね。

また、そのときはまだ自覚できませんでしたが、日本史の教育ではしばしば「明の援軍が強大で、秀吉軍は押し戻されました」のように習いますね。ところがこの小説では、明軍ってのは本当にやる気がなくて、全然使えない奴らなんです（苦笑）。それが史実どおりかはわからない、つまり著者の韓国ナショナリズムを投影した描写かもしれませんが、平成期に中国と韓国のあいだでも「歴史問題」が沸騰するのを目にしたとき、最初に思い出したのはこの作品でした。

そうした――狭義の歴史学以外の――原体験から、歴史叙述の意義は「世界の見え方を変える」ことにあるんだと、そういう感覚が自分には沁《し》みついているんです。少なくとも私の場合は、これらの基礎があってこその歴史学のギフトだったと思いますね。

大学人を堕落させた「にわかポストコロニアル」

ちょうど日韓関係の話題が出ましたが、1998年に大学に入学した私は「ポストコロニアリズム」の問題提起を前提として歴史を研究することになった、最初の世代のひとりなんです。たとえば多くの方は「TVのコメンテーター」として記憶しているだろう、姜《カン》尚中《サンジュン》さんの主著(『オリエンタリズムの彼方へ』)が出たのが96年ですから。

ポストコロニアルとはなにかと言ったら、これまでの歴史観は西洋近代の側――他の地域を「植民地化した」側の目線に偏《かたよ》り過ぎてきた。むしろここからは、植民地化された側の視点や体験を根拠地として、真にフェアな歴史記述を目指そうという研究動向です。コロナ禍の最中にも報じられたような、米国でいま「黒人奴隷の立場で、建国史を書きなおせ!」とか、そういった多文化主義の運動を支えている理論だとも言えます。

私としては基本的に、そうした発想は必要不可欠なものだと、そう思ってずっと研究も教育もやってきました。しかしその最中に目にした「にわかポスコロ」のような研究者は、全員ろくな人たちじゃなかったですね。コロナ禍で大学がなんの存在感も発揮できなかったのは、彼らみたいなのを跋扈《ばっこ》させてきたことのツケでもあるんですよ。

先ほど述べたようにポストコロニアルは本来、「進んだ欧米、遅れたアジア」といった前提自体を問い返していく営みなんです。ところが「にわか」の人たちは、「私は欧米の大学院に留学して、学位を取り、最新の研究動向を知っている。それはポストコロニアリズムだ。さぁ遅れた日本の諸君、みな私に従え」みたいに、むしろ西洋中心主義の上書きそのものの態度をとってしまう。

これって正直、明治期の岩倉使節団となにも変わっていないでしょう？　そしてそれは、「進んだ欧米はロックダウンしてるじゃないか！」で過剰な自粛が自明視されてしまったコロナ禍の惨状とも、根っこの部分でつながる発想なわけです（211頁）。

「ハッシュタグの正義」が歴史を滅ぼす

それでも最初は、いちおう面白かったんです。たとえば姜さんであれば、丸山眞男のような「広く尊敬されてきた、偉い学者」に対して、いやいや、ポストコロニアルの観点から見ると問題（朝鮮半島の軽視）がありますよという価値転倒を行った。これはこれで、世界の見え方を変える実践にはなっていました。

ところがパイオニアではなくフォロワーの研究になると、もともと「数々の問題が指摘されていて、いかにも差別発言をしていそうな人」を対象に選んでは、はいコイツだめでした、それを批判した私は偉いですと、こうなってしまうんです。最初から勝てそうな相手にだけ喧嘩《けんか》を売って、学界の仲良しグループみんなでタコ殴りし、意見が分かれるだろう難題には取り組まない（†20）。そうした安易な「業績の量産法」ばかりが広まっていきました。

私が大学に勤めていたころは、SNSを積極的に利用する学者はいまよりずっと少なかったのですが、こうしたハビトゥス（態度・慣習）にすごく似ているのが、昨今のハッシュタグ・ムーブメントですよ。おおむね最初から「誰それに共感しよう」「誰それを叩こう」といった指標が決まっていて、やれば仲間が集まるとわかった上で石を投げる。

実質的には思考停止に基づく安直なポピュリズムに過ぎないものが、当事者にとってはあたかも「意識が高い」行いであるかのように錯覚されているんですね。そうした振るまいが定着しているところにコロナが入ってくると、学者も含めた有識者が総出で「誰もが賞賛（批判）してくれそうなネタ」を渡り歩く、お寒い光景が出現します。

医療従事者に感謝しようとか、芸能人がステイホーム用に動画を流してくれたといった話に拍手し、迷惑系ユーチューバーのしょうもない行状を叩く。むろんそれ自体は「正しい」んでしょう。しかしそうしたお手軽な正義に依存しているかぎり、「そもそも日本で緊急事態宣言は必要だったのか?」といった本質的な問い返しは、けっして起こらない。
だから当人たちが「あのとき自粛を煽ってしまった自分の言動は、正しかったのか」を反省せず、次から次へと目の前に出てくる「新しい善行/炎上ネタ」を追いかけ続ける。こうして歴史という、過去をふり返る営みが死んでいくわけです。

本多勝一と「反権威主義」の精神

私がこうした「にわかポスコロ」と距離をとってこれたのは、やっぱり大学に入るより前の読書体験のおかげでした。中高のあいだ、社会科教育の影響で本多勝一さん(朝日新聞記者)の論説やルポをだいぶ読んだことに、鍛《きた》えられた部分が大きい。本多さんこそは戦後日本が生んだ、輸入品ではない「土着のポストコロニアル」ですから。

---

†20 私自身も被害を被った一例に関しては、拙著『荒れ野の六十年 東アジア世界の歴史地政学』勉誠出版、2020年、350—351頁を参照。

たとえばベトナム戦争時の時評を中心に編んだ、『殺される側の論理』『殺す側の論理』（原著1971～72年）の二部作。題名からして冷戦下の左翼の本だとすぐわかるわけですが、でも、これこそがポストコロニアルの精神でしょう。空爆する側ではなくて、される側の視点に立って眼前の世界を見るべきなのだと。

公民権運動末期の米国の実情をルポした『アメリカ合州国』（70年。合州、は本多による訳語）も、地理の授業で断片を読んだときから衝撃でしたね。ニュースサイトに転がってる「話題のブラック・ライブズ・マターのデモを（ちょろっと）見てきました」みたいな話より、同書のほうがいまもずっとアクチュアルですよ。

その上で大学に入って、たとえば授業でエドワード・サイードの『オリエンタリズム』（原著1978年）を習うと、「本多さんと同じだけど、もっと見せ方がうまいな」という風に思うわけです。英語圏の学者さんは問題をできるだけ普遍化して、「世界中の人に、多様な問題に適用してもらえる概念」に練り上げて発信する癖《くせ》がついていますから。

本多さんの場合はよくも悪くも「日本という〝対米従属の後進国〟の遅れた連中よ、目を覚ませ！」という筆致になるので、共感して読める人の範囲が限定されてしまう。敗戦の記憶がまだ残っていた戦後昭和のわが国らしい、「歴史の共有」に大きく依存した文体だとも言えます。

大学教員は今や「売れないコンサル」

しかしそのあと、大学院生・大学教員とステップを上がって気づいたのは、本多さんに相当する媒介項をまったく踏まえず、いきなり「欧米の最新の学説、国際的な権威」に飛びついて有頂天《うちょうてん》になっている研究者が多いことでした。それで「オリエンタリズム」でもなんでも、その時々の欧米の学界で流行っているバズワード（流行語）を振りまわしては「こういう新しい言葉を知ってる自分、カッコいいでしょ」状態になる。

小池都知事が意味もわからず「ウィズコロナ」と口にしたり、いまコンサルの人たちがSDGs（持続可能な開発目標）やDX（デジタルトランスフォーメーション）とかの略称で「なんだかすごそうな感じ」を装っているようなものですよ。

要は流行語の輸入代理店と化して、悪い意味で「左のコンサル」になっている学者が多いのだけど、しかしそっちでコンサルしても儲《もう》からないですからね（苦笑）。そりゃ同じコンサルなら、意識の高い学生たちは「右」へ――政府の審議会に顔を出せたり、大手企業の余剰資金を回してもらえたりする業種のほうへ行きますよ。そうした趨勢《すうせい》を「若者の保守化だ、反知性主義だ」と憤るまえに、鏡でご自分の顔をよく見た方がいいと思う。

私が本多さんに教わったもうひとつの財産は、「権威を恐れない」ということです。本多さん自身はわかりやすい左派だけど、「陣営」としては同じになる大江健三郎さんを忌《き》憚《たん》なく批判していた。またポストコロニアルな問題意識では「文化人類学の調査だって、研究対象を搾取していないか」という論点を、世界に先駆けて掲げ、当時のスター学者だった山口昌男さんと激論したりもしました。

他の人から借りてきた概念ではなく、自分の頭でロジカルに考えて、違うと思ったら文壇や学界の大御所が相手でも徹底的に論争する。それこそが言論人のあるべき姿だと、こちらは本多さんに学んで育っていますから。コロナ禍でにわかに権威になった「感染症の専門家」程度にひれ伏すわけがないし、まして二流・三流の言論人やワナビーがネットで吠えている罵声なんて、痛くも痒《かゆ》くもないんです。

書評　與那覇潤　評

草の根の軍国主義（平凡社）　佐藤忠男 著

土着の論理で解き明かす　2020年1月16日　日本経済新聞夕刊「読書日記」

大学で日本の近代史を教えているとき、ゼミ生に「昭和の戦争を扱うどの学者の本も、民意の離反を恐れて後に退けなかったという話ばかり。世論を抑えて適切に方向転換できた事例は、歴史上ないのか」と訊かれた。もっともな疑問である。

みなさんは思いつくだろうか。私はドゴールのアルジェリア撤退を挙げて教師の面目を保ったが、なんのことはない、佐藤忠男氏のどれかの本からの受け売りである。

1930年生まれ、少年兵として敗戦を迎えた佐藤さんは、日本の映画評論の草分けだ。自身の回想も踏まえた『草の根の軍国主義』は、とりわけ印象深い。

投降することを恥じて多くの日本人が自殺を選んだのは、東條英機と戦陣訓のせいなのか。同書の答えは否だ。この国には平時からある「不幸は平等に耐えるべきだ」（＝自分だけ逃れるのはずるい）とする道徳観こそ、真の主犯だという。

あるいは昭和の戦争を描くドラマが「対米交渉」の場面から始まるのは、力ある相手の専横を忍びかねての暴発は「正義」だとする、忠臣蔵の筋立てに過去をあてはめるからではないか。こうした土着の論理によって、後世からの指弾とは違う形で問題が解明される。

私は少し特殊な中等教育を受けたので、「論理」の先生は本多勝一（の著書）だったが、理屈だけで人の心は説明できない。そうしたとき「情緒」を教えてくれた恩師が、高校の頃から読みだした佐藤さんの評論だった。

歴史を生きた人々が身体で感じた空気を、いかに言葉にして伝えるか。その模範のひとつがここにあると、いまも思う。

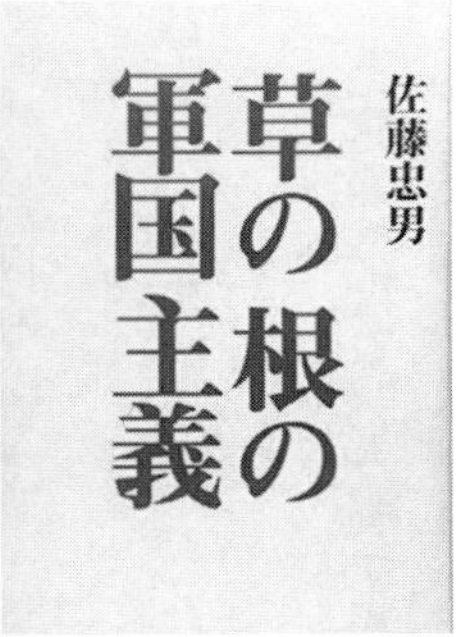

佐藤忠男の映画評論に私淑

もっとも私自身の政治的な立場としては、だいぶ本多さんから遠いところまで来てしまいました。その最初のきっかけとして、ちょうど中学から高校にかけて政権を担った自社さ連立（1994～98年）の影響は大きかった。総理大臣の名前でいうと、前半が社会党の村山富市、後半は自民党の橋本龍太郎。

本多さんは山本七平との有名な南京事件論争（72年）の折にも、社会党の機関誌に寄稿していたくらいのアクティヴな左翼でしたが、その社会党が「なんとなく、流れで」みたいな感じで自民党と連立してしまう。理屈で考えたら「なんじゃそりゃ」と絶句するほかないのですが、しかし国民の評判は悪くなかった。世論の支持もおおむね安定して、極端な右ないし左の人以外は、「まぁいいんじゃないの」という雰囲気でした。

どれだけロジカルに首尾一貫した思考をしても、物事はそのとおりには動いてくれない。ここで「結局世の中はそんなものだ。勝ち馬を乗りかえて、羽振りよく生きていくのが正解だ」という方向に転ぶと、単なるシニシズム（冷笑主義）になるのですが、そうではない道を示してくれたのが、佐藤忠男さんの映画評論だったんです。

理屈ではない形で私たちの――たとえば日本人の行動を決めている、自覚されざる規範や価値観がある。それを感性や身体性と呼ぶのか、国民性と呼ぶかは議論の余地があるけど、社会を動かすそうした**見えない力**を言語化することで、少なくとも自覚した上で、つきあっていけるようにする。「なぜ、この映画に日本人は涙するのか」といったところから迫っていく佐藤さんの評論には、そうした深い示唆があるんです。

安倍政権、支持率回復の理由は「高校野球」

日経の「読書日記」では佐藤さんが忠臣蔵から、「日米開戦を国民が支持した理由」を読み解いた例を引きました。私淑してきた自分流に、同じ手法をコロナ禍に当てはめるなら、退陣表明後の安倍政権の支持率上昇ですね。

アベノマスクやミュージシャンとのコラボが国民に不評で(2020年4月)、政権の守護神と呼ばれた黒川弘務・検事長の定年延長問題が大炎上し(5月。結局、黒川は賭け麻雀問題で辞任)、側近だった河井克行・前法相は大掛かりな選挙買収で逮捕(6月)。どう考えても支持率が上がる要素はないのに、最後、持病の再発を告白して「無念ですが退きます」といったら、20ポイントも跳ね上がっちゃった(8月)。

散々コロナ禍での政府の対応をあげつらい、さぁいよいよ政権末期だぞとほくほく顔をしていたところに奇跡の大逆転で、このとき泡を喰った野党寄りの識者はいっぱいいました。だけど自分には「ああ、そうなるよね」と、すーっとわかったんです。

佐藤さんの「忠臣蔵」に倣ってたとえを出せば、安倍さんの辞任劇は、やはり日本人の大好物である「高校野球」なんですよ。最初に登板した大会（＝第一次内閣。2006～07年）では散々な成績で、「見た目だけ」「期待外れ」と叩かれまくったエースが、しかし故障を治して臨んだ次の大会では快進撃で決勝に進み、もう少しで全試合完投というところで怪我《けが》が再発、目に涙を浮かべてマウンドを去っていく……。

そういうものとして国民が政治を見ているなら、それはもう対戦校（＝野党）のファンも含めて、球場は「安倍！　安倍！」の激励コール一色でしょう。もちろん本当の問題は、政治が「プロ野球」でなく高校野球でいいのかということなのですが（笑）、それを考えるためにもまずは、こうした土着の感性を自覚しなくてはいけません。

佐藤忠男

数値化ではない、真の「見える化」を

社会を「見える化」しようというなら、原理的に数値化や統計処理にはなじまない、このような心性の深みに

まで迫って、それを「言語化」していく営みが欠かせない。ところが近日の見える化論者――いわく情報公開、いわくエビデンス・ベースの政策提言と言っている識者たちは、「数値化できることだけが現実です。映画評論みたいな個人の主観や感想は、もういりません」と称して、きわめて浅薄なこととしかしていません。

まさにそういう態度自体が、見えないところに存在していた相互の信頼や、他者への共感を壊していってるにもかかわらず知らんぷりをしてきた。そこにコロナウィルスが入ってくれば、当然「感染者数という〝数字〟を下げましょう！　個人の生きづらさみたいな統計が取れない指標は、後回しです」という発想になってしまう。

こうした人たちに貶《おとし》められてしまった人文知の意味を、ポストコロナにどう再興していくのか。そうした思考ができないなら文系の学問なんて、このままずっと「不要不急」でかまわないと私は思っています。

4　未来は続く、たとえ歴史がなくても

「震災10周年」はなぜ忘れられたか

2021年3月は、本来なら「東日本大震災から10周年」の節目であり、国民全体で心静かにあの出来事をふり返る機会になるはずでした。それがコロナ禍の延長によって押流された——というかその時点まで一貫して、日本での流行の規模は欧米なら「収束した」と見なされるほどの微小な水準でしたから、純粋な「パンデミックなきインフォデミック（情報災害）」によって、私たちは過去を足蹴《あしげ》にしてしまったのです。

このことには、すごく重たい意味がある。そう私は考えています。

震災に伴って発生した福島第一原発事故から、私たちが学んだことはいくつもあったはずです。①「TVに出てくる専門家」だからといって鵜呑《うの》みにはしない（=原子炉工学の専門家は、当初は重大事故ではないと主張した）。②安易に「必ず大惨事になる」と決めつけず、断言できないことは「わからない」と真摯《しんし》に認める（=誇大な危機が煽られて、パニックと過剰避難を誘発した）。

そしてなにより、③危険性に警鐘を鳴らすのは「善意だから」といった理由で、誤った情報を免責せず、安全なことは安全だと伝える（＝一部の反原発派が放射能の影響を誇張し、被災地が風評被害にあった）。

それがどうして、わずか10年でまたインフォデミックなのか。これはもう私たち自身が、「歴史」というものを伝えてゆく能力、過去を踏まえてその延長線上で生きてゆくあり方を失っている。そう考えるしかないでしょう。

やがて社会の記憶力は「1日が限界」に？

こうした考察を、私は最初の緊急事態宣言の直前だった2020年3月末の取材でも話していました（176頁より再録、特に189頁以下）。いまや社会の記憶は「10年もたない」、それを前提に新たな対策を考えるしかないと。

しかしそれは甘かった（苦笑）。その後の顚末を見ると、どうやら1日前のことですら「覚えてないよ」と。そうしたあり方が日本では主流になりつつある気がします。

緊急事態宣言下では政府とマスコミが歩調を合わせて、「ネットで十分楽しめます。外出は不要！」とステイホームを煽りました。しかしネット上でバッシングを「楽しんで」いた人たちの犠牲になって、タレントの木村花さんが命を絶つのが同年の5月23日。

事件が報じられるや、しゃあしゃあと「やっぱり目の前に相手がいないとダメ。ネットでは過激な言動に走りがちなんですよ」として前言を翻《ひるがえ》した人たちへの怒りは、当時コラムに書きましたけれども（236頁）。ともあれこのときは、「SNSで好き放題、悪口を書き込む奴らは許せない！　罰を科すべき」という民意が沸騰しました。

ところが同じ月の26日、当時の高市《たかいち》早苗総務相が記者会見で「匿名の情報発信者の特定を容易にするなど、制度改正が必要だ」と述べると、リベラル派を中心に「言論の自由が奪われる！」と180度逆の論調が高まります。高市氏が自民党の最右派で、かねて表現規制に熱心だったという文脈はありますが、いくらなんでも手のひら返しが早い。

ネット有名人への「生き神信仰」

驚いたのはさらに先があって、山口敬之氏による性暴力の被害にあった伊藤詩織さんが6月8日、木村さんの事件にも触れつつ会見し、ネットで自分を誹謗中傷した者のうち3名を告訴すると発表します。すると世論はたちまち「そうだそうだ。不適切な投稿には厳罰を！」へ再転換。誰を訴えるかの絞り込みに協力したのだと、自らを誇る「リベラル」な識者も出てきました。

なぜそうなるかというと、社会全体が悪い意味でフェイスブック化しているのでしょう。

木村さんや伊藤さんのように、事件によって不本意に「有名」にされてしまった人たちも含めて、とにかく注目を集めるごく少数の「個人」だけが目に入る。

そうした相手ごとに「いいね。共感！」「嫌だ。ブロック！」とだけ反応するから、そこにあるのはいわば断片化された瞬間であって、時間軸ではない。だから「あれ、いまの俺の対応、これまでの主張と矛盾しないか？」だなんて意識は働かない。

ざっくりした比喩ですが、いわば宗教以前の生き神信仰に近い印象を受けますね。ローカルな範囲でのみカリスマと見なされる人が随所に存在し、「現に目の前にいる」という即物性の力で信者をつかんでゆく。聖書やコーランのような物語性を持つテキストを通じて、「歴史」を共有することで共同性を生み出すメカニズムよりも、むしろ原初的な段階に世界が戻り始めているのではないでしょうか。

英国首相の「社会はあった」が意味すること

2020年3月末に英国のボリス・ジョンソン首相が新型コロナに感染し、一時は集中治療室も経て翌月、退院しました。このときに再注目された、マーガレット・サッチャー元首相の「社会などというものは存在しない」という有名な言葉があります。

サッチャーは1980年代に新自由主義的な改革を進め（285頁も参照）、「存在するのは個人と、家族と、政府だけだ」という趣旨でこの発言をしました。菅義偉さん風に言い換えると、世の中は自助（個人）と共助（家族）だけでできている。公助（社会）なんかないから甘えるな、というわけ。対してジョンソン首相は、医療スタッフへの感謝を込めて「昔、先輩の首相が〝ない〟とか言ってたけど、社会はあった」とアレンジするユーモアを披露し、一時的に国民の支持を回復しています。

私たちがここで考えるべきは「歴史ぬきで、社会を存在させることはできるのか」という、重い命題でしょう。

社会とはなにかといえば、サッチャーの言にも表れているように「相互に直接の面識はなく、つまり個々の人間の顔としては見えてこないのだけど、それでも人びとが自分のことのように共感できる範囲」のことですね。これがある時期から、多くの人には実感できなくなりつつある。実際にジョンソンだって、コロナで入院して有色人種の看護師さんに世話になるまでは、「移民は英国の富を盗んでる、あいつらに共感は不要」みたいなことをべらべら喋っていました。

同じことを裏からいうと、たとえばクラウドファンディングは寄付を募る「人間の顔」を前面に出し、個人が個人にお金を送る方式を伸ばして、問題を解決していこうとする仕組みですね。才能やアイデアに満ちていたり、チャーミングな人が使う分には、既存の組織に囚われずに資金を集められる長所がある。それ自体はすごくいいことです。

しかし、ではそういった「魅力ある個人」たり得ない人は、どうするんですか？　という課題はどうしても残る。そうした人でも共感してもらえる・助けてもらえるには、やっぱり社会というものが必要になります。生活保護も公的医療保険も廃止して、「〝私、困ってます〟でクラファンして、自分で集めりゃいいじゃないですか。PR次第では余るくらいの寄付が届いて、むしろお得ですよ」というわけには、普通いきません。

ニューノーマルが偽装する「共感」の欠如

ところがコロナでわかったことに、日本では本当に「社会がない」んですね。安易に自粛して、会食も宴会も取りやめにしてしまったら、飲食店が困る。ところがそこで「飲み会がないなら、デリバリーを始めりゃいいじゃない。人気店ならアプリからオーダー入りまくって、逆に儲かるでしょ」などと、ヘラヘラして言う政治家やコンサルがいるわけでしょう。マリー・アントワネットにも劣る神経の持ち主たちです。

彼らがニューノーマルと称して売り込むのは、いわば「社会なき日常」であり、バラバラの個人が「クラウドファンディング経由でだけ接続される経済」なんですよ。だから、ウーバーイーツのようなギグ・エコノミー（単発の仕事を中心とした、1回ごとに雇用関係も会計処理も清算される請負システム）とは最初から相性がいいわけです。

もちろん公助の理念がゼロではないので、今回は政府が飲食店に休業補償を出しました。しかしコロナ禍が長びくにつれ、「補償金の方が普段の売り上げより多く、コロナ太りした店もあるじゃないか。ズルい」といった反発も増えている。デリバリーでも顧客の「コロナ怖い」に過剰に配慮し、「配達員は顔を見せずに去ります。会話不要！」といったオプションを設けていたりします。自分はすごくグロテスクなものを見た気持ちになったけど、現に利用する人もいるのでしょう。

つまり、まだ「社会があった」時代の惰性《だせい》で公助が残っているだけで、その内実であるはずの共感が消え去っている。そして歴史という、「なんだかんだでみんな、こうした歩みを経ていま一緒にいるじゃないですか」として相互の共感を基礎づける媒体は、とっくに死んでしまった。だったら、これからは別の形で共感を築いていく方法を考えなくちゃまずいでしょうと、そう私はずっと言い続けているんです。

書評　與那覇潤　評

花井沢町公民館便り（講談社）　ヤマシタトモコ　著

風化に満ちた災後を問う　2020年1月23日　日本経済新聞夕刊「読書日記」

私には約3年半、病気で活動できなかった時期がある。いわゆるキャリアのブランクだけど、それを「人生の空白期間」とは少しも思わない。

うつ状態では言語の処理能力が低下し、活字の本が読めない。でも代わりにリハビリだと思ってコミックに触れることで、多くの素晴らしい作品を知ることができた。

ヤマシタトモコ『花井沢町公民館便り』も、そのひとつ。舞台は近未来の日本で起きた事故のために、「生命がある者は通れない」ガラス状の壁で外界と隔離されてしまった田舎町。誰もが震災後の、福島原発事故を思い出す設定だ。

町民には政府から補償金が出ているし、食糧も含めて商品は隔離壁を通過するから、一見すると暮らしは問題ない。テレワークで仕事を受けたり、SNSや動画配信で外部と交流を持つ者もいる。

では逆に、困るのはなんだろう？　描かれる難題は性であり犯罪だ。逃げ場のない空間での愛憎は、悲劇に転じうる。そして必ず訪れる人口減。住民があきらめに陥るなか、生きがいを捨てないのは小説や映画で世界を広げられる人だった。

「彼ら」（被災者）の物語だと思って読んでいたものが、「私たち」の姿を描いていたと気づく。そのとき読者の心にあった隔離壁は、消えている。それこそがフィクションの効用だと、作者は言外に示すようでもある。

現実に展開した「災後史」の過程は遺憾ながら、「戦後史」以上の風化と忘却に満ちていた。歴史を振り返る営為が日々無力になるなかで、「こんなやり方もあるよ」と示してくれる作品に心洗われ、励まされる。

「歴史に頼らない」道を探った加藤典洋《のりひろ》

キャッチフレーズ的にまとめると、社会を維持する／共感を生み出すツールとして「もう、歴史には頼れないぞ」という問題ですね。私の考えでは、日本でそれを最初に指摘した思想家は、たぶん加藤典洋さんだと思います。

加藤さんは、戦後50周年だった1995年を迎える際の評論「敗戦後論」で、戦後の日本人だって本来は、戦前とつながっているはずではないかと主張し、大きな論争を呼びました（同名の単行本は97年）。結果として、加藤典洋といえば「歴史が作り出す共同体意識の尊重」を説いた、リベラルではあっても少し右寄りの学者という印象が残っています。だけど、実は彼の書いたものを追っていくと、むしろ明白にそれとは逆の思索を展開していた時期があるんですよ。

色々なところで書いているので（†21）、重複しないよう簡略に留めますが、そちらの「もう歴史に頼らない、寄りかからない倫理」を探ろうとした加藤さんの代表的なテキストは、2007年が初出の「戦後から遠く離れて」（雑誌『論座』同年6月号。のち『さようなら、ゴジラたち』に再録）。その末尾に1980年代半ばの思い出として、当時若手作家だった田中康夫さんが「戦後がなくとも、大丈夫、というような立派な小説を書きたい」との趣旨の発言をするのを聞いて、よい意味で衝撃を受けたと。そういう挿話が出てきます。

加藤さんは令和の初月（2019年5月）に亡くなりますが、しかしその1年後のコロナ禍でわかったのは、結局日本人は「戦後がないと、ダメ」だった。それなのに、その頼みの綱《つな》であるところの戦後——「戦時中と同じ社会にだけは、二度と日本を戻してはいけない」という共通感覚はすでに消え去っている。したがって現に戦後がないので、もう問題外なくらいダメダメの底辺というのが現状ではないでしょうか。

教壇で気づいた「歴史感覚」の喪失

『論座』で加藤さんの評論に接したのと同じ2007年の秋から、私は7年間、地方大学で日本史を教えていました。最初に読んだ時点ですでに、ガツンと殴られたようなインパクトを感じてはいましたが、教壇の上ではもう日々、加藤さんの正しさを痛感してゆくような毎日を送っていましたね。

拙著『中国化する日本』の4章で採り上げましたが、たとえば教材として『楢山節考《ならやまぶしこう》』

†21 入手しやすいものとして、拙稿「ねじれとの和解の先へ」加藤典洋『完本 太宰と井伏 ふたつの戦後』講談社文芸文庫、2019年。より包括的には、本書197頁（注7）の『群像』論文を参照。

の映画（木下恵介版、1958年）を丸々1回使って見せる。ご存じのとおり「姥捨《うば》て山」の伝承を元にした作品ですが、学生に感想文を出させたら、「まさか本当にお母さんを捨てたのには驚きました。最後の最後に助かるんだと思っていました」と書いてあった。驚いたのはこっちですよ（苦笑）。

もちろんこれは、姥捨てが史実だったかどうかとは関係ありません。かつて「貧しい村での過酷な生活がありました」という話を聞いた後、オチとして何を連想するかという、文化的な想像力のストック、ないしはイディオムの問題です。

加藤典洋

戦後の日本では長らく、そうした物語を「苦しい中でいかなる悲劇と、その裏面《りめん》としての家族愛があり得たか」という視点で受けとめる感性が、自明の前提として存在した。しかしいまや「きっとピンチになってからの大逆転！　が待ってるんでしょ」と、ハリウッドのアクション映画みたいに接しちゃう感覚が、現にあるわけです。

「脱原発は負ける」と確信したとき

フィクションではなく「史実」の方を見せて衝撃的な反応があったのは、60年安保当時のニュースフィルムですね。東大生だった樺《かんば》美智子さんが、デモ隊と警官隊とのもみ合いの中で命を落とす、有名な挿話が当然入っている。

そのとき学生に訊かれたのが、「死者まで出しちゃったのに、デ、、、、モの主催者の責任を問う声はなかったのでしょうか」。これはもうなんかすごかったなぁ。けっしてネトウヨとかそういった背景はない、ごく普通の学生の「素朴な疑問」ですよ。

年月までは正確に覚えていませんが、震災以降の出来事だったことは間違いなくて、このとき自分ははっきり「脱原発のデモは負ける。そしてなにも残さない」と確信したんです。そのころは若者がこんなにデモに来てるぞと、喜んではしゃぐ大学の先生が多かったのですが、「デモと警官とで衝突があったら、その時はデモの側に共感するのが民主主義だ」といった戦後史の文脈は、もう消えていた。

加藤典洋さんは先述の「戦後から遠く離れて」で、モラル（道徳）とマクシム（格率）という問題提起をしています。モラルとは、「全員がこうあってほしい、あるべきだ」として掲げられる価値規範ですね。これに対してマクシムとは、世の中をよりよくしたいといった情熱を秘めてはいても、あくまで「俺自身は、こうでありたい」として定める、自分自身に課す個人的なルール・こだわりのことです。

加藤さんははっきりと書いています。かつて自明の正義として通用した「あの戦争で亡くなった人びとのことを思え。彼らの視点で考えてみろ」といった態度、これは戦後という時代が終わったいま、モラルの地位を占めるものでは**もはやあり得ない**。私（＝加藤）個人のマクシムとしては、そうした歴史的な意識にこだわって今後とも考えていくけれども、モラルとしてはこれからそれ以外のものを——「歴史」以外の方法で共感を生み出す手段を、探していかなくてはならないのだと。

「史実重視」が破綻させた慰安婦問題

わかりやすい例は「敗戦後論」論争の背景ともなっていた、従軍慰安婦の問題でしょう。率直に言って立場を問わず、もう解決すると思っている人は誰もいません。「韓国とはどうせ理解しあえないんだから、互いに無視しよう」というのは、昔は極右の政治家や論客に限られた発想だったのですが、いまや日本人の平均的な感覚になってしまいました。

どうしてそうなったか。自戒を込めて言うのですが、「歴史」で解決しようという発想そのものが、そもそも間違っていたのだと思います（†22）。

歴史で解決しようとすると、どうしても史実を特定してゆく方向になるわけです。これは客観的なファクトだ、だから日本人も韓国人も同じように認めろ、それを「どう感じるか」などという主観や感想は知らん、みたいな。結果として、問題解決の道具としてあまりにも頼りにされすぎたせいで、歴史が共感の基盤を作り出すというよりも、それを破壊する道具になってしまいました。

相手が誰であれ、「こんなにもつらい人生を送ってきました」と訴える人に対して、大事なのはまず共感を示すことでしょう。その時に①「でも女郎屋に売ったのはあなたの家族でしょ。俺に言わずに親に言いなさいよ」と応える人は、もちろんおかしい。

しかし、②「日本軍に強制連行されたからつらいんですよね⁉」というアプローチで接する人たちもまた、なにか特定の条件（軍による強制連行）を満たさないと、あたかも相手が共感の対象にならないかのように扱ってきた。結果的には、これが最大の過《あやま》ちだったのだと思います。

たとえば殴る蹴るといった物理的な暴行は受けていないけど、言葉の暴力やネグレクト、他の家族メンバーと比べての差別などの形で、「ひどい虐待を受けた。ＤＶがあった」と訴える人がいたとする。このとき①「少なくとも殴られてはいないだろ。甘えるな」とい

---

†22　この反省に至った経緯は、斎藤環・與那覇潤『心を病んだらいけないの？　うつ病社会の処方箋』新潮選書、2020年、第1章を参照。

った対応が好ましくないことは、誰でもわかる。

だけど、②「DVというからには、きっと殴る蹴るもあったんですよね? 本当にひどいですね!」といった形で接されても、やっぱりその人は傷つくわけですよ。そうか、やっぱり殴る蹴るまでの虐待を受けないかぎり、自分は共感してもらえないんだと。そう思い込ませてしまうのだから。

事実の特定以前に「自分が共感できるものの幅《はば》」を広げておかなければ、そもそも話を聴くという行為自体ができないんです。それがあった上で初めて、「じゃあ、具体的にどんなひどいことをされたのか。お話しください」と言うことができる。

歴史教育の肝は「感性のバリエーション」

歴史学の教育も、本来はその順番じゃないといけなかったんです。

昭和史や戦後史といった直近の過去でさえ、いまの感性で映像を見たら、ぎょっとするものがいっぱいある。若い学生が60年安保や三島事件を見れば、最初は「なんだこれ!?本当に日本で起きたこと?」と思う。しかしその背景――つまり歴史を丁寧にたどってゆくことで、そうか、それなりの所以《ゆえん》があって起きていたんだとわかる。

そうした体験の積み重ねが、どれだけ「自分と違う過去を生きてきた人」に共感することができるか、その幅を決めていくわけです。まずはそのプロセスを経た上で、じゃあ君はどんな過去の史実を、卒業論文にむけてもっと調べてみたいの？　と聞いていく。

それが、大学で自分のやってきた教育でした。ところが圧倒的多数の、大学の歴史学科での教え方はそうなっていない。

「史実を突きとめるのが歴史学です。その史実は古文書に書いてあるんです。さぁ崩し字を勉強して史料調査に行きましょう」と、そうした安直なやり方――歴史の貴重品化をダシにして、学生を釣り上げるような教師が多い。勤めを辞めたのでやっと本当のことが言えますけど、信者に「教祖が浸かった浴槽のお湯」を売りつけている宗教団体と、そんなに違わない気がしますね（笑）。

日本文化論のゲーミフィケーション

だったら、どう教えたらいいのか。大学でやり残したことはほぼないのですが、唯一の例外は、ゼミ生とボードゲームができなかったことかな。休職中に初めて知った趣味だからしかたないのですが、そこにちょっとしたヒントがあると感じています。

中国の歴史社会を教えるのに適した作品は別途紹介したので（254頁）、ここでは日本文化論を考えるのに役立つものを挙げましょう。フランス人のデザイナーが作った『花火』という、かなり有名なカードゲームがあります。

2～5人で協力して「花火大会を成功させる」のが目標なのですが、自分の手札を自分では見られない（他の人の手札だけを見られる）ので、他の参加者から情報をもらってカードを出す必要があり、自分も相手に役立つ助言をしないといけない。ところが、ルール上かなり厳しい縛り（色か数字の「片方」しか伝えられない、など）があって、必要な情報がすべては届かないようになっている。

つまり言語化されない「空気」の部分を読みとって、手札の処理を決めないといけないんです。「このカードは赤の花火ですよ」と言われたとき、「早く場に出して」という趣旨なのか、「いまは出しちゃダメ」という警告なのか、わきまえて対応しないといけない。日本社会のコミュニケーションの本質が、実にコンパクトに凝縮されています。

留学生はおろか、いまは日本人の学生に対してでも、たとえば山本七平《しちへい》を読ませて「理解しろ」というのは酷なんですよ。山本の日本批判は、彼が生きた世代の戦争体験を踏まえてこそ胸を打つものだから（277頁）。そうした文脈の不在を埋めるツールとして、「このゲームと同じやり方」で日常の生活も動いているのが、実は日本という社会なんですよと、そうした伝え方を考えてもいいと思うんです。

アクティヴラーニングの鍵は「追体験」

文化論には、ひとつ間違えると「文化が違う以上は感性も違う。だから、あいつらとはわかりあえない」といったシニシズムに陥るリスクがあります。それを警戒して、大学ではもう教えませんといった態度の人文系の教員は、かなり多い。

しかし、そうやって日本・中国・西洋それぞれの「文化の特質」は何かという問いを教えることから逃げてきた結果が、今回のコロナ禍の惨状だったわけです。自然免疫や生活習慣、行動様式の違いを無視して「ウィルスの脅威は世界共通！　さぁ中国・欧米を真似してロックダウンしよう」といった粗雑な普遍主義が横行し、ウィルスそれ自体よりも過剰な自粛の方が、大きな損害を出してしまいました（266頁以下）。

むしろ文化ごとに異なる感性のあり方を、擬似的に追体験させる――「もしこういう社会だったら、自分も中国人、欧米人……のように振るまってしまうかもな」と、そうした体験をどれだけ提供できるかが大事なんです。歴史映画や映像教材が「過去という異文化」の感性を教えてくれるのと同じように、もっといろんなやり方を、これからも教壇に立つ人は試してほしいなと願っています。

いま「ゲームを教育で活用」というと、教師があらかじめ教えたい知識（世界の国名・

歴史上の年号など）がまず存在し、それを面白さで「釣る」ことで効率よく吸収させようといった発想になりがちです。ただ、そうしたトップダウン型のゲーミフィケーションは、昨今評判の悪い「優れた知識人が大衆を啓蒙し、指導する」発想だから（笑）、最初は目新しさで実際に「釣れて」も、どこかで行き詰まると思うんですよ。

むしろアクティヴラーニングが目指すのは、ボトムアップの学習だったはずでしょう。たとえばボードゲームをプレイする体験を通じて、教師の指導に従うというより、参加者それぞれの内側に自ずと驚きや省察が生まれて、これまでとは違った感じ方をするようになる。教師が提供するのはあくまで体験であって、その意味づけは各自が決めるんだと。

そうした「暑苦しくない啓蒙」の可能性を、これから伸ばしていかない限り、いわゆる反知性主義――知識人不信の大波には抗《あらが》えないでしょう。自分も大学の教壇からは離れましたが、違うやり方で今後とも、発信していきたいなと考えています。

書評　與那覇潤 評

人権を創造する（岩波書店）　リン・ハント 著

歴史は「未来」が決める

2020年1月30日　日本経済新聞夕刊「読書日記」

大学教員を辞めるとき研究室の整理に行って、こういう生活は不幸だなと思った。本が読めない暮らしも寂しいが、山のように書籍を所蔵しないといけない生き方も不自由ではないだろうか。

ごく少数の本だけを座右《ざゆう》に置き、何度も読み返して思考を深められる人の方が、きっとどんな場所でも生きられる。もっともその数冊の選択を間違えてしまうと、別の不幸に関わる恐れもあるから、人生は難しい。

歴史学者の書くものは生きる役に立たないので率先して棄てたが、何冊かは持ち出した。リン・ハント『人権を創造する』は、その中でも一番の作品だ。

著者は米国の歴史家で、出版史など生活文化の側面に着目して、フランス革命史を刷新した泰斗だ。個人の内面を描く小説や、家屋での個室の整備、肖像画を残す風習。自分だけでなく「他の誰にでも一個の人格がある」と感じさせる日常の慣習があってこそ、人権という発想が生まれたことを説得的に論じる。

いまは、そうした生の様式が崩れつつある時代なのだろう。書き割りめいて空っぽな人物描写の流行に、似通ったイメージばかり溢れて個性を発揮できないＳＮＳ。そのなかで周囲に流されない自己と、他者への共感とのバランスを、どう取ればよいのだろうか。

喪われつつあるものが誕生した瞬間に立ち会う体験には、神聖なものがある。眼前の世相のうち何が「書かれる」に値するかは、同時代ではなく未来が決めるのだ。そう気づいたとき、私の興味は過去を綴ることから離れて、本だらけの研究室の記憶も消えていった。

アボリジニの問い再び

私はいま、8年以上前に歴史学の大学教員として書いた、ある文章を思い出します（132頁以下に、全文再録）。『中国化する日本』が話題になった時期に、「気鋭の歴史学者」ということで連載はどうかと頼まれたんですよ。それで1回目に、いきなり「歴史なんて遠くない将来、もう要らなくなると思います」という話を書きました（笑）。

そのとき依拠したのが、歴史人類学者だった保苅《ほかり》実さんの遺著『ラディカル・オーラル・ヒストリー』（現在は岩波現代文庫で再刊）でした。ひとことで言えば、世俗社会の私たちが前提とする「史実に基づく歴史」は、先住民の人たち（たとえばオーストラリアのアボリジニ）がいまも語り継ぐ「史実とは矛盾する伝承」よりも、過去を扱うあり方として正しい、いいものだと、本当にいえるのか。そう問いかける作品です。

保苅さんの本は2004年の刊行で、当時はもちろんポスト・トゥルースなる概念はありません。しかし歴史の妥当性を判定する基準として、これからは「Truth（真実）よりも「Truthfulness（真摯さ）に重きを置いてはどうか、という提案が結論部に出てくる。英語圏の学者によくある言葉遊びかなと、当時は私も軽く流してしまったのですが、いま、その射程の長さを噛みしめているんです。

「史実に基づかない語りでもいい」という議論をすると、必ず出てくるのが「じゃあ、ネトウヨ史観でもいいのか。南京大虐殺なんて〝なかった〟という主張に与《くみ》するのか！」といった反駁《はんばく》です。そしてあれやこれやの史料を持ってきては、虐殺は「やっぱりあった」という史実を確定していく。これが Truth による戦い方――いま風にいえばファクトチェックであり、エビデンス・ベースの発想ですね。

はっきり言いましょう。そんなものは、**別に要らない**。むろん「あってもいい」けど、なくなってくれてもまったく困らないんですよ。

大事なのは Truth ではなく、Truthfulness の力で批判することではないのか。そして保苅さん自身は病魔のために、同書の中ではやや走り書きになっているのですが、その真摯さという基準はまさに、「どれだけの広さまで、共感の幅を広げようとしているか」を指しているのだと思うんです。

ネトウヨ史観の例でいえば、たしかに「南京大虐殺はなかった」は Truth に反している。しかし過去とのつきあい方として彼らがダメな理由は、そこにあるのではない。

むしろ彼らは「別に、中国人なんかに理解されたくないね」という発想で、共感の範囲を広げるのではなく狭めるための道具として、過去を扱っている。批判すべきポイントは、そちらにこそあるのだと考えるのが、「Truthfulness ベースの議論になるわけです。

生きやすくなる歴史を考える

「気鋭の歴史学者」だったころから、こういった保苅さんの提言と向きあって考えてきた者からすると、近日の言論人がファクトやエビデンスをイキがって振り回す様子は、申し訳ありませんが「ピストルを持った小学生」のようでした。実際に彼らの多くは、今回のコロナ禍でなんの役にも立たずに終わるのですが、そうなってしまった理由については別途分析しているので（†23）、ここでは割愛します。

重なる時期の歴史学界も「実証史学ブーム」を言挙《ことあ》げし、普通の生活者にはどうでもいいレベルの揚げ足取りを「ファクトチェックで歴史修正主義と戦う」と称して売り込んでいました。どうやらそれも今年で終わりのようですが、もともと「Truthfulness に貢献しない、「Truth だけの歴史学なんてどうせ大したものではありませんから（苦笑）、それもそれでしかたないのかなと思います。

†23　與那覇潤・浜崎洋介「「コロナ依存症」に陥った日本社会をどう癒すか」『表現者クライテリオン』2021年5月号。

先にも述べたように、大切なのは歴史学それ自体ではなく、歴史学を学んだ経験から受け取れるギフトをどう継承してゆくか。コロナ禍も踏まえてギフトの本質をまとめるなら、**①言語化することの効用、②未来への信念、**そして**③「主人公」であることの断念、**になろうかと思います。

いま、多くの人がなんとなく空気でコロナを怖がったり、自粛になびいたりしていますね。しかし逆にいうと、これは空気さえ変わってしまえば、もうおしまいということでしょう。感染が怖いという人が残っていても、ちょうどいまの同調圧力の裏返しで、「なに寒いこと言ってんだ。ただの心配性でみんなに迷惑かけんな」と叩かれてしまう。そんな――圧力の方向が違うだけで内実は現在と同じ――世の中が、遠からず来るわけです。

そうではなく、①いまある空気の「内実はなんなのか」を言葉にして記録しておくことで、私たちは自らの体験を将来もう一度ふり返ることができる。そして、②そうした未来い、の場所でしっかり評価してもらえるのなら、いま叩かれていようが、炎上させられようが知ったことかと。

時間軸なんかなくても、「いま」の連続を生きるだけでも楽しいぜという価値観は、それはそれでありなんだろうと思うんですよ。しかし「現在」に埋没しない生き方を選ぶところから、初めて生まれる自由というものもあるんですね。そうした選択肢を示すことこそが、自分は歴史が「役に立つ」ということの意味だと思っています。

通俗史観から遠く離れて

三つ目は抽象的に過ぎるかもしれませんが、いわゆる「通俗史観」と、きちんとした歴史の本との違いを考えてもらうと、わかるかなと思います。

俗っぽい歴史の本ほど、「織田信長が時代を動かした」みたいな書き方をしますね。自己啓発本的な要素とミックスすることで、あたかもハイスペックな英雄であれば、この世界のすべてを操れるような過去の描き方をしてしまう。そうした姿勢が「俺もそういう風になりたい」と思っているエリートワナビーたちに、ウケると。

対して、まじめに歴史を調べるほどに実感されるのは、③そんな「歴史の主人公」は、そもそも**どこにもいない**ということです。調べる人が「学者か否か」には関係なく、たとえば作家の陳舜臣さんの小説にもそうしたセンスが溢れていることを、先に見ました。

どれだけ才能を持っていても、富や権力に恵まれようとも、どうやっても個人の力では変えられない流れがあって、それを「歴史」と私たちは長らく呼んできた。むしろ活躍した人の富や権力自体が、往々にしてそうした流れに「うまく乗った」がゆえの結果であって、原因ではない。私が歴史学の教員として、『中国化する日本』のようなマクロヒストリーで描いてきたのは、まさにそうした歴史のイメージでした。

主人公じゃなくて別にいい

しかしその後に病気を体験して、メッセージとしては同じでも、これからは伝え方を変えていこうかなと思っているんです。

メンタルなものに限らず、病気の最中はどんな人でも、自分が「主人公」として活躍できるとは普通思えません。そんな時に「そりゃあそうですよ。そもそも人間は歴史の主人公じゃないし」といった本を読んでも、あまり励まされない（苦笑）。マクロに考えること自体は大事なんだけど、それが読む人をネガティヴにしてしまうという副作用に、学者としての自分は鈍感だったかもしれないという反省があるんです。

もちろん、だからといってインチキな「自己啓発史観」になってしまっては元も子もありません。これからはむしろ、「主人公以外にもいろんな生き方があるよ」と呼びかけるような、ミクロかつポジティヴな形で歴史を役立ててみたいと思っているんです。

私自身が回復に役立ったライフハックとして、色んなところで推しているのですが（†24）、主役より「脇役」の方が印象に残る映画ってありますよね。もしくはある意味で全員が脇役で、「主人公はいない」感じの群像劇とか。

そうした作品に接する体験が、病気の症状が落ち着いて立ち直ってゆく過程では、すごく役に立ったんです。「主役でないかぎりは無価値だ」なんてことはないんだぞと、まさに感性を通じて伝えてくれますから。

ここで思い返すと、私が歴史の研究を通じて教わったいちばん大事なことは、「誰もが福澤諭吉じゃなくていい」ということだったかもしれません。たとえば日本の近代思想を研究テーマに選んだ場合、福澤なり丸山眞男なりといった主演級の「スーパースター」の著作を正面から読解していく手法は、もちろんあります。

しかし「そこまでは目立たない〝小者〟なんだけど、でもよく読むとこっちの人だって、意外に深いよ」といった形で、新たな研究対象を自分で見つけていくやり方もある。そして往々にしてそちらの方が、スリリングで楽しかったりもするんですよ。

私はいま、そうした**将来の視線**に応えることをいちばん意識して、文章を書いてます。遠い未来から過去をふり返る人たちに、「平成~令和の社会を知るには、あまり有名ではないけれど、この與那覇って人の書いたものがベストな史料だ」と言ってもらえたら嬉し

†24　斎藤環・與那覇潤「「病気から回復中の人」にお薦めの映画（後編）」Webマガジン考える人、2020年6月9日。

いな、ってね。1週間や、あるいは1日で賞味期限が切れるハッシュタグに染まって生きている人には、なかなか持てない感覚だろうとは思いますけれども。

だけどこれからは、そうした人たちにも届くように「こっち来て、まったりしようぜ」と（笑）。そう呼びかけていくのが私の新たな課題だし、また歴史学という存在がお亡くなりになった後も、「歴史」を長生きさせてゆく方法ではないかと思っています。

聞き手＝大内悟史・二階堂さやか

2020年10月15日の収録内容に、大幅に加筆した。

第2章

［理論］歴史なき時代のヒント

強制収容所の体験記で知られる著者の講演録『それでも人生にイエスという』（右）は、いまや自己啓発本の棚に置かれる例もある

「歴史」を捨てた方が幸せになれるとしたら？

――ガンダムとアボリジニから、歴史のリアルを考える

2012年11月10日

歴史というものは、人間の社会にとって、本当に必要なのだろうか。歴史研究をなりわいとし、「歴史」を冠する学科に勤める筆者〔執筆時〕がこう口にするのは自己矛盾だが、現実にそう感じさせられることが増えた。

ガンダム対明治維新？　歴史のリアルとは何か

個人的には、ことの始まりは3年前である。2009年、幕末の横浜開港から150周年を機に、同市では「開国博」を謳《うた》って大イベントが打たれたが、これがまったく盛り上がらない。逆に盛況をきわめたのは、なんと「機動戦士ガンダム」30周年の方で（TV初放映が1979年）、東京お台場に立った実物大のガンダムの前に連日、人々が列をなす光景が報じられるのを見て、ああ、ついに日本ももう、「歴史」なんて要らない社会に入ったのかな、と思った。

当然ながら、現実に存在した過去という意味での「歴史」は、横浜開港の方であり、し

かもそれは日本の「近代化」への大きな節目として、教育現場でもしつこいほど繰り返し語られてきた画期である。

しかし現に、そのような自国のあゆみを扱う「リアル歴史」よりも、ガンダムの宇宙戦記という「架空歴史」の方が、今日では日本人の心をつかみ、実際に動員しえるらしい。

はたして私たちは今も、現実に起きた史実の連鎖としての「リアル歴史」を生きていると言えるのだろうか。逆に、ぼくたちはもう「架空歴史」だけで生きていくからいいです、と言われた時に、「リアル歴史」の解明を職業とする歴史研究者の側は、それを引き留めるだけの理由や手段を持っているのだろうか？

当時、就職2年目の日本史教員としてそんなことを感じて以来、ずっと同じ問いに悩まされ続けてきた気がする。

「歴史」を持たない社会の歴史意識のあり方

実際、われわれが想像するような意味での「歴史」を持たない社会は、人類史上いくらでも存在する。

たとえば一般に無文字社会と呼ばれる人々の集団では、（私たちの価値観からすると）「神話」という形でしか、みずからの過去についての語りを持たないことが普通であって、世俗化された世界観の下に年表形式で史実が列挙されるという種類の「歴史」は、存在しないことが多い。

夭逝《ようせい》した歴史人類学者の遺著として刊行当時、話題を呼んだ保苅実『ラディカル・オーラル・ヒストリー　オーストラリア先住民アボリジニの歴史実践』は、豪州の先住民族が今日も有する、われわれとはまったく異なる歴史意識のあり方を、ショッキングに突きつけてくる。

保苅によれば、彼が調査したグリンジというアボリジニ・グループの長老は、こう語ったという。

同地では1966年、劣悪な労働条件に抗議したアボリジニによる職場からの退去と、白人に対する土地返還運動が起きるが(75年に勝利)、長老いわく、そのきっかけは米国大統領ケネディの来訪だというのだ。

彼らが生きている「歴史」のなかでは、とにかくケネディが同地を訪れて先住民を激励し、「イギリスに対して戦争を起こして、お前たちに協力するよ」と申し出たのが、運動のはじまりだということに今もなっている。

――もちろんそのような史実は、ＪＦＫが63年に暗殺される私たちの「歴史」には、まったく存在しない。

保苅が提起したのは、この時、彼らの語る「歴史」を「それは真の歴史ではない」として、却下する権利が私たちにあるのか、という問いだ。

たとえば「マイノリティからみた歴史が必要だ」「被害者の視点で歴史に向きあえ」と主張する人々は、このアボリジニたちの「われわれはケネディに会い、励まされて運動を始めた」という歴史と、どのようにつきあうのだろうか。

ケネディが来てくれた、でいいのかもしれない?

こういう問いを持ちだすと、必ず歴史(特に近代史)界隈に湧いてくるのが、「歴史は〝物語〟ではない。〝史実〟を軽視する歴史は、南京大虐殺が起こらなかったと主張するような、悪しき〝修正主義〟と同じだ」という人々である。

実際に保苅も悩まされたようで、同書も架空の「実証主義歴史学者」や「市民運動派社会学者」がその種の発言をして、保苅の逡巡を批判する構図をとっている。

たしかにそういう立場の人なら、史実に基づく「リアル歴史」なるものの意義に、悩むこともないだろう。開港後の日本史よりもガンダム世界の歴史の方が面白いです、などという不真面目な輩《やから》には横っ面《つら》を張って、「日本の近代史をめぐって、中国や朝鮮半島の人たちとのあいだに、今どれだけ大きな〝歴史問題〟があるかを知らないのか！」とお説教だけしていればいいのだから、楽である。

しかし、東アジアのどの国でも遅かれ早かれ、「戦争体験者が一人もいない時代」は来る。自分自身の体験ではないという意味では、「リアル歴史」といっても誰もが、公教育のテキストであれ市場で消費される小説やドラマであれ、なんらかの「物語」を媒介としてのみ追体験し、語り継いでいるにすぎない世界が遠からず出現するのだ。

その時に私たちは、享受に当たって痛みを伴う「リアル歴史」の方を、それでも選んで生きるべきだといえるだけの基盤を持っているのだろうか。むしろ、国家単位での歴史の語り継ぎが、国際的な「歴史問題」を引き起こすのなら、そんなものは捨ててしまうのが一番の解決策ではないか。

個々人がめいめいバラバラに、史実か架空かにこだわらず、好みの物語を「歴史」としてチョイスするほうがずっと平和になる。――そんな空気は、現実に私たちの時代にも、しのび寄っているように感じる。

アボリジニに回帰しつつある？　私たちの歴史意識

批評家の東浩紀氏の『リアルのゆくえ』（大塚英志氏と共著）や、宇野常寛《つねひろ》氏の『ゼロ年代の想像力』などの近著が、ともに「南京大虐殺の有無」自体を、結局は個人の嗜好《しこう》による物語のチョイスの典型として挙げているのに驚いたことがあるが、ひょっとするともはやこの国は、トラブルの種にしかならない「歴史」を捨てたがっているのかもしれない。

対立する諸陣営が互いに相手を説得する気力を失い、それぞれ別個に「元気が出る歴史！」を求めているとしか思えない類《たぐい》の論争を見るにつけ、保苅とは別の意味で、なるほどケネディが応援に来たことにしてもいいのかもしれないな、と思うことがある。私たち自身の歴史意識が、アボリジニに回帰しつつあるかもしれないのだ。

そんな時代に、なにを尺度として「歴史」を語ったらいいのだろう。保苅の同書は、歴史の真実（truth）は揺らいでも真摯さ（truthfulness）という基準が残る、という観点を示唆して終わっているが、これは若干レトリックのような気もする。

そんなことを考えながら、終幕が近いのかもしれないこの「歴史」というものに、あと少しだけ寄り添ってみたい。

初出＝『週刊 東洋経済』

「線」の思考——鉄道と宗教と天皇と（新潮社）原　武史　著

神話へ断片化する歴史　回顧

2020年11月21日　日本経済新聞

本書の第5章の写真を見て、不謹慎ながら噴き出してしまった。千葉県の藻原寺《そうげんじ》で建設中の「日蓮大聖人大銅像」は、全長20メートルの予定が資金不足で、高さ5分の1の頭部しかできていない。それだけが置かれると、まるで生き埋め状態の人に見えてしまう。

著者の原武史氏は、交通や地理空間の観点から近代天皇論を刷新してきた歴史家だ。主著『可視化された帝国』は、明治初期の時点では、一般国民にとって民間信仰上の「生き神たち」の一人に過ぎなかった天皇が、巡幸を通じて本願寺法主等の宗教者を圧倒してゆく過程から説き起こされる。

本書では原氏自身が鉄道という「線」に沿って移動しつつ、沿線に残された痕跡から過去の記憶を手繰《たぐ》ろうとする。主たる手がかりは昭和天皇や現上皇夫妻の来訪歴と、仏教・キリスト教をはじめとした宗教施設の沿革だ。

しかし2019年の前著『地形の思想史』に比べると、浮かび上がる歴史像はより断片的だ。国民統合の主宰者——日本という「面」全体の化身として天皇が見えてくる場面はあまりなく、その分、宿や食事といった著者自身の体験の叙述が肉感的で印象に残る。

おそらくそれは、この国がいま「歴史」を必要としなくなっていることの徴候だろう。今日多数の日本人を巡礼に誘い、旅先の土地を意味づける世界観を提供しているのは、『君の名は。』や『鬼滅の刃』といった「神話」の群れである。数あるツーリズムの資源として、「天皇の来訪」はもはや、明治～昭和の盛期のようには独占的な地位を占めていないのだ。

鎌倉時代以来の日蓮ゆかりの土地であっても、仏像建立《こんりゅう》に寄付は集まらないが、近く横浜に立つ18メートルの「動く実物大ガンダム」には多くの人が浄財を投じる。本書の旅はコロナ禍の直前に間一髪完了したが、過去の史実に則って現在を位置づけること自体が「不要不急」の営みであることを、知らぬ国民はもういない。

「先行研究に当たるものはない」と述べる著者は、高度成長初期の梅棹忠夫《うめさお》『日本探検』を引きつつ、現地を歩きながら手探りで探究することの大事さを説く。その装いに反し、むしろいまや「古典的」なスタイルで綴られた、伝統ある歴史紀行の名編である。

変われない「私」の攻撃性

2020年1月25日

上級国民という言葉の使われ方（†1）には、独特のひりひりした感覚が伴っています。拡大した経済格差を問題にする時、これまでも左派系の識者は社会を上下で区切り、階級という概念を使ってきました。しかし、単なる階級意識にとどまらない悪意が、「上級」にはこもっています。

階級に欠かせない「われわれ」意識がそこにはないんですね。あるのは上級国民と認定した相手を徹底的に糾弾する「私」の攻撃意識だけ。「自分にはない特権を享受している」と感じた敵にラベルを貼り、ばらばらなままに痛罵しているので、同じ境遇の人どうしで助けあう連帯意識にはつながらない。罵声の苛烈《かれつ》さは、国民という言葉を使っていながら、排外主義に近いほどです。

こうした事態の背景には、日本社会で「歴史」の終わりを延命してきた、いくつかの幻想の崩壊があります。

ここでいう「歴史」とは、「社会がこれからどうなるか」に関する、一般の人たちの肌感覚を物語の形にしたものです。たとえば戦後日本では「頑張れば、やがてみんなが中流になれる」とする意識がありました。しかし低成長時代を経て、実感が消えていった。

それでも平成のあいだは「改革」の物語が欠落を埋めました。模範国を定めてそれに倣った改革を行えばグローバル化に適応でき、日本は復活するという幻想です。しかし政治改革は挫折し、いま、こうなりたいと素朴に憧《あこが》れられる国はもうありません。

こうして「われわれ」の物語を描けなくなった後に残されたのは、社会の中でどうにも変わることができない「私」です。自分は一生「上級」にはならない存在だと確信しているからこそ、自制せずに、相手を全否定して罵倒することができる。

「自分は日本人で、○○人になることはないから、あいつらを痛めつけよう」。そうした排外主義と同じ心性が、ついに日本人どうしの内側にも向けられるようになった。このとき、適切な新しい物語を示して対抗するのが、政治の役割ですが、機能していません。

象徴的なのは、2019年の参院選で注目された「NHKから国民を守る党」と「れいわ新選組」です(†2)。どちらも徹底して、ばらばらのままでいる個人に対して呼びかけ

†1　元々は「われわれは一般国民とは違う」といった、政治家や有識者の驕《おご》った自意識を揶揄するスラング。2019年4月の交通事故で、事件の悪質さにもかかわらず元・高級官僚の容疑者が逮捕されなかった事件を機に、格差社会論とも結びつき「特権階級」の語義に転じた。

ることで、支持を集めました。「NHKに受信料払うの、むかつきませんか？」「あなた、働いていてつらくないですか？」と。そこに国家や社会を俯瞰《ふかん》する視線はなく、横につながる意識も希薄です。

欧州などでは、階級ごとの連帯意識が秩序や温かみの基盤にもなっています。「上級・下級」から見えてくるのは、個人化され、寒々とした「階級意識なき階級社会」です。

（聞き手・高久潤）

初出＝『朝日新聞』「耕論」

歴史なき時代 1 三島の最期 守った倫理

2020年1月16日

今年は2度目の東京五輪の年だが、私には別のある出来事の50周年の方が気にかかる。三島由紀夫が自衛隊に改憲のためのクーデターを訴えて自殺したのは、1970年の秋だった。

2019年に話題の映画『ジョーカー』を見たときも、同じ事件を思い出した。映画は目下、主流の叛乱《はんらん》の煽り方を描いている。自分の思想を練り上げるよりも「バズった」流れに乗り、興奮状態のなかで皆が「我を忘れた」瞬間を狙って、生贄《いけにえ》を放り出す。もはや大衆を動員するうえで、「確立した自己」は邪魔なのだ。

三島の場合はそうではなかった。東大での左翼学生との討論でさえ「天皇支持を表明するなら諸君と組める」と述べたように、勢いに任せて私兵を増やすより、同志が自分の歴史観に基づくことを求めた。譲れない最後の一線を示して、自己の輪郭を守ったわけだ。

いまはこの流れに乗るしかない、と私たちは近年何度言われただろう。郵政民営化、政権交代、脱原発、アベノミクス、立憲主義、反緊縮。識者も含めた多くの人がその度に、熱狂のるつぼへ自己を融《と》かし、過去との一貫性を忘れ去る。かくして「歴史に学ぶ」営為は無意味になってしまった。

三島が甦《よみがえ》らせようとした審美的な天皇制は、歴史学的にいえば史実に反する妄想だが、いまやそれすらも懐かしく慕われる。自己を歴史で基礎づけ、忘我という「瞬間」に抗うことの倫理を、彼は最後に示したのだから。

初出＝『朝日新聞』

†2　ともに当初は泡沫政党と見なされながら、比例区でそれぞれ1議席・2議席を獲得した。

歴史なき時代 2　「流れで決まった」楽園

2020年1月30日

安倍政権が重要な会議で議事録をとらず、とっても黙って廃棄していたことが批判されている。一般論としては、たしかによいことではなさそうだ。

しかしわが身を振り返ると、よくわからなくなってくる。准教授として大学の教授会に出ていたころ、輪番で「書記」を頼まれた。ノートPCを持ち込んだら、職員さんが驚いている。教授会の書記とは、審議項目のみでほとんど「目次」と変わらない儀礼的な議事録に、承認の印鑑を押すだけの役目だったのだ。

より慣れた教授になると、大事な議題ほど資料を出さないで審議させる。組織再編のような重要事項を、レジュメ1枚すら作らず提案する姿勢に疑問を呈したら、なんとこちらが怒鳴られた。意訳すると「誰が議論を主導したのか足がつかないように、場の流れで決まったふりを装おうとしているのが、わからんのか!」ということらしい。

民俗学者の宮本常一が対馬《つしま》の事例を『忘れられた日本人』に書いているが、こうした談合型の意思決定は村の寄合《よりあい》では有効だ。論争による分裂を避けられ、後から「お前の案のせいで」と吊《つる》し上げられる心配もない。ただし副作用として、誰がいつどう発言したかという「歴史」と、それに伴う「責任」を失うことにはなるが。

私たちは歴史と責任を引き受けて生きるのか、歴史なき「流れで決まった」式の楽園で〝幸せに〟暮らすのか。それこそを政権は国民に問うている。

初出＝『朝日新聞』2020年2月13日

歴史なき時代 3 「見える化」で高まる不信

2019年の台風19号の後、ネットで騒ぎになった事件がある。関東上陸の前日、国会での取り決めを破って遅くに質問を通告した野党議員がいたとして、災害が迫る中で待機させられたことへの憤懣《ふんまん》を、官僚がネットに書き込んだ。

むろん、取り決めの趣旨に反した議員の行為は問題だ。一方、国民の代表への批判を官僚が匿名でばら撒くのも、褒められたことではない。

従来なら国会審議で、双方の上司が「当方の非は反省するが、そちらも戒めていただきたい」で手打ちしただろう。ところが現実には、議員が関係者の特定を要求する半面、ネット上では議員への懲罰動議を求める署名運動が発生した。

双方に共通するのは「目に見える処罰」を求める欲求である。逆にいうと「見えないところで、然るべき人がうまく差配しているはずだ」といった不可視のものへの信頼は、日本の政治から消えたということだ。

否、顧《かえり》みれば政界に限らない。「いいね」や「既読」の形で、SNSが他者への関心を過剰に可視化した結果、もはや表示が出ないと安心できないのは、私たち自身も同様だろう。すべてを「見える化」することは、かえって見えないものへの想像力を毀損《きそん》する。グローバルな市場競争への過度の適応が共同体を掘り崩してゆくとする、かつて拙著『中国化する日本』に記した見立てと異なり、私たちの社会はただ相互の信頼を失って、中国のように殺伐としつつある。

初出＝『朝日新聞』

歴史なき時代 4 『夜と霧』が自己啓発本？

2020年2月27日

雑誌の『中央公論』が毎年発表する新書大賞が、大木毅《たけし》氏の『独ソ戦』に決まった。投票でついた点数が2位の倍以上という、圧倒的な評価での受賞である。

にもかかわらず、2019年末に発表された紀伊國屋じんぶん大賞では、入賞ぎりぎりの30位。狭義の「歴史学」の入賞作が同作だけなので、違う意味ではやはり例外的な高評価ともいえるが、釈然としない。

謎を解く鍵は、選考方法の違いにある。新書大賞の投票者は100人弱で、半分が有識者。じんぶん大賞は一般の読者も投票でき、募集期間中はSNSでも「この3冊に入れました」等の報告を多く目にする。

後者の方が年齢的に若く、裾野《すその》も広い層の意向を反映するのは事実だろう。逆にいうと歴史はいまや社会の基礎教養ではなく、一定の年齢以上かつ特殊な階層に固有の「趣味」になりつつあるわけだ。

近日驚いたが、今日の「意識の高い」ビジネスマン向けの書き手にとっては、名高いフランクルの『夜と霧』ですら、ナチスの絶滅収容所を生きのびた著者の「〝強さ〟に学ぶ自己啓発本」として扱われるらしい。そんな世相では独ソ戦の陰惨な仔細など、どうでもいい話ではあるのだろう。

大木氏はウェブ等で「古い戦史像」に固執する軍事マニアを批判するが、マイナーな趣味人どうしの内輪喧嘩に公共的な意義はもうない。歴史の関係者は自戒した方がいい。

初出＝『朝日新聞』

書評　與那覇潤 評

民主主義を救え！（岩波書店）　ヤシャ・モンク著、吉田徹訳

食いつぶした勝利の遺産　2019年10月24日配信　共同通信

トランプ政権が生まれたのは、人々がスターリンを忘れたからである。それが、本書から得られる最大の省察だ。米国の若年層で民主主義に感じる誇りが低く、逆に権威主義への憧憬《しょうけい》が有意に高いのは、彼らがファシズムや共産主義といった「民主主義でない体制」を知らない世代だからだと、著者は分析する。

込み入った政策を3行で説明しても、いまや支持者を失う時代だと語る政治家の挿話は示唆的だ。ライバルが1行で単純化した「解決策」をうたう現在では、3行でも長すぎるという時間感覚にこそ、ポピュリズムの真因がある。

マルクスの著作群の豊饒《ほうじょう》さに対して『スターリン小教程』の内容は貧しく、しかしその分だけ強大な政治力を振るった。『毛沢東語録』となるとただの断片集だが、世界の支持者を熱狂させた。

ブルジョア民主主義への対抗運動を掲げた共産圏での失敗を、遅ればせになぞっているのが、目下の先進諸国での「単純かつ過激な指導者」の台頭かもしれない。実際にポーランド系の出自を持つ著者は、自由化の優等生とされた同国とハンガリーで、思想統制への回帰が始まった現状になんども警鐘を鳴らす。

時間感覚の失調をもたらした要因を、本書は大きく3つ指摘する。移民の増加による未来への不安、経済発展という過去の栄光の喪失、極論を唱えても「いますぐ」同志を得られるソーシャルメディアの定着である。

そうした状況では左右を問わず、明示的な敵を設定し、彼らを倒せと煽る直感的な言論が力を持つ。日本でいえば、「悪」と戦う指導者のためなら一切の批判を封印する点で、安倍晋三氏と山本太郎氏の応援団の態度が似てくるようなものだ。

対案として理性的な中道派の復権を掲げる、著者の結論は凡庸だ。むしろ冷戦の終焉から30年、私たちが自由民主主義の「勝利」の遺産を食いつぶした現状を自覚させる点にこそ、本書はいま読まれる価値を秘めている。

歴史なき時代 5 「問題と共にある」社会を　2020年3月12日

平成の政界で失言王として鳴らした麻生《あそう》太郎副総理が、令和になっても元気だ。1月に地元での講演で、日本は「二千年にわたり1つの民族」だと発言し、物議をかもしている。

こうした単一民族国家論が問題化するのは、1986年の中曽根康弘首相以来の現象で、一見すると「時代遅れ」にみえる。実際「アイヌ民族や在日コリアンがいるのに、麻生氏は意識が〝遅れている〟」と非難した学識者は多い。

浅薄な批判というほかはない。私は今回の発言は、時代に即したきわめて「現代的」なものだと思う。

トランプ現象やブレグジット問題以降、国際社会のニュースは人種・民族対立の話題に満ちている。そうした暗いニュースは「うちの国には関係ないので、安心しましょう」というのが、麻生発言を支える人たちの気分だろう。

実はこうした「問題をないことにして」心の平穏を得る傾向は、麻生氏への批判者にも根強い。原発を止めても、消費税を下げても「なにも問題は起きない」と高唱する論者は、いまや野党陣営の主流派だ。

問題のない社会がすでに実現しているとする保守と、将来築けるというリベラルの双方が忘れているのは、「問題と共にある」社会の可能性だ。摩擦や困難とつきあいつつも、決定的な破局を避けて他者と共にいること。それができないかぎり、多民族国家の存立はありえない。

初出＝『朝日新聞』

歴史なき時代 6　誰もが誰かのパラサイト

2020年3月26日

話題の韓国映画『パラサイト　半地下の家族』をやっと見た。評判通りの傑作だが、題名を「格差社会の下、超富裕層に寄生する貧困層」の意味にとる解釈の多さには閉口する。たしかに同作の主人公は出自を偽《いつわ》り、運転手や家政婦として大富豪宅に入り込む貧しい一家だ。しかし逆にいうと、独力では料理も子育てもできない豪邸の奥さんは、彼らの家事代行に「寄生」している。

その夫はＩＴの周辺機器を扱う業者の社長なので、彼のビジネスはＰＣやＯＳを作るメーカーに依存している。一方でＧＡＦＡのようなメガ流通サービスも、新興国の廉価な労働力に寄生しなければ、現在の覇権を維持できない。

豪邸には北朝鮮の核攻撃に備えたシェルターがあり、物語の鍵を握る。朝鮮戦争以来、西側世界は「冷戦の最前線」だった地域の犠牲に寄生して、ずっと平和を享受してきた。本作が米国でアカデミー作品賞を得た背景も、それ抜きでは理解できないと私は思う。

救いのない結末に至る同作の悲劇は、浪人中だった一家の長男が家庭教師に雇われようとして、名門大学の在学証明を偽造したことに始まる。「自分だけ」が助かろうと個人単位で能力を装うことは、実は破滅への道だったのだ。

グローバル化の下では誰もが、他の誰かに寄生しなくては生きられない。私たちがめざすべきは、相互に「よりよくパラサイトしあう」あり方なのだと、作品は訴えている。

初出＝『朝日新聞』

歴史なき時代 7 若者よ、だまされるな

2020年4月2日

新入生と新卒社員の季節がきた。歴史学に社会的な意義はほぼないが、「歴史を知らない」ために若い人が騙されるのは忍びないので、元教員としてアドバイスを送りたい。

新卒市場が盛況で、あなたが就職できたことを「安倍政権の経済政策のおかげ」だと教

える大人がいたら、誤りである。2007年以降、団塊の世代の定年退職による人手不足を恐れた日本企業は、定年を5年分延ばしていった。

安倍さんは、その「延期された大量退職」のラッシュがくる12年に首相になった。そこから新卒採用が活性化したのは、人口動態上の自然現象であり、彼の政策は関係ない。

日本型正社員の「終身雇用」を会社の優しさのように語る上司も、まちがっている。年功賃金とは若い労働者の給与を企業が差し引いておき、定年間際《まぎわ》まで返さないことで、中途で社員を離職させない「冷徹な経営戦略」である。

つまりあなたが若いうちは、会社の方があなたに「借金」をしているのだ。だから経営者が、早期離職者を非難するのはお門《かど》違いである。「年長社員と比べて私を安く使った分を、弁済してから言え」と、言い返してかまわない。

若いあなたには、年功賃金を前提に定年まで勤める自由も、途中で降りる自由もある。ただし自分より弱い立場の者を、嘘で支配する大人にだけはなってはならない。

初出＝『朝日新聞』

同調から多様な時間軸へ

2020年4月3日配信

新型コロナウィルスの感染拡大で東京五輪・パラリンピックの延期が決まりました。改めて認識したいのは、五輪とは本質的に「新興国型」の催しだということです。

自国の「外側」に世界が広がっていると想定して、そこでも通用する「一握り」の代表選手に、一般国民が拍手を送る。ただこれにはどこか、自分は「銃後」にいながら前線を煽っているような居心地の悪さがあるんです。だから私は普段、スポーツでしか自国の「活躍する姿」を見られない途上国、たとえば政情不安な国のチームの方を、日本よりも応援しちゃうんですね。

ところが2011年にサッカーの女子ワールドカップで日本が優勝すると、東日本大震災で絶望の底にあった国内は大盛り上がり。13年には2度目の東京五輪招致が決まりました。そうした日本人の内心には、「途上国」のままでいたい欲求があるようにも感じます。

1964年の東京五輪は、敗戦後の日本が新興国としてやり直す途上にあり、インフラ整備の需要もあった。でも今の日本はむしろ「老熟国」。世界はこれから日本の「内側」に、たとえば海外から労働力を受け入れる形で広がっていく。当然、文化の摩擦や未知のウィルスだって入ってくる。そう視点を転換できなかったつけが、今回の延期を招いた気がします。

「4年に1回」のペースにあらゆる国が合わせる五輪は、工場労働のような「同一の時間軸への同調」をテコにエネルギーを調達する近代社会の象徴です。でも、それはいまも有効ですか。五輪のスケジュールに合わせて投資を回収するはずだった産業は、大ダメージを受けていますよ。

逆にコロナショックの教訓は、時間軸の「分散化」こそが感染防止に役立つこと。時差通勤やテレワークが典型ですよね。多様な時間軸が併存する社会の方が、むしろ危機に対して強いんです。

五輪とセットのパラリンピックは、本来1位を争うものではないと思います。障害の程度が違うのだから、それぞれの基準で全員がたたえられていい。そうした多様性を尊ぶ感覚を養う期間として、開催を待つ1年間を捉えてはどうでしょうか。

初出＝『共同通信』

誤作動する脳（医学書院）　樋口直美 著

多様な時間軸の存在を提示

2020年5月2日　日本経済新聞

想像してみてほしい。

あなたに脳機能の障害が生じて、初めて幻覚を見るとき、それを幻覚とは思わない。疑うにしてもまずは「見間《み》違い」や「霊体験」だろう。何度か同じ経験をして、ようやく「病気かな」と思う。

著者の樋口さんはレビー小体型認知症という、症例の少ない脳の病気を持っている。精神科ではうつ病だと誤診され、合わない薬を飲まされた。病気をオープンにして活動する今も、「ぼけ」の同義語として使われる認知症とは症状が違うため、周囲の無理解に遭《あ》うことがある。だがそうした、なまなかでない困難をくぐり抜けた本書の筆致は、むしろ温かい。

最もショックを受けるのは、著者に通常の意味での「時間」の感覚がないことだ。記憶自体は存在しても、過去のすべてが等距離で「どのくらい前か」を測れない。だから毎朝、電子時計の表示を見ないと日付がわからない。

時間にせっかちな人、のんびりした人の違いはあっても、「時間というOS」の上で物事を認知することは全員に共通だと、ふだん私たちは思っている。しかしOS自体が脳から外れることは起きえるし、それでも人は生きていくのだ。

こうした認識のフォーマット自体に多様性を認めることで、高齢化する社会は豊かになるかもしれない。重度の認知症者が示す「若い頃にタイムスリップしたかのような言動」を、病的な妄想と退けず、むしろ時間軸から解放されたオルタナティヴな脳の作動として受けとめてみる。そうした著者の実践は、老いる前の人にも勇気と、なにより安心をくれるだろう。

平成期の脳科学ブーム以来、玉石混淆《ぎょくせきこんこう》の「脳」本はいまも書店に平積みだが、それらの多くは脳を計算機のように「標準化」し、外れた個体は「バグ」としてしか捉えない。その先にあるのは「人間は動作の遅いAIに過ぎない」といった自己疎外だけである。

「時間というOS」に基づくスケジュール管理は、たとえば「4年に1度」のスポーツイベントを世界規模で企画するには便利だ。しかし実はそちらこそが、吹けば飛んで消える幻覚だったのかもしれない。そうした感受性に誰もが立てるはずの今こそ、多くの人が手にとって、もうひとつの「脳」の可能性を感じてほしい。

「司馬史観」に学ぶ共存への努力

2020年12月6日

今回の依頼は、受けるか逡巡しました。もともと司馬作品のよい読者ではなかった上に、私は大学入学が1998年。そこから歴史学を専攻し、2007〜15年には教壇にも立ちましたが、これは司馬さんと「不幸な出会い」をした世代なんですよ。

藤岡信勝さんが立ち上げた教科書書き換えの運動が高揚して、「新しい歴史教科書をつくる会」（以下「つくる会」）が結成されるのが1997年です。当時これは「危険なナショナリズムの再来だ」と、多くの大学人に強く批判されていました。そうした論争の中で、藤岡さんたちが当初、目指すべき教科書の模範に掲げていた「司馬史観」もまた、悪いもののように言われる時期があったんです。

「確かに司馬遼太郎は、昭和の戦争についてはきびしく批判したかもしれない。しかし、明治の日清・日露戦争に関しては肯定的に描き出してしまうナショナリズムが、司馬史観の基底にはある。だから右翼の教科書運動にも利用されるのだ」といった話が、私が学んだころのキャンパスでは定番でした。それに煽られてなんとなく、自分も司馬さんの作品を遠ざけてしまったところがあります。

「つくる会」の運動が下火になった後も、「司馬史観を克服する」という課題意識は、私の中で長く続きました。ところがあるとき、どうもそれは浅薄な理解だったのではないか。むしろいわゆる司馬史観とは別の次元にこそ、司馬さんの真髄があり、歴史学者も含めて、そちらには学ぶべきところが大きいのではと感じるようになっていった。そうした私の変遷をお話しさせていただくのも、司馬特集への貢献のしかたかなと思います。

司馬遼太郎

歴史学者にとっての「壁」

2011年に単行本が出た『中国化する日本』、これは当時、地方大学で教えていた私の講義録なのですが、モチーフの一つは「脱・司馬史観」なんです。当時驚いたのは、司馬さんが亡くなって10年以上経っていたこの時期でも、意外にまだまだ学生たちが司馬遼太郎を読んでいたこと。NHKで『坂の上の雲』（2009年11月～11年12月）が映像化された影響もあったでしょうが、たとえば同書を教室で机上に置いている学生が、歴史学科に限らず普通に結構いたんです。

この「坂の上の雲」というのが名フレーズすぎるんですね。

「日本が目指すべき目標は、西洋近代である」という考え方を、簡潔かつ印象に残る表現で示している。その背景にあるのは「先進国とは西洋の近代国家のことであり、世界のあらゆる国々は、それを目指して1つのコース上で競っているのだ」という、「近代化論」の考え方です。

しかし1980年代以降の歴史学では、そうした近代化論は「西洋中心主義であり誤りだ」と考えるのが前提なんですね。近代以前は中国やイスラムの方が、富の豊かさでも宗教的な寛容さでも西洋より「進んで」いたし、またそれらの地域はいまも、本当に西洋的な近代国家を「目指して」いるのか判然としませんから。

だから本当は、歴史は「西洋という雲の下の一本道の坂」ではありませんよと。そういうイメージを学生に持ってもらうためには、司馬さんと全力で戦わざるを得なかった。

いまなら「中国って、IT化ではもう欧米を追い抜いてない？」「ただそれはプライバシー権が皆無だからできることで、近代化とは違うコースだよね」といった議論は容易ですよね。同時代の肌感覚として、なんとなく「わかる」からです。しかし、中国が日本のGDPを抜いて「衝撃」と呼ばれたのが2010年。そのころは言葉にして「説明」してもらわないと、生じた事態を納得できない。

歴史観とはそのための有力なツールで、だからいまこそ、時代に適合しなくなっている司馬史観を乗り越えるんだと。そういう気持ちで平素、教室で授業をしていました。

ところがそんな私の認識を、一変させた本があります。松本健一さんの『三島由紀夫と司馬遼太郎』（2010年）です。三島事件（1970年11月25日）が起きたとき、司馬遼太郎は翌日（！）の毎日新聞の一面に長文を寄せますが、この文章は三島自身、あるいは三島礼賛者が語るであろう歴史観に司馬さんが対峙したものなのだと、松本さんは指摘する。

大学教員としての自分にとって、司馬さんは学生たちが持つ（誤った）歴史観をいまも規定し続ける、越えがたい「壁」だった。ところがその司馬さん自身が、より遥かに聳《そび》え立つ壁と戦っていたんだと。それを知った驚きは大きかったですね。

三島由紀夫への挑戦

三島の死からほぼ1カ月後の『朝日ジャーナル』に掲載された、鶴見俊輔との対談で、司馬さんは太平洋戦争末期に自身の思考を決定づけた、ある「体験」について語っています。戦車隊の一員として栃木県にいた際、太平洋沿岸に米軍が上陸したら、街道を南下して迎え撃てと命令された。しかし同じ道を北上して逃げてくるだろう避難民はどうしますかと、来訪中の大本営参謀に尋ねたら、「ひき殺していけ」と言われたという挿話です。

この話、実は司馬さんが盛ったフィクションではないかとは、昭和史の実証研究で著名な秦《はた》郁彦さんが指摘してはいたんです（†3）。松本さんの創見は、司馬さんがそうした虚構の体験談（初出は64年か）をこの時口にしたのは、三島由紀夫を否定するためだったんだと。司馬史観もまた、「三島史観」と戦っていたんですね。

鶴見さんとの対談自体には、三島事件は出てきません。しかし「思想の悪魔性」といった用語が使われ、思想とは一種の狂気である、だから国体護持という大義の前では国民の命など「ひき殺せ」と平気で言わせてしまうんだと。こうした司馬さんの語り口には、明らかに三島由紀夫との対決が意識されているのだと、松本さんは分析しました。

天皇中心の日本以外は「真の日本」ではない。だからクーデターでそれを実現するか、できないなら自分が死ぬかだと、これが三島事件のメッセージですね。これに対し、翌日の毎日新聞への寄稿で司馬さんは、吉田松陰を引き合いに出しています。松陰はまさに尊王攘夷《じょうい》という、思想にして狂気にとり憑《つ》かれた人で、実現のためには人を殺しても、殺されてもよいと松下村塾で説き、実際に安政の大獄で処刑されて命を棄てました。

興味深いことに司馬さんは、松陰の生き方は狂っているなりに政治思想の実践なのだが、三島の場合は文学的な「美しさ」しか追い求めていないと。だから三島事件は松陰の刑死ではなく、有島武郎《たけお》・芥川龍之介・太宰治の自殺に連なるものでしかないと言う。

もちろん司馬さんも、また対談した鶴見さんも、狂気と紙一重の「思想」が必要とされる時代があることは認めています。普通の人間は、基本的には既存の秩序に従ってしまう。だからこそ逆に、殺人も自死も厭《いと》わないくらいの狂気をもって、秩序を根底から否定しなければならない局面がある。

この両名によれば、最大の狂気によって世界史上に新平面を開いたのはイエス・キリストだし、特に司馬さんに言わせれば、明治維新はまさに幕府の全否定が必要なタイミングだった。だから松陰が処刑されても、その狂気に影響された塾生たちが続々とフォロワーになって、時代を変えていった。

これに対して昭和の軍人たちが放った狂気は、偽物にすぎない。なぜならそれを要請する時代背景がまったくなく、無意味な殺戮や犠牲しか生んでいないからだと。そう考える司馬さんにとっては、彼らへの「後追い自殺」を演じたかのような三島由紀夫は、思想家としては到底評価できない。

ただ、そう書くのはやはり、三島を畏《おそ》れていたからでしょう。続く人を出さないために

---

†3　秦郁彦『昭和史の秘話を追う』ＰＨＰ研究所、２０１２年、第４章（初出は09年）。

こそ、自分の力で「三島史観」に対抗しえる歴史観を示すんだと。そういう使命感があったのではないでしょうか。

こうした知られざる司馬さんの姿を、松本さんの著作から受けとってしまうと、彼の作品を「ここが史実と違う」などとあげつらう歴史学的な営為の意味が、すーっと薄れていくように感じたんです。ある歴史観と戦うには、まさに別の歴史観を打ち立てる覚悟でやらないとだめなんだと。いわゆるファクトチェック的な「揚げ足取り」で歴史修正主義に対処することの卑小さを、教えられた気がします。

すでに語られていた「中国化する日本」

こうして新しい視点で司馬さんの著作や、司馬さんをめぐる研究を読み出すと、私としては脱・司馬史観（反・近代化論）のつもりで講義していた「日本の中国化」という歴史観に、実は司馬さんもかなり接近していたことが見えてきました。

晩年の『この国のかたち』の第1巻で、司馬さんは明治維新について、その内実は「宋学の亡霊のようなもの」の爆発に過ぎないと述べています（初出は1986年）。三島由紀夫と対決したころと比べ、むしろ吉田松陰や明治維新の評価自体が下がっていた。

昭和政治史の実証研究で知られる伊藤隆さんは、回想録『歴史と私』（2015年）の中で、まさに同じ1986年に司馬さんと対談するも、お蔵入りになってしまったという挿話を紹介しています。

伊藤さんによると、すでに当時の司馬さんは、昭和に入ってからの20年間は無意味な戦争に突入する、理解不能な時代でしかない。結局、坂の上に「雲はなかった」とまで言うようになっていた。これは昭和期の政治を実証的に、つまり当事者の視点をも復元する形で探究していた伊藤さんには許せない発言で、「反論のスイッチ」が入り、そんな見方は「西欧コンプレックスそのものだし、東京裁判の図式と変わらない」と猛批判してしまったらしい。

私もいちおう歴史学者でしたから、伊藤さんの気持ちもわかります。しかしそこで、「なぜ司馬遼太郎に自身の代表作を否定させるほどの絶望を、日本の近代は与えてしまうのか」という問い返しができないのは、どんなものでしょうね。実証史学の泰斗ゆえに、その限界をも露呈してしまったエピソードのように思えるのですが、いかがでしょうか。

学者を辞めた後に、陳舜臣さんと司馬さんの『対談 中国を考える』（1978年）を読んで、ますますその感が強まりました。実は収録された74年の対話で、「明治維新とは遅れてきた宋学に過ぎない」という考えを、事実上表明しているんですよ。『坂の上の雲』の完結（1972年）から間もなく、ご本人の中で疼《うず》くものがあったんじゃないかな。

その対談で司馬さんは言っています。「もともと中国というのは、唐の時代にはあれだけ国際的精神を持っていた。つまり中国文明に参加してくるものは、目の色が変わろうと、皮膚の色が変わろうとよろしい」という国だったと。陳さんが、安禄山《あんろくざん》（ソグド系）や高《こう》仙芝《せんし》（朝鮮人）といった将軍も外国人だし、科挙に合格し高官となった阿倍仲麻呂《あべのなかまろ》は日本人だと受けると、司馬さんは、当時の中国は「いまでいえばアメリカやね」と応じています。

ところが続く宋の時代には、女真族の建てた金に華北を奪われて、自分たちは江南に逃げざるを得なくなってしまう（南宋）。結果として中国人は普遍主義を失い、「異民族はけしからん」という排外思想が生まれた。これが宋学ないし朱子学に繋《つな》がり、一種の歴史修正主義（司馬さんはこの用語を使っていませんが）として、「野蛮人どもの不当な支配から脱却せよ」という発想を基礎づける。

その宋学が後醍醐天皇のころから日本に入り、それを範とする連中が「尊王攘夷」を叫んで明治維新を起こしたのだと、司馬さんは明快に論じています。

もし『中国化する日本』を書く前にこの対談を読んでいたら、「あの司馬さんも、私と同じことを言っていたぞ！」という風に肯定的に引用して、私の本ももっと好評を博したかもしれません（笑）。いやはや、勉強不足というのは怖いですね。

「史論家たち」がいた時代の豊かさ

先にご紹介した司馬・鶴見対談は、「時代の変革に必要な狂気を容認しつつも、自身は正気を保った人」として勝海舟を評価するのですが、重なる時期にまさに同じ海舟像を描いたのは、文芸評論家の江藤淳でした。一方で「尊王攘夷や皇国史観の起源は宋学だ」という、司馬さんと同様の視点をより精緻に追求したのは、70年代に保守論壇の雄となる山本七平です。山本はフィリピン戦線で自軍が壊滅するという、司馬さん以上に過酷な軍隊体験を経た結果、戦時下の悪しき「狂気の思想」のルーツを遡って、同じゴールにたどり着いたんですね（†4）。

70年代というと、「三島由紀夫が腹を切って、歴史に殉じる人はもういなくなりました」という地点から論じられがちですが、必ずしもそれだけではなかったんです。そうした目の前で起きた事件の意味を、「幕末と比較してみよう」「源流は中国にあるのでは」と

†4　それぞれ、江藤淳『海舟余波』（現在は講談社文芸文庫）、山本七平『現人神《あらひとがみ》の創作者たち』（ちくま文庫）を参照。

いった長い時間軸の中で考える知性が、同時多発的に動きだす。

結果として、眼前の事象を「肯定するのか否定するのか」では見解が分かれる読者の間でも、相互に対話できる地平が開かれる――そういう「議論や解釈の媒体」としては、まだ歴史が生きていたのです。

これに対していま、同時代の世界を見る私たちの目線はどうでしょうか。たとえばトランプのアメリカは、移民に侵食されているという被害者意識の下で、司馬さん風に言えば「南宋化」したわけでしょう。そのトランプに攻撃された習近平の中国も、香港の英米思想を「異民族の手先」と見なして潰そうとしている。

グローバル化の「二大勝ち組」だったはずの米中が相互に排外主義に走るさまは、シルクロード交易で国際的に繁栄した唐朝が崩壊する様子とも、重ねて理解できるわけです。そうした見方であれば、親米・反米、親中・反中を超えて共有できるのに。司馬さんのような史論家の不在は、本当に大きな痛手なんですね。

司馬さんが存命時に果たしてきた役割を復元した書物としては、成田龍一さんの『戦後思想家としての司馬遼太郎』（２００９年）が欠かせません。たとえば『竜馬がゆく』の背景には、実は60年安保闘争の影響がある。左右の暴力が正面衝突した60年安保を見たからこそ、司馬さんは「平和的な権力移行を、幕末の時点でも構想した日本人がいたんだよ」

として、坂本龍馬を英雄化した。歴史像の構築を通じて、和解を呼びかけたわけです。

また成田さんが強調されるのは、司馬さんの中にあった「非・ナショナリスト」の側面です。初期には「ペルシャの幻術師」のような異国情緒の濃い伝奇小説を書き、後半期には『菜の花の沖』『韃靼《だったん》疾風録』という、日本海を越えて外国と交流を持った人々を主題に据えた作品を残してゆく。

代表作とされる『竜馬がゆく』や『坂の上の雲』は、真ん中の高度成長期における「いまはこれを書かないと、日本人がばらばらになってしまうかもしれない時代だ」とする危機意識の産物ではなかったか。成田さんの読解はそう示唆しているように思います。

少し補うなら、もともと学生時代にモンゴル語を専攻した司馬さんの、遊牧民びいきの持続力ですね。先ほど見た陳さんとの対談には、司馬さんが当時社会主義国だったモンゴルを訪れた際の挿話も出てくるのですが、内容がすごく面白い。

漢語を使えば「外務大臣」と短く表記できることを、モンゴル人は徹底的に土着の言葉で「おとなりとのおつきあいをつかさどる人」のように呼称していたと。すごく非効率なんですが、そのおおらかさみたいなものに、司馬さんが癒《いや》されていたのがわかるんです。

圧倒的な普遍性を放ち、その分「狂気」にも転化しえる中国起源の思想と、適度な距離を置きながらつきあっていく。同じ「中国の辺境」でも日本人が持ちえなかったそうした知恵を、モンゴルの遊牧文明に見ていたのだと思います。

物語の過少が人を殺す

いま、日本の歴史業界は不幸ですね。実証的に史実を明らかにしてゆくアプローチと、目の前の事象を理解可能な形にするために物語を紡《つむ》ぐアプローチとが、断絶してしまっている。前者が後者を一方的に叩く形の議論ばかりで、対話がない。伊藤隆さんと司馬さんの決裂を、劣化コピーのように無限に反復している。

これ、放置しておいたらまずいですよ。そう思い知らされたのは2019年7月、社会を震撼させた京都アニメーション放火殺人事件のときでした。

冒頭で述べたとおり、かつて司馬さんは「つくる会」の教科書と一体視されて非常に叩かれた。このとき言われたのが「大きな物語の危険性」です。「輝かしい日本人の歩みを、我々は受け継がねばならない」といった歴史の物語化が過剰になることで、ナショナリズムが暴走し、戦争になる。だから「歴史は物語ではなく、史実だ」とする態度が、良心的な学者の規範のように言われたわけです。

しかし京都アニメーションの事件が示したのは、物語の過少もまた、大量殺戮を生み出すということなんです。十分な教育を受けられなかったと思われる、非常に不幸な生い立ちの容疑者が、ファンだったアニメ会社に些細《ささい》なきっかけで「裏切られた」と感じ、「人と共有できる物語なんて、やっぱり自分にはないんだ」と、その絶望感だけで何十人も殺してしまう。私は元・歴史の教員として、死角から鈍器で殴られたようなショックを受けました。

事実だけが転がっていて物語がゼロの状態に、人間は耐えられないんです。偶然、豊かな家とか国とか時代に生まれる人もいる一方で、貧しく苦しい場所に生まれる人もいる。両者で互いの物語をより合わせていく努力をしないで、「それがこの世の中のリアルだ、ざまぁ」みたいなことばかりやっていたら、最後は暴力の爆発にいたるんだと。

そのことを知ったいま、日本人どうしが、さらには国境を越えて人々が一緒にいられるための物語を、歴史を素材に組み立ててきた司馬さんの姿が、より一層輝いて見える。そう思っています。

構成・文＝西谷博成

初出＝『ｋｏｔｏｂａ』２０２１年冬号（集英社インターナショナル）

書評 與那覇潤 評

日本の外交——明治維新から現代まで（中公新書）入江 昭 著
戦後和解——日本は〈過去〉から解き放たれるのか（同）小菅信子 著
国家と歴史——戦後日本の歴史問題（同）波多野澄雄 著

なつかしい「理想の教科書」 2020年3月6日 web中公新書

大学で日本の近代史を教えていたころ、中公新書はまさに理想の教材だった。廉価で入手しやすく、現在に通ずる大きなテーマについての全体像を、歴史的な奥行きとともに伝えてくれる。紹介する3冊はどれも、ゼミで輪読するテキストに選んだ作品だ。

戦前期を主に扱う『**日本の外交**』が描き出した、「政府の現実主義と民間の理想主義」のテーゼは、専門家のあいだで常識となったいまでも、なお多くの読者を驚かせるに足るだろう。無残な敗戦を経た後でふり返るかぎり、現実を見失って暴走したのは「政府」の側だという――「民間」は悪くないとして免罪する発想と裏腹の――先入見に、つい私たちは囚われるからだ。しかしそれを一度取り払わないと、過去の実像は見えてこない。

アウグスティヌスの正戦論まで遡る『**戦後和解**』を読むと、近現代の国民戦争に対する責任を考える際にも、じつはそれ以前と対照する感性が必要なことに気づかされる。近世までの傭兵どうしによる戦争では、和解は記憶ではなく、むしろ「忘却」を通じて行われるのが普通だった。いまそうした解決ができなくなったのは、兵士や銃後の国民に、自国への帰属を正統化する物語――「歴史の記憶」を刷り込むことで、戦意を調達してきた近代以降の負債である。

『**国家と歴史**』が扱うのは東京裁判以降の戦後史だから、時間軸としての射程は短い。しかし痛切に読者の胸をうつのは、同時代には「進歩」として語られた平成初頭の首相たちによる「侵略戦争」という用語の採用が、じっさいには国内での戦後合意を破綻させたとする示唆である。政府は（中国戦線を除き）あくまで侵略とは言わないが、被害国からそう呼ばれている事実は認め、平和憲法の護持こそが反省の証《あかし》だと表明する。その作法で左右が折りあうやり方は、不可能になって久しい。

どの書物もアクチュアルな主題と盛りだくさんの内容が、平明な文体で綴られ、学生にも好評だった。眼前の話題を論じるさいに無意識に陥ってしまう構図を、数十～数百年単位の視座をとることで、いったん崩す。そうした思考のリフレッシュをもたらす「歴史の効能」が、携行可能なポケットサイズで手に入るところに、日本のペーパーバックの栄光があったと思う。

もっともそれはもうすぐ、なくなってしまう文化なのだろう。近年話題になる歴史の新書には、人名や事項名などの固有名詞を主題に掲げて（むろんそれも新書の大事な役割だが）、仔細を解説する、いわば好事家《こうずか》が引くための「丁寧なウィキペディア」が多い。いっぽう単行本の世界で流行の「ビッグ・ヒストリー」になると、むしろ一千万年単位の時間軸を採用し、人類学や進化生物学（あるいはＳＦ的想像力）の領分に属する書籍が中心で、もはやそれらを歴史学と呼ぶ人はほぼいない。

はじめるに時があり、終えるにも時がある。人びとが生きるのにもう歴史を必要としないなら、老醜をさらすよりもせめて、華やかな葬列を出したい。ほんとうにそれを大切にした人の手もとには、たとえば遺影や形見《かたみ》分けのように、これらの書物が残っていくのだと思うから。

第3章

［時評Ⅰ］

歴史学者かく戦えり

――自粛の「戦時体制」に抗う

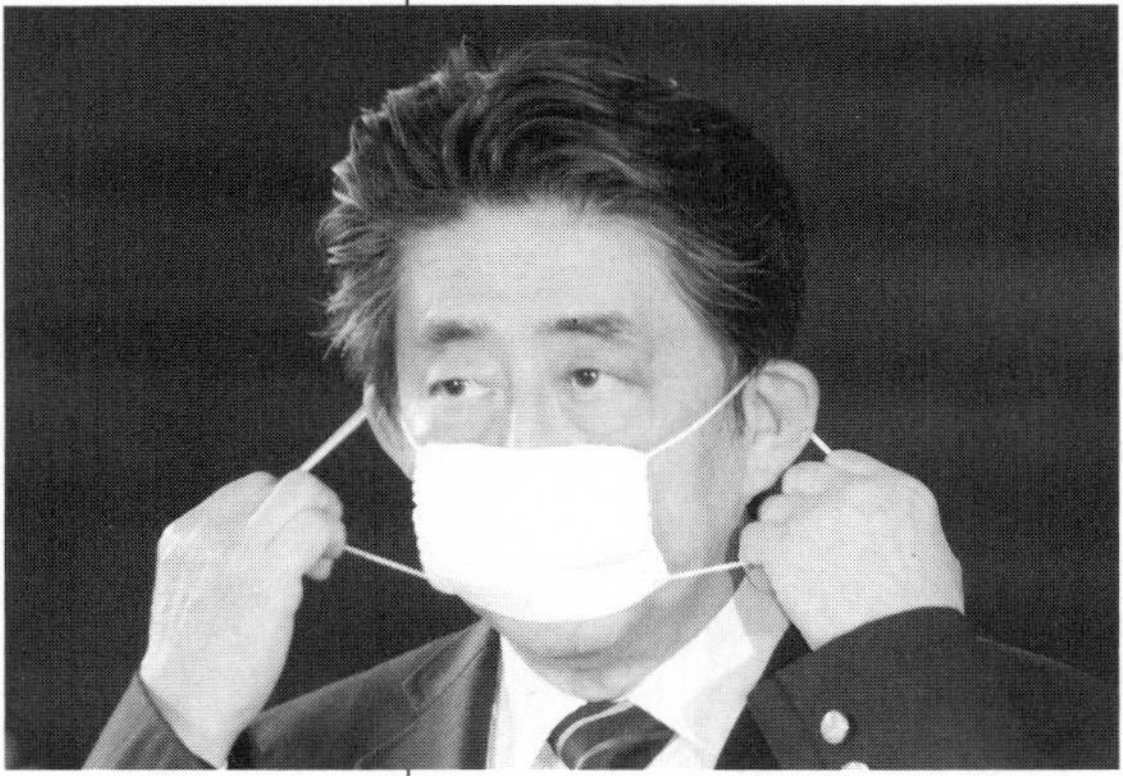

マスク姿の安倍晋三首相（当時）

歴史《ワクチン》が切れたあとに
――感染爆発するニヒリズム

2020年3月26日収録、加筆して5月30日刊行

《エビデンス主義の終焉》

パニックを煽るだけの「亜インテリ2・0」

コロナパニックから学ぶべきなのは、第一に「エビデンス主義」の失効ですね。そもそもエビデンスという用語を流行らせだしたのは、私（1979年生）と同世代――東日本大震災の後に「若手論客」などと呼ばれた世代の学者や評論家です。団塊の世代ぐらいの論壇の「大家」が、あまりに一面的な印象論で「昭和に比べて平成の若者は……」のような議論をする例が多かったのに対して、もうちょっと客観視できる根拠に基づいて、生産的な対話をしましょうよと。これ自体は意味のある問題提起でした。

ところが震災から5年後の2016年に、トランプ米大統領当選とブレグジット決定の英国民投票があり、年末にオクスフォード大出版局が「post-truth」を一年の言葉に選びます。ポスト・トゥルースは「真実という概念自体が、もう意味を持たない時代が始まっ

た」という意味だから、これはエビデンス主義への死刑宣告ですね。ところが日本人はなぜか、そこからファクトチェックが大事だとか言い出した。好意的に解釈すれば、ポストモダンが言われてもなお「いや、近代主義こそ必要だ」と唱えたかつての市民派のような態度をとったわけですが、彼らにも否定しがたい現実を突きつけたのが、今回のコロナショックです。二重の意味で、「エビデンスは解決にならない」ことが示されました。

1点目は、エビデンス主義の「副作用が大きい」という側面です。

エビデンスというのは、しばしば数字や統計の形をとって、グラフ化されて示されますよね。本当はこれは議論の出発点、叩き台に過ぎない。そもそもその数字のカウントの仕方や、時期区分・比較対象などに偏りはないだろうかと、絶えず再検討しないといけないわけです。しかしそれを怠《おこた》ってきたせいで、「ショッキングな図表を示せばみんな踊る」だけの状態になってしまった。

たとえば「新型コロナウィルスの感染者数が急増中!」というグラフだけ見ても、本来は焦ることはないでしょう。そもそもウィルスが話題になる前に発症した人は、病院に行っても「ひどい風邪ですね」「たぶんインフルエンザでは」としか診断されなかったはずですから。そうした見えない(=事例化されない)暗数と比べたときに、本当に危険なほど、いま新しく増えているのかを吟味しないといけないのに、「ぐんぐん増えてついに東京は

１００人越え！」みたいな図表を見せられるとみんなパニックになっちゃって、「お願いだから緊急事態宣言を出して！」と叫んでしまう。

こうした事態は、ファクトチェックでは防げないんですよ。何月何日に東京都の医療機関がコロナと認定した患者が１００人以上いました、という「事実」自体はファクトですから。むしろそのファクトをどう読み解くか、そうした事実の切りとり方の妥当性を吟味する姿勢こそを知性と呼ばなくてはいけないのに、数字を出して「相手を論破する」快感に酔うだけのエビデンス論客はそれを怠ってきた。大切なのは「データ」や「専門性」以上に、むしろ論理的な思考、筋道立てて考える力なんですね。

コロナ危機でいえば、①「日本でも欧米並みの勢いで感染が拡大する」という前提を置きながら、しかし日本よりはるかに厳重な行動規制（都市封鎖）を敷いている欧米でも不可能だった、②「1か月での危機収束を自粛で達成できる」なる結論を出す学者を見て、おかしいと見抜けるかどうか。エビデンス主義者がやったのは、そうした（自称）専門家を「でもデータを持っているから」と跋扈させることだけでした。

これとも重なりますが、より大事なのは2点目で、エビデンスの有無は「真の問題ではなかった」ということです。

たとえばパニックの初期にトイレットペーパーなどの紙製品が店頭から消えて、いま

〔収録時〕もまだ従前のようには戻ってきませんね。「紙不足になる」というのは、もともとは転売目的の人が意図的に流したデマで、TVからSNSまでのあらゆるメディアが「嘘です。騙されないで」と様々な物的証拠（＝輸入ではなく国内で生産している事実や、豊富な在庫など）を示して抑えようとしたけど、現に店頭からなくなった。エビデンスは無力だったんですよ。

ではなにが真の問題だったかといえば、人間不信であり、他者への侮蔑です。エビデンス論客の最大のあやまちは、単なる方法論のひとつに過ぎない統計処理を、マウンティングの道具にしてしまったこと。「俺にはデータがある、お前はない。だから俺の勝ち」みたいなやつですね。

結果として、今回人々は「私は普段からエビデンス重視のメディアに触れている〝クールな人間〟だから、紙不足はデマだと知っている。しかしそうでない大衆はバカだから、きっとデマを信じて買い占めるだろう。だったら私も買わないと入手できなくなる」という風にふるまい、現実問題として棚から商品は消えました。実際にとった行動を基準に分類すれば、エビデンス重視派もデマの信奉者も、それこそ統計上では同じ存在だったのね。

一言でいえば、啓蒙の失敗ということです。お互いの信頼がないかぎり、個人単位ではばらばらにメディア・リテラシーなんか持っていたって意味がなかった。「周りのやつらと

丸山眞男

違って、俺は優れたメディアに接している一流の人間」といった自意識でいる人のことを、最近私は「亜《あ》インテリ2・0」と呼ぶことにしました。

ご存じのとおり亜インテリとは、丸山眞男がつくった非常に感じの悪い言葉で（※1）（苦笑）、もともとは真のインテリとは「得ている知識の内容が異なる」半可《はんか》通《つう》たちを指します。帝国大学に通っておらず、近代科学や実証的な歴史研究に触れたことがないため、皇国史観や講談調の武勇伝を素朴に信じている「ちょっと物知り」ぐらいの階層が、日本を戦争に導いたんだと。いまの日本でいうなら、百田《ひゃくた》尚樹さんの本で昭和史を語れる気になる「ライトなネトウヨ」でしょうか。これがいわば亜インテリ1・0。

ところが問題はここで終わらない。亜インテリ2・0の人たちは有識者をSNSでフォローしたり、高級志向のメディアに接したりして情報自体は「インテリと同じもの」を得ているのに、運用法を完全に間違えているから、結局やることはデマに踊る人と一緒になる。ところが本人たちは、ファンコミュニティ的なネット上のサークルに集まって「俺たちは意識高いのに、他の奴らがバカだから……」と、同じ構造を再生産し続けている。これに気づかなくてはいけません。

「二流の歴史学者」の轍《てつ》を踏んだ野党

安倍政権のコロナへの対応に評価を下すのは時期尚早ですが、根拠が不明瞭で唐突な「全国に休校要請」や「接触8割減のお願い」で大混乱を招いたとはいえ、緊急事態宣言を出すまでの抑制的な対応など、それなりには好感を持てるところもありました。問題外なのは野党で、2020年の1～2月にはかなり多くの人が「追及すべきは新型肺炎への初動の遅れじゃないのか」と指摘していたのに、その後も「桜を見る会」に固執し続けた。エビデンス主義を盲信して堕ちていった人々の「底辺」がここにあります。

桜を見る会問題って、要は政治家にどこまで役得《やくとく》を認めるかという程度の、小さな話でしょう。なんでそんなものにこだわったかといえば「エビデンスがありそうだから」、端的には参加者の名簿が（少なくとも廃棄前は）存在することが確実にみえたからですね。そ

※1　丸山眞男「日本ファシズムの思想と運動」『丸山眞男集』第3巻、岩波書店、1995年（47年の講演、活字での初出は48年）。

れで「名簿があったはずだ、出せ！　名簿は公文書！」と叫び続け、コロナ問題を取り上げる好機を逸してしまった。

２０２０年の頭に初動が遅れていませんかと追及して、安倍さんから「いたずらに不安を煽るのはおやめください。日本の医療体制は中国と異なり万全です。問題が起きたら私は総理大臣も国会議員も辞めます」との答弁でもとっておいたら、いま内閣支持率は1桁まで落ちて政権交代論が湧きおこっていますよ。最初で最後のチャンスを野党は、エビデンスという餌に釣られて逃したわけです。

政権に批判的な媒体で「桜は大問題！」と合唱して野党をミスリードしたのは、研究上「公文書の扱いに詳しい」しか売りのない二流の歴史学者たちでした。私も前の職業柄よく知っていますが、実証史学でも一流の人は、自分のテーマを研究する意義（＝理由）をきちんと説明できるんですよ。対して二流の人間は「貴重な原文書があるからだ」としか言えなくて、普通の人には価値のわからないオタク的な作業をなぜか勝ち誇る。そうした歴史学者が「役に立たない」とは、社会に貢献する「プラスの要素がない」という意味でふつうは言うわけですけど、実際にはゼロですらなくマイナスだった（笑）。

彼らの最後の錦《にしき》の御旗は、「でも森友学園の優遇問題では、公文書改竄《かいざん》という大問題があったじゃないか。自殺者まで出したじゃないか」で、亡くなられた赤木俊夫さん（当時、財務省近畿財務局勤務）の遺書が公表されたのを機に、相変わらず野党やメディアにつきまとっています。さすがに「恥という概念はないのか」と言いたくなりますね。彼らはいまも、生の史料に「触った」だけで満足しちゃうダメな歴史学者と同じ状態で、その史料をそもそも読めていないんですよ。

森友学園絡みで発生した改竄のポイントは、「そもそも改竄する必要がなかった」ことでしょう。抹消された部分のうち最大のものは、あくまで森友学園の側が「安倍首相の奥さんからも強力に応援してもらっています」と主張したとする文言なんだから、本来はそのまま公開して何の問題もない。安倍さんが「これはあくまで、森友が交渉を有利にするために言ったことです。私の妻は名前を不当に利用されただけです」と説明すれば終わる話だし、現に改竄判明後のいまはそう答弁しているわけです。

ここから先は私の憶測ですが、なぜ財務省は不要な改竄をして、かえって問題を大きくしてしまったのか。雲隠れしている佐川宣寿《のぶひさ》・元理財局長はじめ、改竄を指示したとされる財務省の高級官僚は、たぶん安倍さんをバカだと思っていたんですよ。安倍さんの知能では、「森友側が（自分の利害に基づいて）主張しているファクト」は、公文書に記録されていようが決して「ファクトそのもの」ではないですよといった、複雑な論理を処理できないだろうと。だからスパッと文面上から消して、まるごとなかったことにしてあげないと、国会審議を乗り切るのは無理だと。

かつて忖度という用語が流行しましたけれども、自分の上司を「蔑みながら過保護に仕える」という官僚制の病理こそが、この問題の本質だと思いますよ。

部下にバカにされながら働く安倍さんもかわいそうではあるけど、しかしそんな人たちに命じられて「やる必要のない不正」をさせられた赤木さんにとっては、たまったものではなかったでしょうね。これは完全に私の思い入れですが、組織を守るために「良心に反する行為をしろ」と言われたとき、そこに必要性を感じられたらまだ助かる余地があったと思う。公開してしまったら外国と戦争になるとか、国内が集団パニックで内乱状態になるとか、そういうものを消せと言われたら、不正だけれども少なくともそれは意味のあることだと、そうやって自分を納得させられたかもしれません。

そうではなく、本来堂々と公開して説明すれば理解が得られることを、「どうせ喋る安倍もバカ、聞く国民もバカなんだから」というシニシズムで消せと言われたら、それは心を傷つけられて当然でしょう。

あえていまエビデンスなしで憶測を述べたのは、私自身が勤めていた地方大学で似た体験(より一層矮小なものですが)をしているからです(※2)。そもそも人の心や内面は、究極的にはエビデンス化が不可能な領域ですね。でもどうにかしてそこに触れていかないかぎり、人が一人亡くなったことの重さに向きあうことはできないし、問題の深層も見えてこない。その作業を放棄して「公文書はエビデンス！　遺書もエビデンス！」とだけ叫びまわる政治家や有識者は、どれだけ想像力がないのかと呆れています。

《ニヒリズムというウィルス》

AI論壇は「武漢の病院」だった

要するに新型コロナが入ってくる前から、この国にはニヒリズムという強毒性のウィルスが、官僚機構のトップからSNS利用者のボトムまで蔓延していたわけです。結局、世の中はバカばっかりで、その状態は変わらないんだ。「誤情報に踊らされたくない」「汚い手は使いたくない」だなんて言ってたって、周りがバカなんだからそいつらに合わせなきゃ、自分の側が負け組に落ちちゃうんだ。徹底的に自分以外の人間を見下し、他人に共感せず、自分だけが賢く勝ち抜けることを考えるべきなんだと。

※2　拙著『知性は死なない　平成の鬱をこえて』文藝春秋、2018年、45―52・177―181頁。前掲「大学のなかでこれ以上続いてはならないこと」『現代思想』2018年10月号。

コロナ騒動は、そうした既往症を噴き出させるきっかけを提供しただけではないですか。こうした「ニヒリズムの感染爆発」について、直近で責任を負うべきなのはＡＩ論壇クラスターでしょう。２０１０年代の後半にかけて、彼らはずっと「人間」という概念を攻撃し続けたじゃないですか（※３）。人間なんてできの悪い計算機に過ぎないから、やがてはシンギュラリティが来て人工知能に抜かれるんだと。「人間らしい感じ方」などというのは、単にインプットしたデータを処理するアルゴリズムの偏りにすぎず、プログラミングすればロボットでもコピーできるし、そもそも非効率だから淘汰《とうた》されますよと。

これはもう武漢の病院みたいなもので、生きるのに疲れて「人間性」に期待できない状態の患者が運び込まれてくると即感染するのね（苦笑）。で、「知ってた？ シンギュラリティって概念がいまアツくて……」とべらべら喋って相互に伝染しあうから、院内感染がオーバーシュートして止まらない。

私はＡＩじゃなくて人間だから、自分と違う思想ないしはアルゴリズムを持っている相手でも、信念でやっている人には敬意を持つんです。しかしＡＩ論壇というのはおおむね単なるビジネスで、そういう人はいなかったんじゃないのかな。もし本当に自分の主張を信じていたなら、コロナ危機のいまこそ「俺はＡＩに解かせてみせます。ソリューションを出せます！」と言えるはずの問題が目の前にあるのに、手を挙げる人を見ないですね。

たとえばもうずっとマスコミの争点になっている、「封じ込め（封鎖）か集団免疫か」の選択です。

まったく封鎖しないで一挙に全員が感染すると、病床が足りなくて医療崩壊する恐れがあるけれども、永遠にウィルスを封じ込めることは物理的にも人道上も不可能だから、どこかで集団免疫戦略に切り替えて「ほどほどの勢いで多数が感染し、免疫を得る」状態に持って行かないといけない。しかしこの切り替えが「患者が出るのを容認しろというのか！」という人間らしい反発を生んでいるんだから、いまこそAIの出番じゃないですか。AIにベストな答えを出させて、反対する人たちを「できの悪い計算機どもめ。お前らのアルゴリズムは偏っている！」と論破するのはいまでしょう。なぜやらないんですか。

まだ人命まではAIに賭けられないなら、トイレットペーパーの分配でもいいですよ。現状では街の商店が①早く来た人に売るというアルゴリズムで販売していて、一方で転売ヤーは②一番高く払う人に売るアルゴリズムで動いている。いかなるときも①が正しいかというと、実は自明ではないですね、大富豪で車椅子に乗っている人だっているのだか

※3　こうした現象の背景と問題点は、斎藤・與那覇、前掲『心を病んだらいけないの？』第6章を参照。

ら。さらには店主の判断で③「必要度」が高い人に売る選択肢もあり得るけど、人間がそれをやると事実上④「仲良し度」が高い相手に売るアルゴリズムになることが多い。どう組み合わせるのがベストなのか、AIで答えを出したらいいじゃないですか。やがて「ビックデータ+AI」が神としてすべてを判断し、人間はその決定に服する時代が来るとまで書く学者だっていたんだから、言動に責任を持ちましょうよ。

コロナショックでもなんでも、想定外の出来事に接して「まちがいに気づいた。反省し、転向する」というのは全然OKなんです。問題なのは、最初から信じていない言論を商品として売りさばく人たち、命名するならシニカル・ビジネスですね。AI言説との抱き合わせで流行した「5Gの高速通信が世界を変える」が典型で、5Gの導入直前はもう、そういう記事へのリンクやバナー広告を見ずにネットサーフィンできないくらいだったのが、いざ導入されるとぴたっと見なくなった。

要は嘘だとわかった上で、現実に実装されてバレる前に稼ぐモデルだったわけです。だから彼らはきっと、しめしめがっぽり儲けたぞと。ウィルスよろしくしばらく潜伏期間を置いて、次は6Gのタイミングでまた稼ごうとしか思っていないでしょうね。

「歴史の教訓」の賞味期限は10年？

そうした「やり逃げ」的な言論やビジネスをどう抑制するかですが、本来は歴史こそがワクチンの役割を果たしたはずなんです。ずっと後の時代に振り返られても「立派な人だったね」「いまも再読に堪《た》えるテキストだね」と言われたい。そういう存在として歴史に刻まれたいとする欲求が、人々にストップをかけてきたのですが、いまはもう機能しなくなってしまいました。

なぜなら遠い将来どころか、10年前のことすらみんな忘れているのが現状ですから。たとえば2009年に海外で新型インフルエンザが流行ったとき、マスコミで「日本も大惨事になる!」と騒いで予想を外したのと同じ人が、別に視聴者も覚えてないからということで、今回も引っ張りだこで危機を煽っている(†1)。また安倍さんが緊急事態宣言をできるように成立させた特措法というのは、この新型インフルに備えた2012年の法律の「適用対象を拡張してコロナを含めた」だけで、もともと作ったのは民主党政権(野田佳彦内閣)ですね。

---

†1　岡田晴恵・白鷗大学教授(公衆衛生学)を指す。連日ワイドショーに出演し「コロナの女王」と呼ばれたが、週刊誌が医師100名に行った調査では82%が彼女の活動を「評価しない」と答えた(『おとなの週刊現代　コロナとニッポン　丸わかり』講談社、2020年、14—15頁)。

ところがそれをみんな忘れて、「独裁を狙う安倍は危険だ」「いや、さすが総理のリーダーシップは素晴らしい」と安倍さんの所産のように扱っている。嘆くべきことに「古代ローマの独裁官を連想する」とコメントする歴史学や思想史の専門家もいるけど、彼らは民主党政権下でも同じことを言ったのか（苦笑）。8年前を忘れている人が語る歴史って、なんなのでしょうね。

2019年に批評家の綿野《わたの》恵太さんとも議論したのですが（※4）、社会の記憶は「10年もたない」、これを前提としてやっていかざるを得ないと思うんですよ。その時出した例は、著名なアンチAIの活動家であるキャシー・オニール。彼女は2008年のリーマンショックの際にヘッジファンド勤務で、「AIのアルゴリズムが被害を最小化する」という主張の嘘に気づいたというのだけど、でも1997年のアジア通貨危機で金融工学が機能しなかったときに、同じことは示されていたじゃないですか。そして2017年前後には、懲《こ》りずに「シンギュラリティで完璧なAIが……」といった言説がまた流行する。

コロナ危機も同じでしょう。2011年の原発事故の教訓は「危機を煽るデマ」もきちんと抑制しないと、差別や風評被害のような二次被害を生むということでした。それをみんな忘れて「危機感を持たせるためならいいじゃないか」と、やりたい放題でトンデモも含めたネガティヴ情報を拡散している。

10年経つともう過去はリセットされて、無自覚な反復だけが残る、それがいまの歴史なき社会ではないですか。

そんな時代に、どうやってモラルを維持すればいいのか。超長期の時間軸（＝歴史）をみんなが意識して、恥じない行動をしようとする発想が通用しないなら、もう超短期で対応するしかない。ああいう浅ましい行いをする人は、やがて後で報いを受けますよではなくて、「今すぐ・ここで」徹底的にバッシングして叩き潰すことでしか、世の中は浄化できない――。本人たちが意識しているかはともかく、そうした発想の産物がメディアスクラムであり、ネットの炎上騒動ですよ。

人民裁判の恒常化というか、むしろ西欧中世でペスト患者を焼き殺したのに近いかな。釘で板を打ちつけて小屋の中に閉じ込めて、火をつけて病原菌もろともこの世から抹消する。それでしか社会は守れないんだとする感覚が、以前から広まっていた。そういう素地ができていたところに、比喩でなくウィルスを拡散する「不謹慎な人」が出てきたら、それはもう社会の敵認定して痛めつけろと、こうなるわけです。

※4　與那覇潤・綿野恵太「真の知性とは何か／平成とはいかなる時代だったのか」『週刊読書人』2019年5月17日号。

ここでもコロナウィルスは、すでにあった問題を顕在化させただけなんですね。私はかつて歴史学者として、また大学で若い人を教える教育者として、どうにか事態を止めようと努力しましたけれども、みなさん歴史だなんてワクチンを打つのはまどろっこしいと。「即効性」を自称するプラシーボ（偽薬）であるエビデンスやら未来学やらの方が楽しいやと散々に言われて、意欲をなくしました（苦笑）。

歴史なき社会、いいじゃないですか。たかだか毎日ひとりずつ生贄《いけにえ》を焼き殺すくらいのコストで、他はみんな難しいこと考えず快適に暮らせるんだと。俺らはそれでなんも困らないよと、多くの人がそう思っているなら、「そうですか。あなたたちにとってはそれが世界ですものね」と。そういった心境になりましたね。

《偶然を飼いならす倫理へ》

「シャーマン」を選ぶだけの民主主義

その大学勤めの頃から文字にしていましたけど〔本書第2章に再録〕、「歴史なき社会」って本来めずらしくもなんともないでしょう。いまもそうした社会が各地の先住民の世界に存在することは、文化人類学の研究でよく知られるし、それこそ歴史的にふり返ってみても、先史社会のような「歴史を持たない状態」で人類が過ごしてきた期間の方がずっと長い。海外では歴史学者でもビッグ・ヒストリーとか銘打って、「近代科学の実証主義は西欧に特殊な文化に過ぎない。神話的な思考法の方がより普遍的であり、これから復活する」とレヴィ＝ストロースみたいなことを言って平気なわけですから、もはや歴史家の自爆テロですね。

でも、そうしたセンスを前提に物事を見ていくことが、これからは大事じゃないですか（※5）。

たとえばコロナ危機についていうと、かなり多くの識者が「二次被害の方が心配だ」といま書いています。確かに若年層の死者もゼロでないとはいえ、海外の事例を見るにウィルスの感染者のうち、重篤化して死に至るのは圧倒的に高齢者で、助かる人の方がはるかに多い。ところが都市封鎖や活動の自粛で経済の首を絞めると、人々がお金を落とさなくなってまず自営業がばたばた倒産し、失業者が町にあふれて物が売れなくなり、最後は大企業でもやっていけない大不況になるかもしれないと。

※5　拙稿、前掲「偶然性と代理」『歴史がおわるまえに』、370頁以降。

こうした二次被害の方が広範な世代におよび、深刻度も高いのに、どうしてもみんな「とにかくウィルスを封じ込めろ！　経済云々は後回し！」という発想になってしまう。言い換えると、不況で（追いつめられての自殺で）死ぬ可能性の方が仮に高かったとしても、（致死率がさほどでもない）ウィルスに罹ることの方が、体感として怖い。

なんでそうかというと、これは経済学では説明できなくて、むしろ民俗学の領域でしょう。つまり、「人外《じんがい》のもの」に殺されるのは、人間に殺されるより怖い。一生のうちにドラキュラや狼男にお目にかかる人はほとんどいなくて、「殺される」としたら恨みを買った隣人に刺される可能性の方がずっと高いだろうけど、でも前者の方がイメージとして人を恐怖させるわけですね。

でも、どうして人外のものって人間より怖いのか。私はそこに、偶然性の問題が絡んでいると思います。

人間相手の場合は、われわれはどこか「自分の力である程度、なんとかできる」と感じるんですね。とりあえずは襲われないように／襲われても勝てるように対策するとか、努力するとか。人間じゃないものが相手だと、そんなことをしても通じなそうで、純粋に「たまたま」自分が遭遇しただけで殺されてしまう。出会う可能性がどれだけあるかとか、戦って勝てそうかという以上に、その「すべてはランダムにすぎないから、あがいても無駄」な感覚が、絶望と恐怖を引き起こすんだと思うんですよ。

人類学的にいうとシャーマニズムとは、こうした人間ならざるものとの対峙から来る根源的な恐怖を、「人間化」することで飼いならす技法ですね。どこからともなく嵐が押し寄せて震えて過ごすよりは、気象をつかさどる（と称する）シャーマンを立てて、それでも嵐が来ちゃったら人選が悪かったんだと。そこは反省して、そのダメなシャーマンをクビにして別の人にすげ替えれば、次は何とかなると思っている方がだいぶ楽になる。

この発想のままで進歩せず今日まで来ますと（苦笑）、とりあえずは安倍さんにコロナ対策してもらいましょうよと。もちろん彼が下手を打てば大不況になっていっぱい死ぬけれども、それでもただランダムに感染を怖れているよりは、「あんなやつしか首相に選べなかったわれわれの責任だ」と納得できるだけ、ましであると。

結局、民主政というものの実態は「最も洗練されたシャーマニズム」でしかあり得なかった。それがいまの日本の現実だし、世界的にもこの危機から学ぶべきことではないですか。

むき出しの偶然性がいかに怖いか。それを避けるためなら、人はいかにあらゆることをするか。東浩紀さんはデビュー以来、スターリニズムの問題としてこだわっておられますけど（※6）、たぶんそんなに難しいことではなくて、私がよく使う比喩は「なぜ通り魔殺人は怖いか」です。

ふつうのというか怨恨に基づく殺人だって、何年も執拗につけ狙ったりむちゃくちゃ滅《めっ》多《た》刺しにしたりして、事件自体は結構怖いですよね。逆に通り魔でも取り押さえられるのが早ければ、犠牲者の数や傷の程度が低いことも多いんだけど、でも絶対にメディアの扱いは通常の殺人より大きい。

それは「誰が殺されるのか」が露骨に偶然で決まるからですよ。そのことに人間の社会は耐えられないから、紙《し》幅《ふく》を割いてあれこれ饒《じょう》舌《ぜつ》に語り、「こういう世相が背景にある」「この出来事がきっかけではないか」「なにか病気を持っていたのでは」といった物語化を行うことで、偶然だったものをある程度必然っぽくみせる。それでようやく不安を鎮めるわけです。

人間はそういう存在でしかありえないんだと。それが「歴史なき社会」でも譲れない最後の一線です。ちゃんとその自覚さえあれば、歴史抜きでもニヒリズムに陥ることはないと思うんだ。

ある種の自己啓発本だと、「物事に意味（＝必然性）なんてない。あらゆる偶然をそのままに受け入れるのが強い人間だ」などと説いてあり、それをＡＩのような「意味を理解しない機械」を持ち上げることに応用する人もいますが、端的に嘘ですよ。彼らが言っているのは、「家族を通り魔に殺されても、まぁ一定の確率で犯罪者は出てくるし、これまた一定の確率で自分の妻子がその近くを歩いているものだから、別にしょうがない」という主張ですから。そんな理解を受けいれる人がいたら、その人はメンタルが強いのではなくて、ただの病気です。

歴史が燃え尽きても、生きてゆくために

人間は完全な偶然性には耐えられず、どうしても必然化（＝物語）を欲する。国民とか人類とか、非常に大きな主語を持つ歴史はそうした物語の極限だったのですが、これからはむしろ必然化をミニマムに抑えていくことが大事なのかなと思うんです（※7）。

最近、私の書くもの自体がニヒリズムだと呼ばれることもあるけど、そういう批判をするのはだいたい歴史学の関係者ですね。「グループアイドルなんて運営が効率よく儲けるための道具だ」と、AKBや乃木坂のファンに向かって言ったら「お前はニヒリストだ」と返されるのと同じです（苦笑）。もちろん彼らにはそう言い返す権利があるし、同様に

※6　東浩紀「ソルジェニーツィン試論」『郵便的不安たちβ』河出文庫、2011年（初出1993年）。
※7　拙稿「歴史がこれ以上続くのではないとしたら」『群像』2020年4月号。

私には私なりの――単なる「ファクト」ではない――真実を語ってゆく権利がある。それだけのことですよ。

これは私自身の反省として述べるのですが、歴史のような「マキシマムな必然化」を経由しないと「人は互いに信じあえず、ニヒリズムに陥る」という発想こそが、究極の人間不信だったんじゃないですかね。メタ・ニヒリズムというか、根源的ニヒリズムというか。

人間って歴史（＝過去の共有）を通じて共同体意識を持たせないかぎり、互いに相手から搾取して貪《むさぼ》り喰らうような、そんな貧しい存在なんですか。それじゃ動物以下じゃないですか。むしろそうした人間観にこそ、「賢いのは知識を得ている俺だけで、周りはバカ」「どうせ世の中騙しあいなんだから、騙されるより騙せ」といった発想を生むニヒリズムの病巣があったと思うんですよ。

私は特定の宗教には帰依しないけど、喩えるなら歴史ってカトリックの大聖堂のようなものですよね。太古の昔から続く数百年規模の時間の流れが刻み込まれた壮大な伽藍《がらん》で、見れば（＝読めば）それは圧倒されますよ、現に私も何冊かそう自称する本を作ったし。

世俗社会ではカテドラルが観光資源になってお金を生むように、今後も（フィクションも含めて）魅力的な歴史叙述で稼ぐ人がいるのは大いに結構ですよ。

でも、それは燃えるときはノートルダムのように燃えちゃうし、なによりそうした荘厳さは信仰の本質とは、まったく関係ないでしょう。そのことを知らなきゃだめだと思う。先鋭なプロテスタントや、カトリックでも解放の神学の人たちが主張したのは、そもそも聖堂自体はあってもなくても、どっちでもいい程度のものだよと。別に聖職者が襤褸《ぼろ》を着てたっていいし、建物なしで地べたで布教したっていい。聖書の言葉をもとにして、そこで生まれてくる対話、コミュニケーションこそが正しい意味での「教会」であり、信仰の本質だということですね。私はそちらが正しいと思うんだ。

歴史それ自体は、すべて燃えて灰になってもまったくかまわない。むしろこれまで歴史という巨大な虚飾の覆いのもとで、私たちはいったい何を伝えようとしてきたのか。そちらの方を見つめなおして、歴史以外の形に再構成することで蘇《よみがえ》らせなくてはいけない。そうした局面に私たちは入っていると思うんです。

ペストの大流行がどの程度、後に来る宗教改革の下地を作ったのか、最新の研究での扱い方はよく存じませんけれども、コロナショックもこれからそうした変動の契機を、もたらすのかもしれませんね。

初出＝『思想としての〈新型コロナウイルス禍〉』（河出書房新社）

歴史なき時代 8 今年の桜、見逃したって

2020年4月16日

コロナ対策で花見ができなかったこともあって、今春、20年越しでアニメになった『イエスタデイをうたって』を見ている。原作の連載開始は1998年、バブル崩壊後の不況が慢性化しはじめた頃だ。

当時のけだるい世相を背景に、進路や恋愛の悩みから抜け出せない青年の群像が描かれる。ヒロインのうち一人は心に傷を負って以来、春が来ても「桜を素直に見られない」状態にある。

独特のタッチで知られる作者の冬目《とうめ》景《けい》さんは遅筆でも有名で、全11巻の原作が完結したのは2015年だった。昔のままの作中世界には携帯すらほとんど登場せず、ましてスマホやタブレットは出てこない。

本作の魅力はむしろ、私たちがまだ「つながりすぎていなかった」時代を背景に、すぐには答えが手に入らないがゆえの、登場人物の日常の豊かさを描いている点だ。後からみれば「回り道」に過ぎなくても、一直線ではないからこそ得られた体験は、誰にでもある。

いま世間にはSNSで「正解」を検索し、一刻も早くそれに「到達せよ！」と叫ぶ人々

が溢れている。コロナ騒動を煽るのも同じ種類の人たちだが、こうした「せっかちな未熟者」よりも、本作のキャラクターはずっと大人びて見える。

答えが見えない状態を楽しんで生き抜けることこそが、「成熟」の指標になる。桜を見逃した回数は、その人や社会の勲章だ。だから、焦ることはない。

初出＝『朝日新聞』

歴史なき時代 9 差別するなと言いながら

2020年4月30日

コロナウィルスに感染しやすい医療従事者やその家族が、いじめにあう例が続いている。世論が強く反発し、抗議するのは当然だ。

しかし「彼らを差別するな」と憤《いきどお》る人が裏面で、政府の掲げる「接触8割減」に賛同し、従わない相手を「不謹慎だ」と叩く例も目立つ。これは奇妙である。

首相や、厚労省の対策班は当初、人との接触をそこまで極端に減らすことで、流行を1カ月で収束させたいと表明した。換言すれば、ウィルス自体がこの国に広まっては「いけない」ものなので、短期間で根絶するという趣旨になろう。

だが行動制限とは本来、そうした発想に立つものではないはずだ。感染自体は自然現象で、よいも悪いもない。ただし全員が一斉に罹患《りかん》すると病院がパンクするので、流行の速度を落とし、長期にわたってウィルスを飼いならしつつ病気と共存しているのが、目下の欧米諸国の現状である。

1カ月でこの国から追い出すべき病気なら、誰だってうつされたくないと思うだろう。そうした政策を煽りながら、帰結としての風評被害に対してだけ「同情」を寄せるあり方は、自作自演だと気づくべきだ。

私たちの国は、収容所国家ではない。日本ではコロナの死亡率は低く、体が弱って危険な人を防護できれば、大勢にとっては「かかっても治せばよい」普通の病気になる。そう認識することだけが、差別をなくす方法である。

初出＝『朝日新聞』

歴史なき時代 10 日本社会が克服すべきは

2020年5月14日

コロナ自粛下の連休は、なるべく外食をして過ごした。こうしたときに利用しなくては、お世話になっている飲食店を守れない。

ちょうど緊急事態宣言の延長が報じられた頃から、街頭にもマスクなしの姿が増えていった気がする。当然のことで、そもそもガラガラの大通りを、息をひそめて歩く方がおかしい。

もし私が「奢侈《しゃし》な食生活で糖尿病になる人は社会の迷惑。彼らに割く医療資源はない」と書いたら、人権感覚の欠如を糾弾されるだろう。ところがコロナウィルスに限っては、対策として人々の「口をふさげ」「生活を変えさせろ」と高唱する研究者が、政府顧問のようにふるまってきた。

「ピンチをチャンスに」式の議論には与さないが、今回の危機の遺産は、言論人の「真《しん》贋《がん》」を見分ける試金石になったことだ。普段は日本のタテ社会や同調圧力を揶揄しながら、いざ政府が自粛を要請するや、妥当性を吟味せずに追従した人のなんと多かったことか。

1人分のお代しか渡せなくても、来客にお店の人は心からの笑顔を見せてくれる。そうした肉感性のある「個人」とのつながりを経てこそ、抽象的な意味での個人主義も根づくのであって、逆ではないのだ。

街歩きの途上、マスクで口を覆って横たわるホームレスの姿を見て、胸が痛む。私たちが克服すべきはコロナ以上に、こうしたいびつな圧力を生み出す社会の病である。

初出＝『朝日新聞』

天皇論──江藤淳と三島由紀夫（文藝春秋）　富岡幸一郎 著

30年前の自粛とは何だったのか　2020年7月7日『文學界』8月号

日本は自粛一色に染まった。

この春の新型コロナ・パニックのことではない。1989年1月に亡くなる昭和天皇の晩年の挿話である。前年9月の吐血以来、メディアはその「ご病状」を逐一報道し、自粛ムードが広がった。一切の法的な義務はなかったにもかかわらず、そうするのが〝自然〟であるかのような抗いがたい空気が湧き起こり、崩御《ほうぎょ》まで消えなかった。

このときの記憶は続く平成を通じて、リベラルな知識人やメディアに影を落とした。半世紀近くに及んだ「戦後」のあいだに克服されたはずだった、戦前の「国体」はいまも生きているのではないか。法律上の権利─義務の関係をすり抜け、道徳の装いをまとって人々を拘束する同調圧力は、やがて再度の戦時体制への道を開きはしないか。平成の最末期、明示的な指示なしに首相の意向を〝汲《く》んで〟動く「忖度」が、批判的なニュアンスで流行語となった頃までは、そうした警戒心はかすかに共有されていたと思う。

それが、令和の訪れとともに、切れた。

近日のコロナ禍で日本を席巻したのは、言うなれば「玉體《ぎょくたい》なき自粛」だった。原因が感染症であることは、さしたる問題ではない。法的な義務ではなく、必要性の有無や経済的な悪影響について、いくらでも疑うべき余地があるにもかかわらず、そうした問題提起じたいが封じられていく。平素は国家権力に批判的な識者が、政府に「より強い私生活の規制」を求め、なかには嫌々ではなく「すすんで自粛すべき」とSNSに投稿して、自身の忠誠ぶり（しかし、何に対して?）を誇る報道人もいた。

わずか30年前の教訓すら受け継がれないほど、私たちにとって「歴史は衰弱した」のか。それとも、むしろ2回の改元（平成へ／令和へ）を経るだけで、ふたつ前の時代の記憶が〝リセット〟されるほど、天皇の代替わりが「歴史を更新する力は強い」のか。

私はふだん、前者の視点で眼前の社会を見ている。富岡幸一郎氏の著書に触れるのは初めてだが、著者はどうやら、後者の立場で思考する人のように思われる。

本書は平成初頭の1989年に刊行された、富岡氏自身の聞き書きによる江藤淳の著書『離脱と回帰と　昭和文学の時空間』を、令和の幕開けに再訪する形で著されている。戦後の文芸批評に君臨した江藤は尊皇家で、崩御前の「自粛」による戦前めいた空気の復活を、むしろ喜んだ。日本の伝統からの〝離脱〟をめざした戦後民主主義こそが虚構であり、国民はいま玉體の神聖さの周囲に湧き立つ、元来の静謐《せいひつ》な秩序へと〝回帰〟しつつある。いわば、敗戦を経ても国体は護持されてきたのだと、著者の問いに答える江藤は充足感に酔っている。

一方で富岡氏は、では三島由紀夫をどう考えるかと問う。もし戦後も国体が続いてきたのなら、『英霊の聲《こえ》』（初出1966年）で昭和天皇のいわゆる人間宣言を非難したのち、70年に市ヶ谷で殉教者のように割腹した三島は、無駄な犬死にをしたのだろうか。

端的には、「そうだ」というのが江藤の答えだ。三島は天皇をキリスト教的な神として捉えたのではとする著者の問いを江藤は肯定し、だから「実は存在しないものに対して挑戦して、そしてそれに敗れ去って行った」のだと、淡々と評している。

富岡氏は宗教哲学上の「超越」の概念を使って、この神観念／天皇観の違いを説明する。敗戦後に巡幸に出た昭和天皇であれ、その歩みを継ぐように戦没者の慰霊に努めた先の天皇（現上皇）であれ、私たちは彼らが時折見せる人間らしい表情、たとえば「やさしそうな人だな」と言ったパーソナルな要素に上品さを見出し、共感する。氏が平成の頭に用いた表現で言えば、こうした「ちょっと超越」こそが、標準的な日本人の天皇信仰の基盤だ。

対して三島は天皇に絶対者としての神、よりガチンコな「超越」であることを求めた。66年の林房雄との対談では「僕は天皇無謬《むびゅう》説なんです」と断言して、自説を譲らずに困らせているが、確かにそうならたかだか敗戦程度で、神から人へと〝転向〟されては困る。

逆に江藤は戦前の転向文学を代表する中野重治を高く評価するなど、むしろ変転する時代のなかで挫折を体験しながらも、生き抜いてゆく作家を好んだ。そうした江藤にとって、人となった後も胸にこみあげる思いを詠んだ昭和天皇の御製《ぎょせい》は垂涎《すいぜん》の逸品であり、三島の生涯は「辞世の歌が凡庸」で「「声」より「文字」の人なんだな」と、つきはなす対象だった。

――もっとも周知のとおり、その江藤も著者の取材の10年後に、命を絶ってゆく。

冒頭の光景に戻る。令和の自粛下では皇室の動きは鈍く、平成末期に「今上天皇こそ戦後民主主義の象徴」と囃《はや》した〝にわか尊皇家〟たちも沈黙して、三島のように鋭くその不作為を論難する気骨はどこにもない。そもそも昭和末の自粛の際も、多くの国民は当時普及し始めたレンタルビデオ店に走ったそうだが、今年の春に人々が時間つぶしに用いたのは、プロとも素人とも言いかねるインターネットの動画配信だった。

かつては危機にある「玉體」が自粛を喚起したが、今回、それと同様の社会状態を誘発したのは、どこの誰ともつかぬよう〝数値化〟された感染者数や死者数である。ひょっとするとそれは、天皇制が〝民主化〟する最後の局面だったのかもしれない。江藤にはすまないが、別に天皇がいなくても「国体」は作動することを、ウィルスは示したのだ。ただしなんの崇高さも、文学の薫りも、みやびさもない純粋な同調圧力の形ではあるが。

この点で、私は富岡氏の歴史観と袂《たもと》を分かつ。だがいま私たちの前に出現しつつある虚無を、それがまだここまで露骨な姿をしていなかった時代のテキストを素材に腑分《ふわ》けした作品として、多くの読者を得ることを望みたい。ひょっとするとアフターコロナの社会にせめてもの彩りを与える契機が、そこにあるかもしれないから。

コロナで滅びゆく歴史

初出2020年5月20日、付記7月18日

――「どうやら近頃は、昔のことを早く忘れた者ほど大きな口をきいているようですから、右のようなことをいっても、そんな考証は後世の歴史家に任せておけばいいと一喝を喰うのがオチかも知れません。」
（丸山眞男「「現実」主義の陥穽」1952年）

《コロナ禍と自粛の100日間は「昭和史の失敗」の再演だった》

「欧米コンプレックス」が混乱の発端

「コロナうつ」の発生を懸念する記事が目立つこのごろだが、重度のうつの体験がある私も実際に具合が悪い。もっともこの異常な状況下で元気がよいのは、メディアをジャックする「貴重な機会」を摑《つか》んだ一部の（自称を含む）専門家くらいのもので、仮に緊急事態宣言が解除されたところで、自粛要請が生み出した沈鬱な世相は容易に元へは戻らない。

コロナウィルスによる日本での死者自体は欧米に比べて圧倒的に少なく、一般人に求め

られる予防法が通常の感染症（たとえばインフルエンザ）と大差ないこともわかってきた。それでもメディアが「未曾有《みぞう》の危機」として報道を煽り、あれこれの対策リストを列挙するのは、むしろ国民を「躁的《そう》」な状態へ誘導してうつを緩和するためなのかとさえ、感じることがある。

かつてない初めての困難に立ち向かう経験は、人の心を奮《ふる》い立たせるものがあるし、何より対応に失敗しても、そこまで自責の念を感じなくてすむ。しかしそれがほんとうは、「初めて」ではなかったとしたらどうだろう。少なくとも、あなたの眼にはそれが「**以前の失敗の繰り返し**」として映り、しかしそう訴えても、誰も耳を傾けてくれないとしたら。

〔2020年の〕2月半ばにパニックが口の端《は》にのぼってからの約100日間を、かつて歴史学者だった私は**日本近代史の走馬灯**を見るかのように過ごした。あまり報じられないが、新型コロナの死亡率は北米および西欧の「先進国」で高く、東アジア・東南アジアなど中国の近隣国を含む「途上国」で低い。事前に中国から流入して免疫がついていた、BCG接種が効いたなどの多様な解釈が語られているが、本来は日本人がここまで騒ぐ必要のある病気でなかったことは確かだ。

ところがこの間に起きたパニックは、騒ぐ本人が錯乱しているとしか言いようのないほど、無軌道で首尾一貫しないものとなった。たとえば3月末には「政府は緊急事態宣言を出し、国民はどんな権利の制限でも甘受すべき」と叫んだ人が、5月頭には一転して「自粛による経済の萎縮《いしゅく》は、政権による人災だ」と罵っている例は、枚挙にいとまがない。

どうしてそんな、殺伐としたカオスが生まれたか。理由は単純だ。日本人が、自分たちを「欧米人」だと思いたがったからである。

もし私たちが、自国をアジア圏の一員として捉えてコロナに対応していれば、少なくとも（文字どおりの非常事態に陥っている）欧米の都市封鎖を真似るという発想にはならなかったろう――死亡率がまるで違うのだから。ところが自らを「欧米と同じ先進国」と見なすがために、「なぜ彼らがやっていることを、われわれもやらない！　できないなら世界に通用しない国になる」との強迫観念にとり憑かれて、今日に至る。

まるで、明治以降の近代日本である。とくに「海外渡航・在住歴」を看板にして「国際人」を自称する日本人が、そうした論調を煽ったあたりもそっくりだ。

コロナ自粛の「失敗の本質」

4月10日に面会した田原総一朗氏によると、安倍首相は目下の事態を「第三次世界大戦」と捉えているらしい（安倍氏は後に、田原氏の所説に頷《うなず》いただけと主張）。皮肉なことに同じ比喩はその後、むしろ政権の施策への批判者が多用するようになった。精神論だけで合理性のない到達目標や、同調圧力による自粛の強要が「第二次大戦下を連想させる」とする指摘は――なぜか**歴史学者はほぼ沈黙している**が――広くなされている。

元・歴史の専門家として、まだ論じられていないが重要な、過去との共通点を挙げたい。非現実的な目標の最たるものである「接触8割減」の提唱者は、北海道大学教授（掲載時）の西浦博氏だ。やはり4月10日に行われたインタビュー（※8）を最後まで読むと、同氏は2月28日に独自の緊急事態宣言（法的なものではない）を出した鈴木直道・北海道知事に、チームとして「あるべき自粛」をレクチャーした体験を成功例として捉え、それを全国規模に拡大する意向を持っていたことがわかる。

しかし、北海道の人口密度は全都道府県のうち最小で、全国平均の1／5、東京都の1／91である（道庁の子供向けのウェブサイトに書いてある）。はっきり言えば、元々ソーシャルディスタンスが成立している土地柄だ。人口分布が稠密《ちゅうみつ》なのは、札幌などごく少数の大都市に限られるから、そうした場所を集中的に管理すれば、接触感染を抑え込むのが日本でいちばん容易な地域といえる。

学者時代に『中国化する日本』という講義録に記したが（詳しい参考文献は、同書を見てほしい）、これは**満洲事変と同じ**である。人口密度が低く、路面が凍結する厳寒の地である半面、馬と木材に恵まれ長距離交通（馬車）が発展していた中国東北部では、奉天《ほうてん》・ハルピンなど限られた大都市に経済の拠点が集中していた。当初はわずか1万人台の兵力に過ぎなかった関東軍が、電撃的に要所を制圧して勝利する「成功」は、この地政学的な条件に支えられたものだった。

ところがその後の日本軍はむしろ、同じ発想で「中国全土」も容易に支配できる（少なくとも降伏に追い込める）と考える過ちを犯した。短期決戦のつもりで踏み切ったはずの首都南京の攻略は、周知のように泥沼の持久戦の扉を開いてしまった。主要な「クラスター」を狙い撃ちして抵抗を封じ込めようとする思考法は、それが機能した（ように見えた）際の条件をきちんと吟味しなかったために、破滅への道となったのである。

さて、その西浦氏が称揚する北海道の先行自粛は3月19日に予定通り解除され（期間は3週間――安倍首相が翌月7日の緊急事態宣言発令時に標榜した、「1か月で流行収束」との類似に注目されたい）、鈴木知事は優れたリーダーとして称賛されたが、4月12日には早くも新たな緊急宣言を出す事態となった（国の宣言の全都道府県への拡大は、16日から）。相対的には日本で最も「恵まれた」条件にあるはずの同地ですら、自粛による封じ込めは成功して

※8　岩永直子・千葉雄登「このままでは8割減できない」「8割おじさん」こと西浦博教授が、コロナ拡大阻止でこの数字にこだわる理由」バズフィード・ニュース・ジャパン、2020年4月11日。

いなかったのだ。
「満洲国」の実態について研究者の評価は分かれるが、それが建国時に掲げたとおりの「王道楽土」だったと唱える歴史学者は誰もいない。統制経済の実験が行われ、その蓄積が内地に還流して戦時体制を築いたのは事実だが、それが経済運営として「機能していたか」についても、否定的な評価が多いように思う。

長期戦を避けるためにこそ「全身全霊の短期決戦で片をつける」ことを旨としていた軍事マニュアルが、なし崩しに持久戦に転用された結果、非科学的な精神論のみが横行する破綻した戦時体制が生まれたとする昭和史の解釈がある（片山杜秀『未完のファシズム』）。感染拡大の規模もペースも当初のシミュレーションから外れているにもかかわらず、「気が緩むのはよくない」なる印象論で自粛が引き延ばされてきた目下のコロナ対策もまた、そうした**蹉跌をなぞり始めた**ように見える。

満洲事変を主導した石原莞爾《かんじ》が日中戦争の拡大に反対し、その他の諸事情もあって左遷され、戦時下は不遇だったことはよく知られる。一方で彼に心酔した参謀・辻政信のように、ノモンハンで国境紛争に完敗しながら、その後も「作戦の神様」なるメディア上の虚像に酔って、前線でいたずらに犠牲を増やし続けた軍人もいる。西浦博氏やその周囲の「専門家」たちがどちらの道をいくのか、国民はしかと監視する必要があろう。

メディアで予測を外し続ける西浦博氏（右）は、戦時中の参謀・辻政信（左）をなぞってしまうのか

開廷の足音が聞こえる「東京裁判」

かつて戦時下で圧倒的多数の人が、本当は国のために正しい主張をしていた少数派に「非国民」の罵声を浴びせ、集団リンチによって迫害した。ところが敗けてしまい、真実が明かされると困ったことになる。そうした過ちを犯した多数派にも加わってもらわなければ、国家の再建はできないからだ。

同じように、コロナ不況がどん底まで行ってから「しまった!」と以前の――自粛警察や不謹慎狩りのような――言動を後悔することになる人びとにも、経済や社会の立て直しに協力してもらわなくてはならない。

どうすれば、それが可能になるか。歴史が教えてくれる答えはひとつである。戦犯という名の「生贄」を差し出し、彼らに全責任を背負わせ、それ以外の大多数は「騙されていた」という物語を作ることで、生贄以外を互いに許しあうのだ。先の大戦でいえば、これが東京裁判の行ったことである。

近年、GHQの占領下で行われた（とされる）ウォー・ギルト・インフォメーション・プログラムをめぐる論争がかまびすしいが、その内実はほぼ解明されている。確かに占領軍は日本の戦争犯罪を周知するキャンペーンを行ったが、それは一方的な「洗脳」ではなく、むしろ自分たちを**騙された被害者だと思いたい**日本の国民自身との共同作業だったのだ。「国民は軍国主義者にすべての罪を負わせることを受け入れ、その一方でこれを利用した」（賀茂道子『ウォー・ギルト・プログラム』266頁）というのが、実証研究による評価である。

ちなみに東京裁判の意義を全否定する学者は、極端な思想の持ち主のほかには存在しないが、法廷が依拠した「A級戦犯たちの共同謀議によって、終始一貫した計画のもとに侵略行為が行われた」とする歴史像を、真実だと認める学者もまたいない。つまり国民多数の和解（赦免）という政治的な目的のためなら、その程度にはスケープゴートの罪業について**物語を創作することは許容される**のだ。そして、同じことが比喩でなく、アフターコロナに実際の法廷で再現されないとも限らない。

具体的には、過剰な自粛によって倒産・廃業といった被害を受けた人たちが、損害賠償を求めて裁判に訴えることは正当だし、可能性としても十分考えられる。それでは誰が、国策を誤らせたのか。「A級戦犯」を特定し、その邪悪さをわかりやすく脚色して満天下に知らしめ、すべての責任をかぶってもらうわけだ。

被告は地位や財産を失うかもしれないが、そこは本人に生活様式を変えてもらえばいいだけなので、心配はない。何度もいうが、それが実際にかつて採られた再出発の手法であり、わが国が異議を申し立てたことは一度もない。

私は歴史学者だったころ、この国が人民裁判の横行する社会にならないように言論人として手段を尽くし、今回のパニックに際しても同様に警告してきた。しかし目下の歴史の無効化が教えるのは、そうなる以外の選択肢は「存在しない」という答えである〔本書191頁以下を参照〕。危機から立ちなおるために必要な儀式であるカウンター・リンチが眼前に展開しても、私が制止するために筆を執ることは、もうないだろう。

《コロナ以後の世界に向けて「役に立たない歴史」を封鎖しよう》

前月の記憶も忘れる社会

目下のコロナ騒動が前例のないものではなく、歴史家の眼で見ればかつて起きた国家的な失敗の反復に過ぎないことを、前半では論じた。しかし私はいま、そうした「歴史」というものの無力さを痛感している。

短くとも数十年、長くて一千年単位の「時間の幅」を意識せずしては、歴史は書けない。この前提にはおそらく、多くの人が同意してくれるだろう。しかし人びとの記憶はいまや、1年間はおろか、**1か月も続かない**のが現状だと思う。

思い出してほしい。安倍晋三首相が全国の小中高校に、春休みまでの臨時休校を要請したのは2月27日。このとき識者や世論の反応は「唐突すぎる。現場の混乱や共働き家庭の育児など、副作用が大きく乱暴だ」というものだった。

ところが1か月経った3月末から4月頭にかけては、逆に「なぜ政府は緊急事態宣言を出さないのか」との憤懣が急激に高まり、煽られるように4月7日に安倍氏が緊急事態を宣言。それも「接触を8割減らすことで、1か月で封じ込める」とする、休校要請の比ではない極端な方針を掲げた。しかし5月頭、首相が宣言の延長を決めたと報じられると、世論は「経済面での弊害が大きすぎる」として、再び悪影響を懸念する方向へゆり戻してゆく。

まるで一貫性というものがない。実際にネットで何人かの識者の発言をたどると、緊急事態の宣言時には「接触8割減」の方針にもろ手を挙げて賛同し、実現不可能とする批判者を強い言辞で痛罵した人物が、1か月後の宣言延長時には、経済優先を掲げてしれっと反対論をぶっていたりする。まさか人との接触を平時の2割のみに制限して、持続可能な経済があると思っていたわけでもあるまいに。

あるいは問題の初期にあたる3月上旬ごろまで、在外邦人の書き手によって多くメディアに流れたのは、「アジア系と言うだけで〝新型肺炎患者〟との先入見にさらされ、日本人も差別の被害にあっている」という話だった(※9)。とくに欧州での偏見が強く、そうした決めつけはあってはならないものとして、日本の読者の強い共感を集めたはずだった。

ところが3月28日、京都大の准教授(※10)が「「自分は今、感染している!(無症状で!)」

※9　一例のみ挙げると、辻仁成《ひとなり》「アジア系の居場所がなくなる日?」『中央公論』2020年4月号(発売日は3月10日)。なおパリ在住の辻は、文中で「逆の立場で考えるならば、フランス人がアジア人に対してある程度の恐怖感を持っても仕方がない」と明記している(63頁)。

「誰にも移し《ママ》ちゃいけない！」そう考えるとこから始まる。コペルニクス的転回。パラダイムシフト」云々なる連続ツイートを行い、爆発的なリツイート数を記録する（本稿の初出時で約12万回）。これは自分を（症状がなくても無条件に）感染者だと思え、他人を見てもそう思えとする主張だから、換言すれば「むしろ先入見を持て」と唱えて支持を集めたことになる。

新型コロナウィルスによる死亡者数は（死亡率も）、欧米の方が日本よりはるかに高い。日本人どうしですら「自分は／あいつは感染者だ」と思いながら暮らすべきなら、より警戒すべき状況にある欧米人がアジア系をウィルス呼ばわりして、なにが悪いのだろう。当該の准教授や、彼を持てはやしたツイートの読者たちは、そうした想像力がないのだろうか。

ひとことで言えば、「ひと月前の自分」と今の自分は異なり、その現在の自分と「ひと月後の自分」も違う。主張や感性が正反対のものになるくらい違うし、そしてなにより、そうしたあり方こそを**まったく自然なもの**だと感じて、なんの違和感も覚えない人こそが、この国では標準的な人間らしい。そんな社会で、そもそも歴史がなり立つはずはなかったのだ。

もちろん歴史がなり立たないとは、「国民の多くが自らの過去をふり返って把握し、それを基《もと》に行動の指針を作ることができない」という趣旨である。逆にいうと、当人が意識しようがしまいが、過去に見られたのと同様に社会を動かしていく「流れ」自体は存在するし、そうした力動の作用を「歴史」と名付けて描き出す作業が、できる人も稀《まれ》にはいる。

この国ではだいぶ前から、歴史を構想しそれに沿って生きる人は、そうした絶対的な少数者に限られていたのではなかろうか。

アフターコロナに歴史の場所はあるのか

こう書くときっと、私がその「稀な人」の一員であることを誇示していると思われるかもしれない。必ずしも誤読とは言えず、実際に私自身がそのことを長所だと捉えてきた時期もあった。そうでなければ、歴史学者のような割の悪い職業に就くことはありえない。

しかしいま、私はまったくそのように感じないし、だから自身が歴史の描き手であることを「自慢」する気持ちも湧きはしない。むしろそうした奇矯《ききょう》な特質のために、実に不自由をしてきたというのが実感である。

※10 宮沢孝幸・京大ウイルス・再生医科学研究所准教授（獣医ウィルス学）を指す。宮沢自身は過剰自粛に反対の立場だったが、一連のツイートは結果的に読者の恐怖感とパニックを増幅した。

たとえるなら、世の中には「霊感が強い」人たちがいる。そうでない人の眼には自然現象にしか見えないものの背後にも、たとえば精霊の存在を感じたりするらしい。私はスピリチュアルな発想が苦手なので、そうした話を聞いても正直「盛ってるんじゃないの」くらいにしか、ずっと思ってこなかった。

しかし「歴史感が強い」のも、**同様の特異体質**だと考えてみたらどうだろう。眼前のコロナパニックにはあらゆる人が関心を持っているが、本稿の前半で述べたような「歴史の反復」としてそれが見えていた人は、極めて少数だ。そして「霊が見えるんです」と訴えても話半分に聞き流される人たちと同様に、そうした見方はもう、社会で相手にされていない。

もちろん、いろんな体質の人がいてよいと思う。ただ問題は、いまという時代を「未曾有の危機との格闘」として体験する人と、「かつての失敗を繰り返している」ものとして感じてしまう人とでは、どちらが生きやすいかという点である。

あきらかに後者の方が、特にメンタルの面でハンディキャップを背負うのは間違いない。だから、あえて歴史感覚を持たない生き方を選ぶのも、現代世界への適応のあり方としては合理性を持っている（この問題については、斎藤環氏との共著『心を病んだらいけないの？』で詳論している）。

気になるのは、こうしたことに無自覚な——というかはじめから「歴史感の弱い」——人たちが（なぜか歴史学者をしていたりするのだが）、歴史の意義を説くと称しつつ、実際にはその無用性を喧伝《けんでん》してきたことだ。それは今回の危機のさなかで、より顕著になっていった。

たとえば先日、総合誌で高名な歴史学者（※11）が、幕末のコレラや大正期のスペイン風邪を引き合いに、滔々《とうとう》と彼なりの「教訓」を語るのを目にした。庶民の生活も、医学や衛生環境の水準も今日よりはるかに貧しい時期の事例と比較するのは、目下の危機を誇大視させて過剰なパニックを助長する怖れが強いが、そうした意識はこの学者にはないようだった。

同じ時期、さる名門大学のホームページが「コロナアーカイブ」と銘打って、無人のキャンパス等の写真をわずか十数点掲載しているページ（※12）が、公共の歴史学（パブリッ

※11　磯田道史・国際日本文化研究センター准教授（日本近世史）を指す（肩書は当時。また詳しい経緯は本書56頁以下を参照）。
※12　「関西大学　コロナアーカイブ」で検索されたい。なお、〔『別冊クライテリオン』への〕入稿時（2020年6月10日）での掲載点数は28点である。

ク・ヒストリー）の実践と称してメーリングリストに流れてきた。そんな写真など、学者が関与せずとも各種のSNS上には山のように毎日アーカイブされているのだが、こうした企画が「学問に社会性を取り戻す、優れた試み」として囃される世界も、世の中にはあるらしい。

ビフォアーコロナには「公文書管理に詳しい」なる触れ込みで、桜を見る会の騒動で「活躍」した歴史学者（※13）もいた。しかし安倍政権が政策の妥当性を判断する根拠となる実効再生産数（患者ひとりが何人にうつしたか）を伏せたまま、恣意的に自粛を強要しても抗議する姿はついぞ見ない。文書のような「モノ」が絡むときだけ発情するフェティシストには、国家による隠蔽《いんぺい》のなにが問題かもわかっていないのだろう。

「なんだ。普段は〝賢者は歴史に学ぶ〟などと偉そうにしながら、この程度か」。そう思うのが普通の読者の感覚だし、それで正しい。上記した学者や大学人はいわば、自覚なしに**歴史の墓掘り人**をやっているようなものだが、どうせならなるべく地中深くに埋めて息の根を止めたほうが、かえってアフターコロナに歴史を再生させる種を蒔《ま》くのかもしれない。

たとえば防疫上の観点から考えても、この際、史料調査の類は最後まで（ないし永遠に）自粛を解除しないでよいだろう。数十年、数百年と手つかずだった古文書など、どんな未知の病原菌やウィルスを巣食わせているかわかったものではない。パチンコ店は封鎖が解かれないと経営者や従業員の生活に支障が出るが、現にこれまで読まれてこなかった文書が今後も読まれなかったところで、別に誰も困らない。

危機の前から何度も論じてきたが、自覚なく歴史を無効にする人たちは往々、物体としての史資料そのものを「過去」として愛玩《あいがん》するあまり、「現在」の出来事を見る際にも常に働くべき歴史の感覚を衰弱させてゆく。だとすればそうした物理的な「接触」に関しては、危機の後もむしろ禁じたままにする方が、コロナ以降の世界に歴史の居場所を作る糧《かて》になるだろう。

いまもそれがわからない人がいるのなら、最後に以下の言葉を贈りたい。

――**「愚かな人だ。あなたの蒔くものは、死ななければ、生かされません。」**

(『新約聖書』コリント人への手紙・第一)

※13 瀬畑源・龍谷大学准教授を指す。入稿の時点で〔現在も〕、この人物が刊行している単著は『公文書問題 日本の「闇」の核心』といった表題の「入門書」のみであり、歴史学者としての主著はない。

［付記］歴史を憐《あわ》れむ歌

本編は**2020年5月20日**に、講談社が運営する論説サイト**「現代ビジネス」に掲載された文章の再録**である（文面は書誌的な事項の修正を除いて、当時のままとし、冒頭のエピグラフと補足の注を附した）。当方から申し出て寄稿したもので、同社の担当者にメールで草稿を送ったのは同月10日の夜だった。

ウェブでの公開後、幸いなことに賛否双方の立場から、多くのコメントがSNS上で寄せられた。批判のうち、アジアでの死亡率は低いので「本来は日本人がここまで騒ぐ必要のある病気でなかった」と記した箇所を揶揄した人々は、その後大いに恥をかいただろう。5月9日発売の『文藝春秋』に載った対談（相手は橋下《はしもと》徹氏。引用部は97頁）で、ノーベル生理学・医学賞受賞者の山中伸弥《しんや》氏が「日本の感染拡大が欧米に比べて緩やかな……理由」の呼称として用いた「ファクターX」が、同月末から爆発的にメディアで流布し、日本人が欧米並みに騒ぐ必要が本来なかったことは、知性ある人には常識となったからである。

本稿で西浦博氏らの自粛政策を批判したのが「後出し」だとする非難も、私には該当しない。同じ現代ビジネスで4月3日に公開した論説のなかで、緊急事態宣言という「果断な決断」が求められる状況とは少し思えません」と明確に記した上で、あらかじめ

「(過剰自粛を含めた) パニックを抑制して供給網を守る営為がより重要」(†2) だと警告していたからだ (より、とは東日本大震災時と比較しての表現)。西浦氏が一般に知られるのは、同月7日の緊急事態宣言発令時に、安倍首相が唐突な「極力8割削減」を表明して以降であり、私の主張はむしろ「先出し」である。

また隔週で担当していた『朝日新聞』のコラムでも、4月30日の回 (校了は28日) で明示的に「接触8割減」の政策を批判した (本書201頁に再録)。当時は連休明け後も宣言が延長されるかが確定しておらず、掲載には慎重論もあったが、「政治家が民意の趨勢《すうせい》を最も注視しているいまだからこそ、世に問うべきだ」と担当者に訴えて、載せていただいた。そもそもコロナを誇大に怖れるべきでないとする論説は、3月から諸方面で発表されており、きちんと考えれば後出しするまでもなく、政府の過剰対応の誤りは明白であった。

それにしても興味深いのは、賛否両論のうち「否」のコメントを寄せたアカウントに、歴史学の関係者が多く観察されたことである。

---

†2　拙稿「コロナ危機の深層」現代ビジネス、2020年4月3日。

もっとも、ほとんどはプロフィールに「日本中世史」等と掲げていることから当方で判断したものなので、単なる自称の可能性は排除できない。しかし、そうであるにせよ歴史研究への意向を窺《うかが》わせる人々の、以下のような知的水準の低さには考えさせられた。

まず、①**理科系への劣等意識**である。本稿を「極論だ」と認定し、それで批判した気になっている者がいたが、たしかに極論なのかもしれない。しかし、それでは全国民に対人接触を「8割削減」させて、（罰則つきの行動制限を敷いた欧州でさえ不可能だった）「1カ月での収束」をめざす西浦モデルは「極論」ではないのだろうか？　なぜ後者には唯々《いい》諾々《だくだく》と従いながら、そうした「極端な政策」が採られた背景を解明しようとする本稿には、「極端な論説だから無価値」なる罵声を浴びせて恥じないのだろうか。

「理科系の極論」なら多大な実害があっても甘受し、「人文系の極論」は言論の自由の範囲内でも叩き潰すという思考の持ち主は、普通に考えればマッドサイエンティストである。そうした者が人文学の価値を知るかのような態度で発言するのは矛盾なので、プロフィール欄での自称を「歴史科学（自然科学の二軍）」と書き改めることをお勧めしたい。

次に、②**現代日本語を読む力の欠如**。本稿の後半で「日本人どうしですら「自分は／あいつは感染者だ」と思いながら暮らすべきなら、より警戒すべき状況にある欧米人がアジア系をウィルス呼ばわりして、なにが悪いのだろう」と書いた箇所を、アジア系差別の容認だと解釈するアカウントが歴史研究者を名乗っているのには、失笑させられた。

当然ながら「暮らすべきなら、」という条件節がある以上、これは仮定法に基づく反語であり、実際にはそんな暮らしをする義務は誰にとってもない以上、ウィルス呼ばわりが正当化されることもありえない。同時代の日本語ですら正しく文意が取れない者が、古文・漢文や崩し字、または外国語などの難読史料を読解できるとは思えないので、もし彼らに研究論文があるなら誤読に満ちているのだろう。学会誌の査読担当者は注意されたい。

さらには、**③研究に賭ける文脈の喪失**。これらよりは一見有意義に見える批判に、「ウィルスの感染状況は日々変化する。それに対応すべき局面で、一貫性にこだわる方がおかしい」というものがあった。しかしこれは、個別の対応策と全体的な戦略とを混同した議論である。本稿が一貫性の欠如を問うているのは、根本的な方針のレベルで「経済への負荷は気にせず、ゼロリスクを優先する」といった態度を4月に示しながら、5月に入るや「経済への配慮から、リスクを容認する」立場に（説明なく）変じた人々だ。現場レベルで臨機応変に対処することは、まったく否定していない。

戦後に広い意味での日本史研究をリードした丸山眞男が、方針自体が眼前の状況に引きずられてなし崩しに変転する自国の政治のあり方を「ズルズルベッタリ」と指弾し、そうなる背景を日本思想の展開のなかに探究したことはよく知られる。むろん本稿は丸山のエッセイのような深みを持つものではないが、しかし「いまコロナは大変なんだから、ズルズルベッタリでいいじゃないか」なる〝批判〟が、（自称）日本史の研究者から出てくるとは驚いた。それ自体が本稿で述べた、歴史の喪失の証左であろう。

最後に、④**自尊の裏にある怯懦《きょうだ》**。注を附したとおり、本稿にはコロナ禍での磯田道史氏の言動を批判した箇所がある。これに対し、「磯田氏は別に歴史学の代表じゃない。磯田がダメだから歴史学は不要だとは暴論だ」なる反応があった。しかしそれではなぜ、彼らは本稿に先んじて磯田氏を批判し、氏が語る「歴史の教訓」の（危機を誇大に煽るという）問題性を指摘しなかったのか？　少なくともそう試みないかぎり、現に総合誌やTVで同氏の主張が「歴史学界を代表するもの」として扱われる状況が続くのは、当然ではないか。

私の考えでは、おそらく彼ら歴史学者も自身が社会の無用物になっていること——歴史が衰弱しきった現状には気づいている。だから磯田氏のような知名度のあるスターが「歴史学の意義」をメディアにアピールしてくれる分には、黙っておこぼれに与《あずか》るのだろう。しかし内心ではそうした自らのみじめさを知るからこそ、本稿のような独力で歴史の意義を社会に問う態度を目にするや、まともな反論もできないまま「〝本物の〟歴史学はメディア上の教訓話ではなく、他の場所にある」と居直るのであろう。

だが、その「他の場所」とはどこだろうか。実名で社会に物申す勇気ひとつない彼らがひきこもる大学の研究室か、それともステイホームで遠隔講義を配信する自宅のことか。

ときに読者は、「レキシ」なるミュージシャン（?・）をご存じだろうか。「年貢を納める農民の気持ち」といった内容を歌詞に書き、コスプレしながらＪ－ＰＯＰ風の曲に載せて歌うビデオをＹｏｕＴｕｂｅで公開している音楽芸人だ。正直、私にはあまり面白くないが、そこは個人の趣味だから、異なる感性の方もおられるであろう。

しかし本稿に対して上記のような〝批判〟を浴びせ、本当の歴史学は「コロナ禍を満洲事変に喩えるこじつけではない」と唱える人物が、遠隔授業にでも使うつもりか、彼らの楽曲については一転してＳＮＳで推しているのを見たら、どう思われるだろう。歴史を学ぶことはなんの役に立ち、いかなる知的な歓《よろこ》びをもたらすか――。眼前の危機に対する省察を通じてそれを示すより、ネット上の「面白動画」に頼って聴衆の笑いをとることの方が、大事だと考える歴史学者も現今の大学にはいるらしい。

率直に言って、哀れな光景だと私は思う。そしてその哀れさは、当該の教員1人のものではない。歴史を喪《うしな》い、しかもその喪失に向きあうことなく、たかだか「コロナに罹らない」程度のことが至上の価値とされるチープな生にすがりつく、私たちの社会全体の哀れさである。

初出＝『別冊クライテリオン　「コロナ」から日常を取り戻す』（ビジネス社）

皇国日本とアメリカ大権
――日本人の精神を何が縛っているのか？（筑摩選書） 橋爪大三郎 著

日本病というウィルスへのワクチン
――『國體《こくたい》』を読み解き「思考の型」を抽出する

2020年5月22日 週刊読書人

時宜《じぎ》を得た書物である。奥付の刊行日は2020年3月15日。後記によると前年の春に脱稿したそうだが、期せずしてコロナパニックの渦中に世に問われた本だ。

4月14日に田原総一朗氏が、ウィルスとの戦いを「第三次世界大戦」と呼ぶ比喩を安倍晋三首相の言として紹介、遅れて大手紙も一斉に報じた。17日には小池百合子都知事が会見で「撃ちてし止《や》まん」の語を用いて決意を表明、ネットで好評を博したという。

「撃ちてし…」は古事記から採った戦時下の標語で、当時から語義は曖昧だったようだ。ウィルスは「罹患して免疫をつける」ことができるだけで、敵機のようには撃ち落とせないのだが、そんなことは誰も気にしないのだろう。実際に「打ちてし」と表記する報道に接すると、もはや完全に意味がわからない（厳密には語尾も「止まむ」が正しい）。

こうした政治家や、それをありがたがる国民大衆の心性には、コロナ以上に重篤《じゅうとく》なウイルスが巣くっている。本書の用語でいえば「皇国主義」であり、その聖典が1937年3月に刊行された『國體の本義』（以下、『國體』）だった。

狂信的なイデオロギーとして退けられがちな『國體』を、橋爪氏は丁寧に読み解き、むしろ今日の私たちにまで通底する「思考の型」を抽出してゆく。『國體』は天皇機関説を排撃した書物なので、分析上は「天皇親政説」の語も用いられるが、私見では天皇の存在それ自体は、あまり大事ではないと思う。

宗教を切り口とした比較社会学の書物で知られる氏は、『國體』が謳いあげる日本人の秩序観に、「契約」の発想がないことを強調する。ユダヤ教に比べると神話上の契約が不明瞭で双務性を欠き、儒教的な「有徳者であってこそ君主たりえる」といった条件づけもない。まして、近代西欧的な社会契約論の発想は排されている。

人為的な約束事を通じて社会を組織し、厳密にその範囲内に限って権力を行使する発想は、この国には（いまも）ない。あるのは、太古の昔から契約ぬきでも「なんとなく」一体感をもって存続してきた、擬似自然的な秩序である。経典をもつ創唱宗教にまでは至らない、ゆるいスピリチュアリズムを連想してもらえば、ピンと来るだろう。

だから、儒教の教えでは画然と区別される「臣」(官吏)と「民」(民間人)とが、いつのまにか合併して臣民となる。これまた本来は相互に矛盾しえるはずの「忠孝」も、社会の全体が一個のイエだとする観念のもとで癒合《ゆごう》し、一本化される。親に孝を尽くすためにこそ、非道な君主への忠を捨てるといった営為は、認められない。

こうした観念上のコスモスにウィルスが侵入すると、「家族を病気から守りたい」が「国を外敵から守りたい」とイコールになる。だから強制力のある法律(=契約)ぬきでも「自粛」し、違和を唱える者を排除するわけだ。『國體』はなお生きているとする氏の指摘は、危機によって立証された。

一方、後半部の「アメリカ大権」論は、評者には納得しがたい点が多かった。なぜか近日の識者は、戦後の米国の日本支配が「隠されてきた」とする観点に拘泥《こうでい》する。しかしそれは隠されてなどおらず、日本人は「わかった上で」コスモスの一部に受け入れたと解した方が、本書の前半部とも整合的だろう。

繰り返すが、ウィルスを「撃って」滅ぼすことはできず、罹患して免疫をつけることができるだけだ。それを安全に実現する手段がワクチンだが、本書はまさに、目下蔓延する日本病というウィルスへのワクチンである。

歴史なき時代　幻の掲載中止回

小説『コロナ』を書くなら

いまは欧米の植民地だが、優美な古代文明の面影も残す地域に疫病が流入した。当初、死者は少なかったが、「宗主国でも都市封鎖をしているのに、なにもしないでいいのか」と唱える有識者が現れ、極度の自粛生活を営むことになった。

具体的には不要不急の行いを、感染防止のために控えてもらう。しかし必要性の基準は人によって異なり、疫病は収束しない。苛立《いらだ》った住民は互いに憤りをぶつけあい、「不要不急」の範囲を拡大していった。

最初に攻撃されたのは娯楽施設だったが、元々動物を宿主としていたウィルスが、犬や猫を媒介してより凶悪な変異を遂げる危険性に注目が集まってゆく。ペットは不要不急かをめぐる大論争の果てに、政府は「富裕層の嗜好品」にあたる場合は「自発的」に保健所に連れてゆき、殺処分するよう住民に要請した。

反響はすさまじかった。ＳＮＳで愛犬をＰＲしていた著名人には、「早く殺せ」「証拠をアップしろ」の罵声が浴びせられる。かつて遊技場の閉鎖に賛同しながら飼い猫をかばう者には、「偽善者」「非国民」の烙印《らくいん》が押されていった。

耐えかねて自身の手で愛犬を殺《あや》めた後、命を絶つ犠牲者が出たのを機に、熱狂は収束に向かう。あらためて数字を確認すると、疫病それ自体より多くのものを奪ったのはパニックだった。「怖れる対象」を間違えたために、ひとつの文明が滅んだのだった。

※この文章は当初、2020年5月28日の掲載分として連休中に執筆し、同月6日に入稿していたものである。しかし23日に、ステイホーム下でのバッシングに起因する現実の自殺事件が発生し、掲載を見送ることとなった。急遽、差し替えで28日に掲載されたのが、続く文章「ネットで代替できるのか」である。

歴史なき時代 11 ネットで代替できるのか

2020年5月28日

人気リアリティーショー『テラスハウス』の女性出演者が亡くなった。番組内での振る舞いが「炎上」し、直前までSNS上で激しい誹謗《ひぼう》中傷を浴びていたという。ご冥福をお祈りするばかりである。

誰に対してであれ匿名で口汚い罵倒を浴びせるのは、卑しい行為だ。しかし逝去の報の後から、したり顔で「面と向かっては言えない暴言」がネットでは吐かれがちだと解説する面々も、私には不快でしかたない。彼らの多くは彼女が「リンチ」にあっている間、いったいなにをPRしていただろうか。

女性への攻撃が始まった回は、3月末日の配信だという。当時はコロナパニックのピークで、4月7日に国が緊急事態を宣言。人と会わなくても「ネットで楽しめるから」と在宅を求める動画や広告が、5月の連休を中心に大量に流されたことは記憶に新しい。人に「会うな」という制限がどれほど重いものか、そのとき私たちは考えただろうか。ネット上で「孤独なまま群れあう」あり方が、いかに多くの愚行を生むかを、平成期に何度も見た教訓はどこへ行ったのか。そうした環境を強いる決定には疑いをはさまず、むしろ自身の「適応ぶり」を誇ってきた者が、いまさら「対面」の価値を説くのは自己欺瞞が過ぎるだろう。

彼女の死の2日後、宣言は全国で解除された。私たちは二度と「ネットで代替できる」と称して、現実を安易に犠牲にする発想を許してはならない。

初出＝『朝日新聞』

歴史なき時代 12 ゴジラより怖い敵とは

2020年6月11日

『シン・ゴジラ』という特撮映画としては超一級で、政治ドラマは二流の作品がある。一種のクーデターものなのだが、主人公（内閣官房副長官）が自分では決起できず、ゴジラに閣僚を全滅させてもらった「棚《たな》ぼた」で実権を握る展開には、劇場でずっこけた。

周知のとおり、同作のゴジラは東日本大震災と、福島第一原発事故の擬人化である。昭和の元祖ゴジラが原水爆の隠喩だったことに倣ったものだが、どうもそこに罠があったらしい。

敵国が落とす爆弾や、来襲する怪獣に対してなら、人々は自然と「国民」という共同体に結集して立ちむかう。国のリーダーが頼りないなら、実力行使をしてでもすげ替えるだろう。

しかし近日のコロナ危機で生じたのは、異なる事態だった。社会的な連帯など顧みず、自宅に生活物資を買いだめることしか考えないバラバラの個人が、「全権掌握による強い統治を！」と為政者に叫ぶ。

もし私がクーデターを謀《はか》る青年将校なら、もう三島由紀夫のように「日本人」に向けては訴えない。架空のバイオテロを企画し、行政に食い込むエゴ丸出しのコンサルタントやインフルエンサーに噂《うわさ》の拡散を依頼する。それで「強権統治」を望む声は十分湧き上がるのだ。

私たちは個人の尊重の果てに、セキュリティーのためなら人権を叩き売りかねない逆説を生きている。危機の後もそれを、忘れずに語り継ぎたい。

初出＝『朝日新聞』

第4章

［時評Ⅱ］

人文学には何ができたか

——ポストコロナへの青写真

世界的なベストセラー・ボードゲーム『パンデミック：新たなる試練』。コロナ禍では一時、品切れになった店も

学者にできることはまだあるかい　2020年6月10日

コロナ禍にすっかり埋もれてしまったが、5月にDVDが発売された『天気の子』というアニメがある。2019年の一番の話題作で、実際に大ヒットしたから、ご覧になった方も多いだろう。16年の『君の名は。』に続く、新海《しんかい》誠監督の劇場映画である。

『君の名は。』は、誰の目にも11年の東日本大震災を連想させる小彗星の墜落事故を描きつつ、しかし最後は犠牲者をほとんど出さないハッピーエンドを迎える。この結末に対しては「震災の悲惨さを風化させ、カタルシスで記憶を美化するものだ」とする批判も多かった。『天気の子』は、そうした批評にも応えるつもりで作った――そんな監督の言が、公開前に多くのメディアで流れていた。

だから今回はきっと、ちょっとビターな終わり方をするんだろうな。19年の夏にはそう思って、劇場に足を運んだ。たとえば主人公の男の子は、ヒロインにはもう会えなくなってしまうけど、一緒に過ごした思い出をずっと大切にしながら生きていく。そうしたほろ苦い幕切れになるのかなと、予想したわけである。

もちろん間違っていた。

セカイ系とも呼ばれる新海監督の、批判への応答はまったく逆だった。この世で大事なのは僕（主人公）と、僕の愛する人（ヒロイン）だけ。だから彼女を救うためなら、容赦なく世界を滅ぼし、大水害で日本の過半が沈没するのも厭《いと》わない。今回はしっかり「エキストラには血を流させるハッピーエンド」にしたから、前作とは違うでしょ、という趣旨だったのだ。

幼く未熟な幻想だと笑うのは、たやすい。社会不適応で頭でっかち、しかも脳内には好きな異性のことしかない。そうした〝満たされない永遠の思春期〟に留まっている、現実感覚に乏しいおとな子どものおもちゃがセカイ系だとする悪口は、だいぶ前からありふれたものになっている。

しかし翌20年の春に私が驚かされたのは、そうした監督の世界観こそが、「リアル」な日本の実像だったことだ。

コロナウィルスに向きあうとき、徹底して「自分と家族は罹りたくない」ということしか考えない。だから国際比較のデータも冷静に吟味せず、とにかく世界で一番強硬な対策を導入せよと叫ぶ。結果として駅前の個人商店や飲食店が潰れ、ゴーストタウンと化しても、自分と大切な人さえ助かれば気にしない。

こうした発想からは、「社会」の全体をいったん俯瞰《ふかん》する視点がぽっかり消えている。その空白を埋めるのは、発表当初から識者には疑問視された「日本だけで42万人死ぬ」予測のような、カタストロフの妄想だ（当時、世界全体でも死者は15万人前後だった）。僕と、好きな人と、滅びゆくセカイしか存在しないのは、新海氏の内面ではなく現実の日本だったのだ。

こうしたとき、なんとか社会の全体像を国民がもう一度描けるように、発信してゆくのは文系の学者の使命だろう。ところがそうした営為に挑んだ人は、数えるほどだった。圧倒的多数は「感染症は理系の専門だから」と恐れをなして、発言のリスクをとらず、現状を放置する。

そうして大学に引きこもった彼らがネットで繰り広げたのは、「いかに自分が最新のテックを駆使し、遠隔講義に適応しているか」のPRだった。こうした〝にわか自己啓発セミナー〟の講師もどきに比べれば、ヒロインとの再会のためにはすべてを抛《なげう》つ新海作品の主人公のほうが、よほど成熟した「大人」に見える。

『天気の子』のＤＶＤと同じころ、私も斎藤環氏との共著『心を病んだらいけないの？』を出した。コロナ以前に行った対談の活字化で、内容自体はアフターコロナにも通用するものと自負するが、ひとつだけ古びてしまったのは、大学の人文学に、まだ再生の可能性があるかのような筆致をとってしまった点かもしれない。

９年前、原発事故を前に多くの研究者たちが、文系と理系とを問わず、「あるべき社会」にむけて積極的に提言した姿が懐かしい。もちろんその願いは裏切られたけれど、世界が背中を向けてもまだなお、立ち向かう君は、もう大学にはいないのだろうか。

学者にできることはまだあるかい？

初出＝『文藝春秋』２０２０年７月号「巻頭随筆」

インタビュー記事

議論収縮、失った未来――この国はどこへ　コロナの時代に

2020年6月26日　毎日新聞夕刊

文体が小気味よく比喩の巧みな歴史学者、與那覇潤さん（40）は3年にわたる闘病を終え、精力的に執筆活動を続けている。重度のうつ状態を経た人にとって「コロナの時代」はどんなふうに映るのだろう。

「新型コロナウィルスの騒動を経て感じるのは、私たちは過去と未来の双方を喪失したということです。一番ショックだったのは、コロナ流行の9年前の3月に日本をパニックに陥れた、東日本大震災の教訓が生かされなかったことです」

教訓？　何だったか。

「専門家の言葉に耳を傾けつつも、妄信してはいけないということです。原子炉工学の教授が〝原発は安全〟と言っていたのに事故が起きた。一方でこれが反専門家主義を生み、〝危ない〟〝怖い〟とおびえる世相に乗じて、理系とはいえ専門家ではない学者たちが〝東日本には住めない〟〝農作物を食べるな〟と風評を流した。権威に隷属《れいぞく》せず自分の頭で判断すべきだ、というのが原発事故の最大の教訓だったはずです」

除染から被災住民の帰還まで常に議論百出だったが、與那覇さんが奇妙に感じたのは、コロナでは大した異論もなく皆が一斉に自粛に流れた点だ。

専門家が「人と人との接触機会の8割削減」と言い出した時、あまりに極端だとの疑念が噴き出すどころか、「誰もツッコミを入れないのが衝撃だった」と與那覇さんは言う。「8割」「8割」とあおる政府の態度は怪しく思えたが、国民は黙って従うムードで、専門家やメディアに対する批判意識が全く高まっていないと感じた。

最悪で42万人が死亡する可能性があるとの北海道大〔当時〕・西浦博教授の試算が先走ったが、米国のトランプ政権発足以降、事実確認の大切さを主張していたはずの人々が唯々諾々、実におとなしかった。少なくとも與那覇さんの目にはそう映った。

「2月までは〝桜を見る会〟の招待者名簿の廃棄問題で政府批判が盛り上がり、公文書管理の専門家も情報公開しろと騒いだ。だがコロナでは情報を伏せたまま政府は自粛を要請しています。桜問題では〝安倍晋三首相は信用できない〟と言い続けた人が、自粛には何も言わず従う様子にあぜんとしました。〝実際どれほどのペースで、感染拡大しているのか〟という最も大事な問いに政府は答えず、緊急事態宣言前に実はコロナ〔第一波〕はピークアウトしていたとの統計が後になってから示され、じゃあ自粛は何だったのかと思うわけです。データを隠して〝営業するな〟〝家にいろ〟と国民に命令したわけですから」

専門家情報の吟味を人々が怠ったのは過去を軽んじているから、あるいはすっかり忘れているから。これが與那覇さんの見方だ。では「未来の喪失」とは何か。

「これまで語られてきた未来がコロナで消えたんです。例えば、ベーシックインカム（BI、最低所得保障）が日本では実現しないことがはっきりしました。皆に10万円配ることになってもなお、多くの識者や国民が〝公務員には不要〟〝年金生活者や生活保護者も外せ〟とたたき合う。危機でこうなら、平常時のBIなど到底《とうてい》実現できませんよ。財源以前に、国民相互の連帯感情がないと分かってしまった」。新自由主義に反発する層が主に支持してきたBI。その選択肢が互いに孤絶した日本人には選べない、という話だ。

「次に左派政党が選挙のたびに唱えてきた〝企業の内部留保を労働者に配れ〟という案ですが、これも無理だとコロナで分かりました。政府の支援が不十分な以上、民間企業は自力で生き残るしかないと痛感した。今後は有事に備えて内部留保をため込むのはむしろ良い会社、という価値観が定着するのは間違いないでしょう」

企業はあからさまには主張しないだろうが、「労働者に分配せよ」と言われても、「次のコロナのために取っておかないと」と言い訳ができそうだ。

さらにもう一つ。「右寄りの層に人気があった〝共和主義的な徴兵制論〟です。米国のような志願制だと富裕層は兵隊にならず、貧困層が戦場に送り込まれる。でも国民全員が兵役の義務を負えば戦争が人ごとでなくなり、安易な開戦への抑止効果になるとの理屈です」。コロナを経て、それが不可能となぜわかったのか。「国民全員に兵役を課すと意識が高まり、理性的な議論が促《うなが》されるという主張でしたが、国民全員に自粛を要請した時に起きたことを見ると……」。どうやら「徴兵」を「自粛」に置き換えてみたら、ということらしい。

「自粛はそもそも必要かという議論が高まることなく、〝あいつは自粛してないじゃないか〟と自警団のような人まで登場するありさま。戦時下なら〝うちの子は戦死したのに、隣の家の子はなぜ生きている〟〝これで和平は納得できない〟となり、戦争が泥沼に陥るのは確実でしょう」

過酷な現実から人は価値ある教訓を学び、社会を進歩させていく。そんな考えは思い込みにすぎず、コロナ一つとっても、人々は議論もせずに小さく閉じこもっただけ、というのが與那覇さんの感慨だ。「麗《うるわ》しい未来は来ないとはっきり分かったいま、直前まで〝斬新だ〟と言われてきた議論の提唱者がどこまで自説を反省し、修正するかに注目していきます。過去も消え、威勢のよい未来の可能性もなくなったからです」

思い出したというふうにさらに続けた。「〝AI（人工知能）に期待〟系の議論に従えば、医療資源の最適配分をAIで導けるはずですが、〝俺にやらせろ〟と手を挙げる識者はいなかった。安倍さんの自粛要請の記者会見には〝棒《ぼう》読みで心に響かない〟と反発する人も、

ＡＩによる計算なら合理的だと納得したかもしれない。なのに、どこに行ってたの？　というほど存在感がなかった。結局ただのビジネストークだったんですね」

今しか見ない社会、危惧

東日本大震災の教訓も言われれば思い出すが、普段は念頭にない。欧州の大学で歴史を基礎に置く人文系学部が減ったのは過去の軽視が一因でもある。ネット検索で何でも表面的に分かるため、資料を集めることも記憶することもなくなり、若い世代の短期記憶が落ちたとする説もある。忘れっぽさや歴史の軽視は日本に限らず、世界の傾向だが、過去を知らなければ未来を見通すことはできない。

與那覇さんは以前は「もっと歴史から学べ」という考えだったが、〔２０１４〜17年の〕うつの体験を経て考え方が少し変わってきたそうだ。

「僕自身は目の前のツイートに賛成ならリツイート、嫌ならブロックで即応する〝今、この瞬間だけ〟な生き方はできない半面、そうしないと生き延びられない苦しさも分かります。過去を振り返ると気持ちが苦しい、みたいな感じがある。うつの時に何が一番つらいかと言うと、病気になる前の自分と今とを比べることなんです。あれもできた、これもできた、なのに今はと思うと本当に苦しい。今の日本人も同じで、昔を振り返れば過去の栄光しか思い出さない。昭和の高度成長や前回の東京オリンピックの感動、自民党を下野させた平成の政権交代。それらはもう忘れて、今だけ考えましょうという方が生きやすい」

だから今は、過去を無視する人の気持ちも分かるという。

「病気のリハビリでデイケアに通っていた時、〝マインドフルネス〟の講義を受けました。現在に意識を集中すると苦しさが消えるというものです。禅などを集めて作った米国生まれの緩《ゆる》い黙想法ですが、例えば初心者はヒマワリのタネを口に入れて、はい、今はタネに意識を集めて、どんな舌触りですか、と言われて神経を集中させてゆくと、〝うつのせいで俺は〟みたいな複雑な感情が消えてゆくんですね」

2年前に来日したドイツの哲学者、マルクス・ガブリエルさんが地下鉄車内を見て「日本は社会全体がうつ病的だね」と話していた。「みなうつを紛《まぎ》らわすために、必死になってスマホをいじっているようだ」と。

與那覇さんは「なるほど」と言い、こう続けた。「コロナがそうした孤立を加速させた結果、非常に危ない状態にある気がします。なのに日本人の生活習慣が実は健康的だった、外国人みたいに他人どうしでしゃべらない、ハグしないのが良かったと。そういう誤った学習をすると〝これがいいんだ〟みたいになり、ますます小さくおとなしく、うつむいていくようで心配です」

【藤原章生】

歴史なき時代 13 学問の自粛、安易すぎる

2020年6月25日

ようやく開館した国会図書館で、この原稿を書いている。定員制のため抽選に当たらないと入館できず、検索端末も2台に1つしか動かない。過去の事実を資料にあたって検証する営みには、大きな打撃だろう。

図書館は会話なしでの利用が原則で、クラスター発生の報も聞かない。しかし春のコロナ禍では「学問の自由」を標榜する人文系の大学教員たちが、あっさり権利の行使を自粛して「図書館封鎖」に協力した。職業的な使命感との葛藤も、あまり聞こえてこない。

かくも安易に知的な探求が放棄される様《さま》を見ると、歴史という存在がもはや「核のゴミ」に近づいてきたような諦観《ていかん》が湧く。近代化で国民が愛国史観に燃えると、劇的な社会変動を達成するが、暴走した際の副作用も甚大になる。核エネルギーの功罪と同じだ。

そして核廃棄物の処理のように、負の遺産は歴史認識論争という形で延々と続く。最初はみなが当否を激論するが、やがて飽きて朽《く》ちるに任せてゆく結末も、似ているのかもしれない。

9年前の原発事故では『失敗の本質』などの歴史書が回顧され、政府の対応を検討する

際の参照軸になった。しかし今年の危機では、〔第一波が〕過ぎ去った途端《とたん》に「民度」の高さで勝ったとする〝歴史修正主義〟が世論を席巻し、人文学の出る幕はない。

ニーチェに倣って「歴史は死んだ」と言う時は、いまかもしれない。そう、私たちが殺したのだと。

初出＝『朝日新聞』

歴史なき時代 14 「自国の手柄話」の懸念

2020年7月9日

平成の末期から、若い政治学者に元気がないらしい。論壇誌の編集者とテレビの討論番組のクルーから別個にそう聞いたので、たぶん事実なのだと思う。

知識人の提案に基づき小選挙区制が導入され、狙いどおり政権交代も起こした平成は「政治学者の黄金時代」だった。安倍長期政権に退屈して、違った政治はないものかと感じている有権者も多い。「私には代案があります」と声を上げる若手学者が出ないのは、一見すると不思議である。

私の印象では、背景にあるのはオーラルヒストリーの流行だ。引退後の政治家や官僚に聞きとりをして、現代史の叙述に活かす技法で、最近は取り入れていると学術書の評価も高くなると聞く。
しかし、いま政権を鋭く批判する学者を、総理を退いた後の安倍さんが聞き書きに呼ぶだろうか。将来そうした大仕事を狙うなら、論壇での発言は控えておこう。そんな空気があってもおかしくはない。

特にオーラルヒストリーの弊害が大きいのは、外交史だ。聞きとる相手がどうしても日本人に偏るし、中国や北朝鮮の関係者は本音を話せまい。結果として、日本政府の立場に沿った主張のみが「学問的」に再生産されることになる。

オーラルヒストリーには長所の裏面で、歴史を「自国の功労者の手柄話」と同義にしてしまうリスクがある。それに無自覚な学者に政治はわかるまいし、まして歴史を語る資格はあるまい。

初出＝『朝日新聞』

歴史なき時代 15　過去の追体験　教育に必要

2020年7月23日

昨今話題のアクティヴラーニングで歴史を学ぶ意義は、史実を「知識」として頭に入れるだけでなく、現在とは異なる社会の「身体感覚」を体得させることだ。その自覚を欠く教師が修学旅行で史跡や博物館を巡らせるのは、ただの観光にすぎない。

大学で歴史を教えた際にやり残したことはほぼないが、例外はボードゲームを教材にできなかったことだ。主に欧州で盛んな文化だが、素材を世界各国に求めているため、アクティヴラーニングにも応用できそうな作品は多い。

中国の宋朝滅亡に題材を採った『ドラゴンイヤー』(辰年《たつ》)もそのひとつ。プレイヤーは地方の太守になり、飢饉《ききん》や戦乱などの災厄に対処してゆくが、住民全員を守ろうとすると、かえって全滅してしまう設定になっているのが味噌《みそ》だ。

点数を得る上で「有益」な局面でだけ住民を保護し、「不要」になったら見捨ててコマを廃棄しないとゲームに勝てないのだが、やっているうちに自分が歴史上の環境に適応してゆくようで怖くなる。知人の中国研究者と遊んだところ、そうした「ドライな人間関係と酷薄な社会」の再現度に驚いていた。

過去はむろん、現在も外国には私たちと「発想の前提」自体が異なる世界があり、未来の日本がそちらに近づかないとも限らない。それを追体験(ないし先取り学習)する教材を生み出せるかどうかで、歴史教育が今後も意味を持つかは決まってゆくだろう。

初出=『朝日新聞』

一人ではこのゲームには勝てない（ニューヨーク・タイムズ寄稿）マット・リーコック 著

「競争」から「協力」へ　2020年5月9日『文藝春秋』6月号「旬選ジャーナル」

小野卓也さんという、山形県でお寺の住職をしながら長年ボードゲームの普及に取り組まれている方がいる。同氏のブログ「TGiW」（Table Games in the World・2020年3月30日）で、このマット・リーコックのニューヨーク・タイムズ（以下、NYT）への寄稿（同月25日）を知った。

リーコックは『パンデミック』という、世界的なベストセラー・ボードゲームの考案者。世界地図を描いたボードの上で、拡散してゆく4種類の病原体コマを除去する「協力ゲーム」の古典だ。

協力ゲームとは、プレイヤー間で1位の座を争うのではなく、逆に全員が協力して課題を解決することをめざすタイプのゲームを指す。NYTへの寄稿でリーコックは、着想のきっかけが、新婚時代の奥さんとのトラブルだったと明かしている。

通常の競いあうゲームの最中に、彼が妻を騙したり裏切ったりしたところ、終了後も気まずい空気になってしまった。そこでプレイヤーどうしが協力しあうゲームを試したところ、一人ひとりがバラバラに勝利をめざす際には得られない満足感が湧いた。制作を開始したのは2004年で、直前のSARSの流行に影響されて、テーマを「ウィルスから世界を救う」ことに決めたという。

『パンデミック』では毎ターン、カードを引いて、ウィルスコマが出現する都市を決める。感染爆発カードが一定の枚数仕込まれており、1都市に4コマ以上置かれてしまうとオーバーシュート（説明書の表記ではアウトブレイク）する。このとき使用済みのカードを切りなおして山札の最上部に戻す結果、「以前に感染者が出ている都市は、次もまた出やすい＝危険度が高い」状態が生まれるルールが巧みだ。

既定のターン内にワクチン4種を開発できれば勝利だが、そのためには様々な職業（最初に割り当てられる）に就《つ》く各プレイヤーの協力が不可欠だ。地図上の移動力が高い・ウィルスを多く除去できるなどの、個性を活かして助けあう。そうした体験は、目下のコロナ危機に対してどう振る舞うかのチュートリアルにもなると、リーコックは助言する。

眼前で進行中の厄災を連想させる「遊び」を取りあげるのは、一見すると不謹慎だと叩かれそうだが、それに臆さなかったのはリーコックとNYTの見識だろう。むしろゲームという擬似体験から、パニックの時こそ他人を攻撃したり、足を引っ張りあうのではなく、助けあうことの大切さを体得できると訴える。

実は東京都で外出自粛要請が出る前の週末、自宅で私も友人と姉妹作品『パンデミック：イベリア』で遊んだ。19世紀のスペインが舞台なので、水の浄化や啓蒙活動で病気の発生を防いだり、有事に素早く移動できるよう鉄道を敷いたりする、独自の要素が追加されている。

4種類の病気それぞれに個性（広がりやすい・除去しにくい）をつけるなどの上級ルールもある。課題の達成には病院建設が必須だが、一度建てるとむしろ患者が殺到（＝コマがボード上を移動）して医療崩壊を誘発するという、いまとなっては予言的な設定を加えることもできる。思わず「イタリア・オプション」と勝手に命名してしまったが、これは本当に不謹慎でした。すみません。

ゲームを「競争」の同義語だと考えてきたことは、我々の思い込みに過ぎなかったと、文中でリーコックは指摘する。同様にサバイバルもまた、競争よりもむしろ「協力」の同義語でありえるはずなのだ。トランプ登場以来、国際社会を「食うか食われるか」の舞台だと見なしがちだった私たちが、今回の危機から思考を転換できるかどうか。それはこうした「遊び心」にこそかかっている。

理系の限界、人文系の沈黙

2020年7月10日

コロナでも始まった「歴史修正主義」

「ある国には、必ず雨を降らせることができる雨乞《あまご》い師がいます。その雨乞い師は、いったいどんな術を使うのでしょうか――」。小学生が出しあうような謎かけですが、意外にわが国のコロナパニックを理解するうえでも重要な示唆が隠れています。答えは「実際に雨が降る日まで、ずっと雨乞いを続ける」です。

幸いに2020年春の新型コロナウィルス騒動〔第一波〕は、欧米諸国に比べて軽微な被害で収束したようにみえます。しかしそれは、日本の政府や国民が「なにかしたから」なのでしょうか。それともこの雨乞い師のように、「自然に収束するまで、〝なにかしている仕草〟を続けたから」でしょうか。

専門家会議が公表したデータによれば、全国の新規発症者の増加は3月下旬にピークをつけたのち、減少するトレンドに入っていました。政府は4月7日になって緊急事態宣言を発令し、「人との接触を8割減らす」という極端な自粛を呼びかけますが、その前後を比べても発症者数の減少ペースは変化していません。

第1回緊急事態宣言前後の
全国の発症者数（2020年5月28日版）

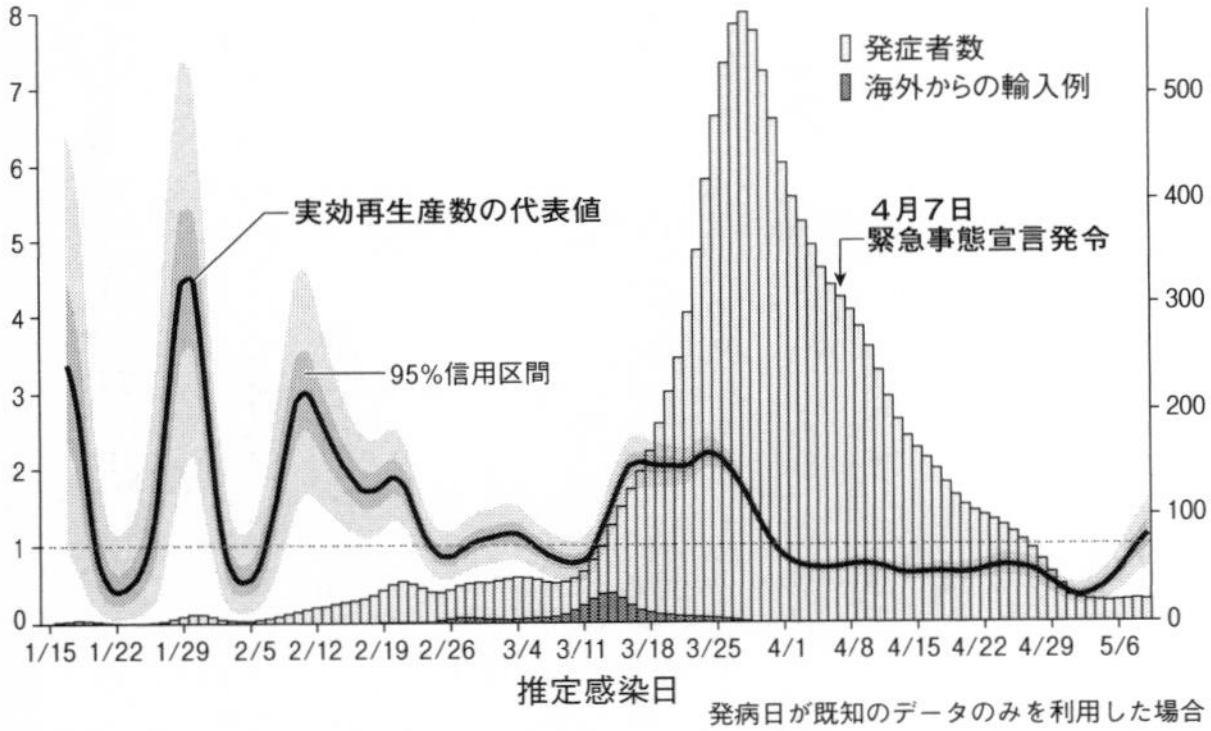

発病日が既知のデータのみを利用した場合

出典：新型コロナウイルス感染症対策専門家会議「新型コロナウイルス感染症対策の状況分析・提言」（5月29日）

つまりもともと自然に収束しつつある段階で、あれこれ「お祓《はら》い」の儀式をしてみせた結果、あたかも儀式の力で病気が収まったように〝みえているだけ〟ということになります。そうした「目の錯覚」ではなく実効性があった対策は、海外からの入国禁止などに限られると思われます。

右の読み方が、政府自身が公開している統計の素直な解釈であり、そうではなく「いや、やはり自粛の効果で収束したのだ」と主張するなら、挙証責任を負うべきです。ところが現実には、なんら根拠を示さず「国民が自粛に協力してコロナを抑えた」とする理解を安倍晋三首相が表明し、便乗して「民度が高い日本人」を賛美する風潮が生まれている。これは実際のデータではなく、「国民の耳に心地よく響くかどうか」で過去の解釈を決めているわけですから、まさしく定義どおりの〝歴史修正主義〟と呼ぶべきでしょう。

かつて安倍首相は、「日本人が誇りをもてる歴史教育」の実現をうたい、史実よりもナショナリズムを優先する〝危険な歴史修正主義者〟だと批判されてきました。しかし今回、歴史学者やリベラル派の言論人たちが、直近の過去に対する安倍氏の〝修正〟に抗議する姿をほとんどみない。これはどういうことでしょうか。

あえていいますが、70年以上前の戦争についての解釈が国ごとに違ったところで、互いに異なる存在であることを前提に、相手への敬意や共感をもって接していけるなら、そこまで大きな問題は生じません（詳しくは斎藤環氏との共著『心を病んだらいけないの？』を参照）。しかし、ウィルス相手ではそうはいかない。

「日本人は民度が高いから、自粛の力で勝てるんだ」とする価値観が定着してしまったら、軽微な流行でも過度の自粛要請を乱発して、巨大な経済損失を出したり、逆に徹底した対策が必要な重度の感染症に自粛だけで立ち向かって、死亡者を増やしたりしてしまうかもしれません（†1）。

これだけ明白な〝歴史修正主義の危険〟を眼前にしながら、なにも言わない。それでは歴史（過去）の探求という営み自体が、もはや不要と思われてもやむを得ないでしょう。

さらにコロナ禍の最中に生じた、数々のリスク・コミュニケーションの失敗を思い出すとき、私は（歴史学にかぎらず）日本では人文学全体の深刻な機能不全が起きており、それは有事の対応を誤らせる、重大な要因になりうるほどだと懸念しています。そして、その過ちはもしかしたら新型コロナの「第二波」以降に際しても、再度現実のものになる可能性がある。以下、具体的な事例に則しつつ、振り返ってみましょう。

「伝える技術のない理系」の危うさ

SNSが定着して久しい現在、ノーベル賞を受けた研究者から民間のクリニックの医師まで、多数の「理系の専門家」が個人の資格で情報を発信したのが、今回のコロナ禍の大きな特徴でした。もちろん、彼らはそれぞれの分野におけるプロであり、その実績は尊重されるべきでしょう。しかし自らの知見を「伝える」技術に関しては、あまりにも稚拙《ちせつ》な事例が多々みられました。

たとえば「無症状でも自分がいま、周囲に病気をうつして回っているんだと思え」といった表現で、マスク装着の必要性を説くウィルス学の研究者がいました。しかしこれは、マスクをしていない人に対する「不謹慎狩り」や、人をみれば（健康そうでも）感染者と思えという「相互の猜疑心《さいぎしん》」を助長する危険な論法です。

また、多くの人は理科系の学者がそう説く姿をみれば、「コロナはそこまでしてでも抑え込むべき、致死性の高い恐怖のウィルスだ」・「感染者になるだけでも社会の迷惑で、他人にうつすのは罪だ」と思い込み、過剰自粛や（感染の危険性が高い）医療関係者への差別に走りかねない。なぜ発言の前に、そうした常識が働かないのでしょうか。

厚労省のクラスター対策班のメンバーで、「人との接触を8割削減させる」ことを主張した西浦博氏（理論疫学）の場合は、実際に政府の方針に影響を与えたのですから、責任はより重大です。もちろん私は疫学のプロではないので、彼が行ったシミュレーション自体の当否については、最初は判断を留保していました。しかし、西浦氏が「8割おじさん」なるコミカルな愛称とともに、SNSやメディアに進んで露出する姿をみた瞬間に、これはまずいと感じました。

西浦氏は厚労省のアドバイザーとして、「なにも対策しなければ日本だけで42万人が死

†1　1年前に記したこの「狼少年の後に本当の狼が来る」懸念は、杞憂《きゆう》に留まらない可能性がある。従来は新型コロナの影響が軽微だったアジアでも、21年3月にインドで大規模な感染爆発が起き注目された。同地に固有な要因（巨大な宗教祭礼など）も多く即断できないが、もし①変異株の特性か②ワクチン接種拡大の意図せざる副産物が主因であった場合は、今後、日本にも影響があり得る。

ぬ」との持論まで公表した、コロナは大変危険だとする立場の人物です。そうであれば当然、情報発信に際しても、将来的なワーストシナリオを想定して振る舞うべきでしょう。

当時すでに、西欧など医療崩壊の目前に追い込まれた地域では、若年の患者を優先して高齢者の延命措置を停止するトリアージが行われ、「悲劇」として広く報道されていました。西浦氏自身の理論に従えば、日本でも同じ光景が展開するリスクがあることになるはずです。

はたしてそうなったときも、彼は同様の「面白キャラ」として、国の決定を解説し続けるのでしょうか？　また西浦氏は各種の取材で、8割削減に「政府内で反対し、削減割合を下げろと値切る人もいる」と暴露していましたが、もし厚労省が「命の選別」という苦渋の決断を下さざるを得なかった場合も、そうやって「じつは政府は一枚岩じゃないんですよ」と触れ歩くのでしょうか？

幸いにして日本でのコロナのリスクは氏の想定より遥かに低かったため、そうした局面をみずに済んだわけですが、想像するだにぞっとする事態ではないでしょうか。

忘れられた原発事故の教訓

誤解なきように申し添えますが、私がここで問いたいのは西浦氏ほかの「個人の資質・

適性」ではありません。彼らはおそらく主観的には使命感が強く、貴重な専門知も有しているのでしょう。しかし、その伝え方、コミュニケーションの様式が完全に誤っており、しかもそれを批判すべき人文系の識者――言語で伝達することの〝専門家〟が注意できない事態こそが、真の問題なのです。

今回のコロナ禍を、9年前の東日本大震災に伴う福島第一原子力発電所事故と比較するとき、人文系の有識者の凋落《ちょうらく》ぶりには言葉を失います。そして、それは「反知性主義」のような外部からの攻撃によるものではなく、もっぱら彼ら自身の怯懦に起因するものです。感染症と同様に、原発や放射線も理系の専門です。しかし9年前、「理科系で、かつ原子炉工学の関係者にのみ発言権がある。文系は素人なんだから黙れ」などと言う人がいたでしょうか。仮に言われたところで、臆して発言をためらう識者が、尊敬されたでしょうか。

福島第一原発事故の大きな教訓は、安全性だけではなく「危険性を煽るデマ」も、きちんと規制しなくてはならないということでした。国民に危機意識／原発への問題意識をもたせるうえでは「まぁいいじゃないか」として、「福島では放射能で、人や動物がばたばた死んでいる」・「県産の農産物や魚類も危ない」といった誤情報を放置すると、差別や風評被害の温床になってしまう。

その教訓を思い返すならば、感染症の話題で医師や理科系の研究者が発信している場合でも、「それを伝えた結果、なにが起きるか」に問題があると感じたら、人文系の識者は積極的に批判すべきでした。それを怠った結果が、「とにかくみんなが自粛したおかげで、乗り切ったんだからいいじゃないか」といった歴史修正主義であり、過去から学ぶ営為の無効化だったのです。

欧米との「安易な比較」を放置するな

もっとも人文系でも社会科学の分野では、法律の専門家が「ロックダウンは法的に可能か」に疑問を呈《てい》したり、経済学者が過剰自粛による倒産・失業のダメージを指摘したりする事例がみられました。私はそうした「実学」的な分野に留まらず、本来もっと広範な人文系の知見が、パニックの抑制に活用されるべきだったと考えます。

たとえば3月下旬から4月上旬にかけて、メディアに大量に流れて国民の危機感を煽ったのは、「東京も2週間後には、ニューヨークやロンドンと同じになる」という言説です。『Ｖｏｉｃｅ』7月号で河野有理《ゆうり》氏（日本政治思想史）が指摘されていますが（「「不思議の勝ち」を抱きしめて」）、こうした安易な国際比較や、欧米へのコンプレックスの問題点を指摘することは、理科系の感染症学ではなく、むしろ人文系の「専門分野」だったはずです。

確かに米英両国で、コロナの人的被害は甚大でした。しかし米国は近日のオバマケアでさえ賛否が割れるほどに国民皆保険の発想が弱く、貧困層が病院にかかれないことが常態の社会です。そうした制度面での相違にも目を向けるよう、たとえばアメリカ研究の学者が促してくれれば、日本人は冷静さを取り戻せたのではないでしょうか。

イギリスは逆に、国民皆保険の父と呼ばれる国で、政府高官の会見をみるとつねに「PROTECT THE NHS」の文字が映っています。外出を控えることでNational Health Service（国民保健サービス）を守ろうという意味ですが、裏返せば、NHS自体がコロナ以前から限界に来ていたという背景があります。

NHSは国民が無料で治療を受けられるぶん、利用できる病院があらかじめ指定されるなど自由度が低く、人員的にもぎりぎりの人数で医療を回している。だからこそ「いまはこれ以上、患者を増やさないでくれ。家にいてくれ」と訴えた。この点で、やはり初期条件が日本よりもだいぶ悪かったと考えるべきでしょう（†2）。

ウィルス自体は医学の研究分野で、（変異の問題を除けば）世界共通の存在かもしれない。しかしそれに対応してゆく法的な制度や社会のあり方は、国によって異なっており、それ

†2　ただしこの極度に中央集権化された一元的な医療体制は、後にワクチン接種では強みに転じた。近藤奈香「英国コロナ対策「大逆転」の勝因」『文藝春秋』2021年6月号を参照。

らは人文系の専門なのです。「あの先進国もロックダウンしたじゃないか。だから日本も！」といった安易な比較で危機を煽る声が高まるなら、きちんと各地域の研究者が「落ち着いてください。前提となる条件が違います」と諭《さと》していくべきでしょう。

そうした営為の欠如のために、8割削減という名の「擬似ロックダウン」が日本でも採用され、国民の生活を破壊していった。さらには「理系の学者さんは頑張っていたけど、人文系の人たちってなにも言わず、役に立たないね」といった印象さえも残してしまいました。

コロナ怖さで「新自由主義」も容認？

全員というわけではありませんが、平成期以来、メディアやSNSで発言する人文系の有識者には、「〝新自由主義〟を批判すべきだ」というコンセンサスがあります。つまり競争社会である以上、実力のない人間が損をするのは「やむを得ない」といった発想を認めるのは、格差や貧困の正当化につながるからよくない、というわけです。

ところが驚いたことに、今回のコロナショックの下では、彼らはそうした信念すらも無自覚に放棄しました。典型は4月1日に首相が配布を表明した「アベノマスク」への反応です。これがベストな対策か、また配布のタイミングとして妥当だったかという批判は、当然あってしかるべきでしょう。しかし政権の悪口が言えればいいとばかりに、「配布自体が無意味」といった論調で揶揄する人びとには、唖然とさせられました。

当時はまだ、地域によってはマスクの購入が難しい状況が続いており、朝一番でドラッグストアの長蛇《ちょうだ》の列に並ばなければいけない事例が多くありました。足に障害があったり、身体や精神の病気で外出が困難であったりする人にとっては、「自分で買えばいいじゃん」とは言いにくい状態です。

しかし、普段はそうした弱者への配慮を訴える人たちが平然と「政府が配る意味はない。ムダ金だ」と主張する。まさにこれこそ新自由主義ではないですか。

また2000年代の半ば以来、日本の格差社会の断層は、①月給制で安定した収入のある「正規雇用」と、②日給ないし時給で不安定な「非正規雇用」のあいだにあるのだと、繰り返し指摘されてきました。今回採られた自粛政策の下でも、①の人びとは（ボーナスの不支給等はあるでしょうが）即座の減収にはなりません。影響が直撃するのは②の人びと、たとえば飲食店のアルバイトや、個人でそうしたお店を開いている人たちです。

つまり「接触8割減」や「ステイホーム」は、富める者にとっては夜遊びを我慢する程度で済むが、貧しい者は収入源や働く誇りさえも奪われる、きわめて「逆進性」の高い政策でした。それに対して反対はおろか、疑問すら呈しないまま、自宅で楽しく過ごせる動画といったお気楽な情報の提供に甘んじた有識者は、せめて自分こそが〝悪しき新自由主義者〟だったと自覚すべきです。

人文学の再生は「文系学部の解体」から

コロナ禍で露呈した人文系の識者の惨状は、彼らが自信を喪失し「萎縮のスパイラル」に陥った結果でもあると思います。長らく不当なかたちで理科系と比べられ、「実社会で使えない」「お金にならない」と叩かれ続けたために、発信する前から「どうせ〝しょせん文系は……〟と、バカにされて終わりだ」と諦めてしまっている。

そのため、たとえば歴史学者なら「じつは昔も、疫病の流行は色々ありました」といった、世間の関心に〝媚《こ》びた〟話でウケを狙いがちです。しかし、それは余裕がある人向けのトリビアにしかなりませんし、また古い時代ほど衛生環境は悪く、病気の被害は甚大になるので、そうした歴史トークは目下の危機を「誇大視」させる副作用を生んでしまう。こうした結果として、「やっぱり人文系は使えない」という印象が再生産されてゆく。こうした悪循環からは、どうすれば抜けられるのでしょうか。

その国がどのような医療制度や社会階層をもっているか、そうした視点がなければ、コロナ禍でも国際比較は本来できないことを論じてきました。私は有意味な歴史叙述と単なるトリビア語りを分けるのもまた、そうした〝社会〟という領域を描き出す意欲だと考えています。

「ジョンソン首相まで感染するほどコロナはヤバい」といった、個々の患者にのみフォーカスした報道では恐怖心だけが煽られて、英国の〝社会〟が抱える構造的な医療問題が素どおりされてしまった。同じように、日本史上の「立派なお医者さんがいました」的なエピソードを積み重ねても、それはこの国の〝社会〟で、歴史学の存在意義を復権させることにはつながりません。

私自身の体験から振り返ると、こうした「聴き手に媚びることで、かえって自分を無価値な存在にしてしまう」現象は、人文系の学者の多くが普段、他分野とコミュニケーションをとらずに過ごすところからきています。世の中にとって本当に大切なことを、本気で伝えれば、意外にみんな聴いてくれるものなんだ。そういう経験がないから自己肯定感を失い、萎縮してゆくのです。

たとえば拙著『中国化する日本』について経済団体で講演したとき、私としては正直ビビりました。「あなたはただの学者で、経営者じゃないだろう。ビジネスのなにがわかるんだ」と貶《けな》されたらどうしようかと。

しかし、自分が考える日本的経営の歴史上の位置づけを、丁寧に言葉を尽くして話せば、実際には「面白い。われわれの業界の実感ともピッタリだ」と言ってもらえる。そうした体験の積み重ねが、いつしか自信をつくるのです。

こう考えてきたとき、逆説的ながら人文系の学者だけが集まり、しかも哲学・歴史学・文学……といった細かい専攻ごとに分かれた「文系学部」の存在は、もはや当の人文学にとってマイナスだと感じざるを得ません。平成期に流行した〝人文学なんて無意味だから〟文系学部は要らないといった議論には与しませんが、むしろ人文学の本当の価値を理科系や、ロースクール・ビジネススクール的な組織で学ぶ人びとに伝えるためにこそ、積極的に、文系学部は解消してゆくべきでしょう。

すでに述べてきたとおり、危機的な状況下で理科系の研究者が適切なコミュニケーションをとれないことは、破滅的な政策決定を誘発するリスクを伴います。それを防ぐには大学時代にカリキュラムのなかで、将来医師・疫学者・政治家のいずれになる人にも、いまより高度な「言語で正しく伝える技量」を身につけてもらい、かつ自身の専門のみでなく〝社会〟の全体を把握するセンスを養ってゆく必要がある。

アフターコロナの教育改革が「入学時期をずらすか否か」といった小手先のことではなく、そうした深い視野で行われることを強く願っています。

初出=『Ｖｏｉｃｅ』２０２０年８月号（ＰＨＰ研究所）

日本のコロナ対策が〝首尾一貫しない〟本当の理由
――「実体語と空体語」の呪い

2020年8月3日

なぜ政府の対応は「二枚舌」になるのか

欧米諸国に比して軽微な被害にもかかわらず、コロナ〔第一波〕以後の日本社会はいよいよ混沌としてきました。7月下旬の4連休に間に合わせるべく、同月22日から国の観光業支援策である「ＧｏＴｏトラベル」がスタート。しかし一方では連日公表される感染者数の増加〔第二波〕から自粛が呼びかけられ、そのＧｏＴｏも利用者の要《かなめ》である東京都が適用対象外になるなど、ちぐはぐな対応に不満の声が上がっています。

「アクセル（旅行の促進）とブレーキ（在宅の呼びかけ）を同時に踏むようだ」とする批判を、いまやメディアやＳＮＳで目にしない日はありません。しかしそうした矛盾が、安倍晋三首相や小池百合子都知事といった「眼前の政治家」の未熟さに起因するのではなく、日本史上では「ほとんど常にそうだった」伝統をなぞっているのだとしたら、どうでしょうか。――ちょうど半世紀前の時点で、すでにそうした問いを深めた思想家がいたことを、いま懐かしく思い出します。

山本七平

「ユダヤ教徒を装《よそお》って日本人との比較文化論を綴る」という、ややスキャンダラスな著作『日本人とユダヤ人』で評論家の山本七平がデビューしたのは、１９７０年（実際には、山本は無教会派のプロテスタント）。当時は「イザヤ・ベンダサン」なるペンネームを使っていましたが、筆名での第二作となる１９７２年の『日本教について』では、「**実体語と空体語**」という独自の概念を用いて、日本人の思考様式を考察しました。

私と斎藤環さんの共著『心を病んだらいけないの？』でも触れたように、同書は現在品切れながら（ただし山本は往時のベストセラー作家なので、図書館等での閲覧は容易です）、いまも日本社会を把握する上で有効な手がかりを提示しています。とくに第2章にあたる「実体語と空体語のバランス」は、あたかもポストコロナの混乱を予見したかのような知見に満ちています。

憲法と自衛隊をめぐる「二重構造」

１９７０年代初頭は「憲法を暮らしに活かす」ことをうたって、社会党や共産党が地方の首長を輩出した革新自治体の全盛期でした。とりわけ争点になったのは9条でしたが、山本は実際のところ、当時の平均的な国民の意識は「自衛隊は必要だ。だがしかし、自衛隊は憲法違反だといいうる状態も必要だ」といった程度だと指摘します。「自衛隊違憲論」を唱える護憲政党の支持者でも、もはや本気で自衛隊を解消することは望んでいない。必要だとわかってはいるが、しかしそれに納得できない気持ちも表明したいのだ、ということですね。

山本が言うように、「自衛隊の存在自体はやむを得ない。しかし、あくまでもそれは違憲だということを忘れずにいたい」とする主張は、より短く要約すれば「自衛隊は必要だ」と**実質的に同じ**です。でも、だからといってそれだけを言われると、カチンと来る。そうした心性の構造を分析するために、山本は身もふたもない事実（自衛隊は必要だ）を指す「実体語」が、本当は内容的に同一なのだが外見上は対立的な見た目の「空体語」（だがそれは憲法違反なのだ）によって相対化され、つねに両者の**バランスをとる言動**が要請される社会として、日本を捉えようとしました。

こうした目で眼前の状況を眺めると、コロナ禍でも同じ思考様式――山本の命名では「日本教」が生きていることに気づくでしょう。緊急事態宣言下で疲弊し、倒産や廃業の瀬戸際にある業種を救うために、重症者数や死者数を増やさないかぎりで「感染の容認は必要だ」とするのが**実体語**です。しかし、それをはっきり言うと有権者の支持を失うので、政治家は口にできない。
そのため「感染拡大はあってはならない」・「不要不急の外出は避け、最小限にとどめるべき」といった**空体語**でバランスをとることで、民意をつなぎとめようとするのですが、結果として「国策として観光旅行を推奨しつつ、しかし在宅を要請する」という、首尾一貫しない政策が生まれてしまう。その意味で半世紀の時を経て、2回の改元を体験した今でも、山本が見た戦後社会の風景は変わっていません。

問題は「戦後」ゆえではない

『日本教について』は雑誌『諸君!』での連載をまとめたもので、1970年11月の三島事件の考察を序盤のモチーフにしています。三島由紀夫はいわずもがな、軍隊をめぐるこうした「実体語と空体語」の二重構造にがまんがならず、それを戦後体制の欺瞞だと告発して命を絶ちました。市ヶ谷駐屯地で「自衛隊が血と涙で待った憲法改正ってものの機会はないんだよ!」と叫ぶ最期の演説の動画を、目にしたことがある人も多いでしょう。
しかし山本七平の日本論のすごみは、同じものを「戦後」という時代の特殊性として捉えるのではなく、より深い歴史の文脈に根ざす**日本の伝統**だと考えた点です。いわく、

「三島由紀夫氏のあやまりは、今のような状態は戦後の日本のみのことであって、昔はそうでなかったと考えたことでした」。たとえばとして示す例は、明治維新であり敗戦です。幕末に攘夷を唱えた大名や藩士には今日でいうインテリが多く、本気で列強に勝てると考えたとは思われない。むしろ「開国はやむを得ない。しかし、あくまでもそれは不当だと叫ぶ営為も忘れてはならない」という思考様式が、そこでは働いたのではないか。同じものが太平洋戦争の末期に作動すると、「降伏はやむを得ない。しかし、あくまでも神州不滅・国体護持であらねばならない」となり、いたずらに犠牲を増やしたのではないか。――徴兵されフィリピン戦線で自軍の壊滅を見た山本は、そのように考察しました（詳しくは拙著『歴史がおわるまえに』を参照）。

興味深いのは山本がさらに筆を進めて、山県大弐《やまがただいに》という江戸中期の儒学者の処刑（1767年）に、三島の自決の先駆を見ていることです。山県は儒教思想に基づき、著作で「実権のない名目的君主」（＝天皇）と「名目的には君主でなくても、実際には君主であるもの」（＝将軍）が並立する徳川レジームに疑問を呈し、そうしたあり方は倫理を堕落させると論じました。

それが当時の幕藩体制に許されず命を奪われたのは、「憲法上は戦力ではない軍隊」と「しかし事実上は戦力であるもの」という戦後の二枚舌を告発した三島が憤死したのと、同じだというわけですね。

専門家会議という「令外官《りょうげのかん》」

今日の視点でふり返るとこの挿話は、日本社会における空体語と実体語の二重構造が、単に「タテマエとホンネ」のような言論上の表れ方のみでなく、しばしば**政治的な意思決定の機構**ともかかわっていることを示唆しています。

山本自身も多くの史論で述べていますが、日本史上ではしばしば幕府のような「厳密に考えると根拠があいまいで、むしろ従前の法秩序（たとえば律令）に違反するかにも見える組織が、なぜか事実上の政権を担う体制」が、長期にわたって続く。

私が日本中世史家の東島《ひがしじま》誠氏との共著『日本の起源』で用いた比喩で言えば、いわば「令外官」こそが実質的な政策決定を行い、名目上の正式な政府部門よりも力を持ってしまう現象ですが、近日のコロナ禍ではやはり「専門家会議」なる**令外官**がにわかに設置されて、緊急事態宣言の発令をはじめとする決定を事実上主導しました。

存分に実権を振るった後になって、「決めるのはあくまでも政府だから、結果に責任を負うのは私たちではない」などと弁明するメンバーもいましたが、真に受けるお人好しの日本人はまずいません。そして同会議が法的な根拠のある形に改組された後も、ＧｏＴｏ

騒動が可視化したように「国の官邸」と「地方自治体の長」とが、たがいに「私は名目上の責任者にすぎず、実権＝真の責任は向こうにある」と言い争う状態は続いています。

そうした統治機構上の宿痾《しゅくあ》は、実は深いところで、この国が長年かけて形作ってきた私たち自身の思考や言動の様式とつながっている。山本はそれを日本教と名づけましたが、問題性を強調するならむしろ「**日本病**」と呼ぶべきかもしれません。

コロナで世界中が「日本病」に感染？

山本七平が人気評論家になり、比較文化論が流行した1970年代初頭は、高度経済成長がピークアウトする時期でした。もう「貧しい途上国だからしかたない」では割り切れないが、自分たちがそのまま世界で通用する自信もまだ持てない。そうした不安を背景に書かれたために、その筆致に「日本特殊論」の色彩が濃いことは事実でしょう。

しかしこの春の世界的なコロナパニックが示したのは、意外に他の先進国にも「日本的」な側面があることでした。実体語と空体語の乖離《かいり》をゼロにするなら、政府が「あえて感染を容認する」と明言するいわゆる集団免疫戦略になりますが、当初そう表明したイギリスとオランダは民意の反発を浴びて、方針を修正。近い路線を採り（高齢者を防護しつつ）ロックダウンを回避したスウェーデンの実績についても、現状では賛否が分かれ、評価が定まるには時間がかかるものと思われます。

パンデミックに対する国際協力の必要性が力説される昨今ですが、そのためには私たちが「共通に向きあう課題」を設定することが不可欠です。欧米とアジアでは死亡率がまったく違うので、「新型ウィルスの怖さ」は、実は世界に共通ではありません。むしろ危機に直面した際の**コミュニケーションの困難**こそが、あらゆる国の誰もがつねに抱える問題であり、そのためにこそ理科系や医学の専門家ではなく、人文系の有識者の知見が求められています。

問われる「大学の自治」の真贋

ご存じのとおり、日本のコロナ第一波での彼らの実績は、惨憺《さんたん》たるものでした。大学への休校要請や、(国民が政府の対応の妥当性を検証する際にも不可欠となる)図書館の封鎖にも異議を唱えず、「いかなる学生も見捨てない遠隔講義をめざします」といった誰からも批判の来ない美辞麗句を、オンラインで発信してお茶を濁す。しかし、そうした発言が「実体語と空体語」のどちらだったのか、問われるときは刻々と近づいています。

夏季休暇の明ける秋以降、各大学は教室での授業を再開するのか、あくまで遠隔講義を続けるのかの選択を迫られます。政治家(たとえば文科相)が「俺が全責任を負うから、こちらにしろ」と命令してくれれば楽でしょうが、おそらくそうしたことは起きず、「大学の自治」がある以上は、教育委員会に判断を丸投げするわけにもいきません。

もし登校を再開するなら、「自分は感染が怖い。出席したくない」という学生の声は必ず上がり、免疫が弱まる既往症を持っているなどの深刻なケースも当然ありえます。

一方でオンラインでの教育を続けるなら、「これなら通信制の大学と同じだ。不当に高い授業料をとられているのだから、返してほしい」とする、やはり当然のクレイムにきちんと対応しなければならない。ウィズコロナだ、ニューノーマルだと「それっぽい」キャッチコピーを振り回すコンサル業者は、そうした本物の難題を解決してはくれません。

「言葉」こそが真の課題

コロナへの対応をめぐる混乱は、海外のどこかに「模範とすべき国」があり、そこから最先端の用語や思考法を輸入すればよいとする発想の不毛さを明らかにしました。むしろ私たちはそうしたコピー&ペーストではない、自分自身の文脈に則して、空転しない形で**言葉による秩序**を築いてゆくことこそを、共通の目標としなくてはならない。

それは「脱イデオロギーの時代」――アメリカの自由主義なりソ連の社会主義なりを手本として、単に見習えばよいとはもはや言えなくなる時節だった1970年代に、山本七平が説き続けたところでもありました。私の好きな77年のエッセイ「思考人間のすすめ」(†3)から、ポストコロナの「本当の課題」をも指し示す文章を引いて、この稿を結びます。

イエスであれマルクスであれ、その予言が的中したか否かは、実は問題ではないのである。問題とすべきは、彼らが常に「言葉によって未来を構成し、その構成された未来に生きつつ、いまの現実に対処して生きて来た」というその点なのである。これができるのは人間であり、動物にはそれができず、人間の進歩とは、実はこの能力すなわち「言葉で未来が構成でき」それで現実に対処できるという能力にだけ由来している。

初出=現代ビジネス(講談社)

†3 『山本七平ライブラリー11 これからの日本人』(文藝春秋)所収。初出は『正論』77年2月号。

歴史なき時代 16　刺さり続ける三島の檄文

2020年8月6日

50年前の三島由紀夫の失敗は、バルコニーで演説してしまったことだ。あまりに印象的な映像が拡散しすぎて、彼が伝えたかった内容は意外に知られていない。いわば三島は自分の身体を国民の記憶に刻んだ代償に、言葉を失ったのだ。

そのときに撒布《さんぷ》するも、ほぼ真面目に読まれなかった檄文《げきぶん》を読みなおすと、なぜそもそも1970年に決起したのかが痛切に綴られている。2年後に沖縄が還ってくれば、いまの日本が戦争に敗れた後の、十全ではない状態にある事実をきっとみんな忘れ去る。それが彼を焦らせた。

もうひとつの理由は、檄では「核停条約」と記される核不拡散条約（NPT）だ。70年2月に署名した日本政府が、6年以上も批准《ひじゅん》を引き延ばしたように、これは日本が核武装の選択肢を封印する決定的な一歩だった。なぜ戦前の海軍軍縮条約のように自衛隊は抗議しないのか、このままでは「アメリカの傭兵」になると、三島は訴えている。

目下の安倍政権に「現代の三島由紀夫」を見出して、持ち上げたり批判したりする向きがあるが、歴史を忘れるのも大概にしてもらいたい。安倍氏に核武装の意思はなく、よくも悪くも自衛隊の「傭兵度」を高めているだけで、そのためなら沖縄が事実上の「治外法権」になるのも厭わない。

しかしそれでよいのか。半世紀前の文士の告発は、永遠に私たちの国へと刺さり続ける。

初出＝『朝日新聞』

歴史なき時代 17 宿命や必然と別れて

2020年8月20日

繰り返し読むたびに新たな発見がある本を、古典と呼ぶ。P・D・ジェイムズの小説『皮膚の下の頭蓋骨《ずがいこつ》』（1982年）が、自分にとってはその1冊であることに、先日気づいた。

内容自体は孤島の屋敷で殺人が起きる、定番の英国ミステリーだ。しかしその背後には「歴史以降《ポストヒストリー》の社会」が、動き出す様が見える。

作中の容疑者たちは、所有する古城を念入りに手入れしたり、第2次大戦の栄光を追い求めて右翼結社を作ったりして、「過去」に拘束されながら生きている。だが他人の眼から見ると、それはどこか病的なこだわりにしか映らず、だからこそ疑いを招いてしまう。

歴史劇めいた重厚な設定と文体に反して、最後にわかる事件の引き鉄《ひがね》は驚くほど小さな「偶然」だ。どれほど過去とのつながりに忠節を尽くそうとも、現実はそれを嘲笑するように進む。サッチャー首相による「慣行を破棄する保守政治」が始まる前後の時代を舞台にしていることも、より一層その寂寞《せきばく》感を引き立てる。

1950年の金閣寺放火の経緯は、のちに世界的な文学作品へと昇華された。しかし2019年のノートルダム寺院や首里城の焼失は失火と推測され、宿命と必然のドラマは生まれそうにない。

主人公の女探偵は終幕、犯人とは異なり歴史に「囚《とら》われない」ことを倫理にすると決めて、島を出る。その非力だが確信に満ち、喪失と裏腹の崇高さに、希望が宿っている。

初出＝『朝日新聞』

第5章

［時評Ⅲ］

そして新たな危機へ

——菅義偉政権考

2021年1月、2度目の緊急事態宣言を発する菅首相。右は尾身茂・新型コロナウイルス感染症対策分科会長

現状追認という保守化

2020年9月14日配信

安倍晋三首相の辞意表明後の世論調査で、菅義偉さんへの支持が一気に広がりました。首相に「ふさわしい人」を尋ねられた有権者が、なぜか「なりそうな人」を答えるムードがある。これは右傾化とは違う、根源的な意味での保守化でしょう。

世の中は基本的にうまくいっている。だから私たちがすべきは違和を唱えることよりも、適応して慣れることだ――。そうした現状追認の果てに、自分の希望を答えるべき設問でさえ「でも実際には菅さんだから」と答えてしまう。矛盾や困難を抱えた社会を変えていこうという感覚が消え、事実上の「安倍延長政権」が生まれようとしている。

そんな時代に日本人が首相に求めるのは〝純粋さ〟のようです。安倍首相は病気を告白し「無念だ」と述べて支持率を上げた。汚《よご》れ役を担ってきたはずの菅さんも、純朴な地方の青年が一念発起し政治を志したとする物語を掲げる。野党や世論も「純粋か不純か」ばかりを問い、不祥事をたたく形の批判しかできていない。

剛腕とされる菅さんの怖さは、政策の方向性が「のっぺらぼう」なことでしょう。業績に挙がる「ふるさと納税」は、都市と地方の競争を緩和するはずが、むしろ自治体間での返礼品競争を加速させた。キャッチフレーズの「自助・共助・公助、そして絆《きずな》」も、自立を求めるのか助け合いを促すのか、真意が分からない。

菅さんが目指す国家像が何か、メディアや野党がはっきりさせないと支持者だって困る。それがまずなされるべきです。

初出＝『共同通信』

自民党の新総裁に選ばれた菅義偉官房長官（右）から安倍晋三首相に花束が渡された
（2020年9月14日）

中抜きの宰相? 政治家・菅義偉考

2020年12月16日

「この部屋には菅、小此木《おこのぎ》ら若手が集い、ベテラン組とは一線を画し、初めて中核となって臨む総裁選に活気が溢れていた。が、部屋に選対には必須のコピー機もまだなく、やはり態勢づくりは大きく遅れていた。彼らも内心不安だったのだろう、菅が「勝てますよね……」と語り掛けてきた（※1）」

——田崎史郎『梶山静六《せいろく》 死に顔に笑みをたたえて』

安倍晋三氏との対照

トップにだけは立たない人だと思っていた。そう感じている有権者も少なくないだろう。歴代最長政権となった安倍晋三内閣の後を襲った菅義偉首相がそう見られる理由は、直前まで一貫して官房長官を務めたように、忠臣としてボスを「支える、担ぐ」側の政治家と目されてきたからだ。しかし1996年に国政で初当選を飾った菅氏の軌跡を追うと、もうひとつの「トップに立たなそうな」彼の相貌《そうぼう》が見えてくる。

栄華を極める今日の姿に反して、菅氏はある時期まで、自民党の中では「負け組」の側につく政治家だった。

98年の自民党総裁選では小渕恵三の圧勝が確実視される中、派閥横断型で出馬した梶山静六を支援。2000年の「加藤の乱」でも本会議を欠席し、最後まで加藤紘一の側に残っている（ただし、敗北後に加藤と決別）。2012年に安倍晋三を再登板へと担ぎ出した総裁選でも、当初本命と目されたのは石原伸晃《のぶてる》や石破《いしば》茂で、第一次内閣投げ出しの悪印象が残る安倍は「第三の候補」に過ぎなかった。

時代が時代なら、自民党でも異端の「ちょっとおかしな議員」で終わったかもしれない政治家。そんな菅氏を一転、党内の主流派へと導いたのは、2001〜06年の小泉純一郎政権だった。港湾行政の知見を活かして安倍氏に北朝鮮による拉致《らち》問題への対応策を進言し、側近となった挿話は広く知られる。その安倍（第一次政権）によって総務相に抜擢されると、06年秋にはNHKに拉致問題を重点報道するよう法的に「命令」し、強面《こわもて》のナショナリストという評判を確立した。

だが、「タカ派の二人三脚」で歩いてきたかに見える安倍晋三氏と菅氏とには、むしろ

※1　田崎史郎『梶山静六　死に顔に笑みをたたえて』講談社、2004年、555―556頁。

正反対とすら言い得る相違点もある。

保守派のプリンスと呼ばれる家系に生まれた安倍氏は、地域ごと・業種ごとの「中間集団」のぶ厚い蓄積の上に党の総裁（＝国の総理）が担がれる、昭和期の安定した自民党への郷愁を色濃く感じさせた。どこまで本気かわからぬ「瑞穂《みずほ》の国の資本主義」のスローガンや、映画『ＡＬＷＡＹＳ　三丁目の夕日』への素朴な傾倒ぶりは批判者に嘲笑されたが（※2）、しかし野党の側が率先して「昭和の社会党」路線に走る幸運にも助けられて、第二次安倍政権は擬似的な55年体制の再現となった。

一方、安倍氏と出会う前に菅氏が担いできた政治家は、そうした「生温《ぬる》い」環境の打破をうたう人びとだった。

1998年７月23日、自民党総裁選で、立会演説に臨む（左から）梶山静六前官房長官、小泉純一郎厚相、小渕恵三外相（肩書は当時）

１９９８年、本来なら泡沫に終わるはずの梶山静六の総裁選出馬が注目されたのは、前年にアジア通貨危機が国内金融機関にも波及し、バブル崩壊後の不景気が恐慌へと転化しつつあったためだ。「銀行任せ」の従来の日本型資本主義では対処不能と考えた梶山は、国（政府）が前面に出て必要な資金供給を行う大胆な危機対応を主張していた。加藤紘一も本来は（後の小泉路線の先駆とも言える）新自由主義的な「小さな政府」と、しがらみの打破とを掲げて、旧田中派の覇権に挑んだ政治家である（※3）。

「大企業―下請け」や「大手銀行―地銀」のように系列化された産業組織と、それを伝わるお金の流れとがあり、これらがおおむね保守系の業界団体や地方政界のネゴシエーションと組み合わさって、市民の目には国家の役割がなかなか見えないのが戦後日本社会の特徴だ。よく言えば、個人を包摂し「居場所」を提供する中間集団が豊富で、国家と自分とをベタに直結するナショナリズムの暴発が起きにくい。しかし悪く言えば、どこで誰が何を決めているのかが不分明で、政治的な責任の所在もはっきりせず、国家が国民のために機能しているという実感がない。

菅氏の父親は敗戦後にイチゴ生産で財をなした富農で、地元（秋田県雄勝町・現在は湯沢市）で町議も務めた。「自助」で出郷し法政大学を卒業した菅氏も、国政出馬の前に横浜

※2　安倍晋三『新しい国へ　美しい国へ 完全版』文春新書、2013年、245―246・221―223頁。
※3　中北浩爾『自民党政治の変容』NHKブックス、2014年、174―176・195頁

市議として活躍したことで知られる。だがそうした履歴が「地方の苦労を知る人」「叩き上げて総理に」のように報じられるのは、どこか違和感がある。

菅氏にはむしろ、そうした無数の「叩き上げ」たちが差配する不透明な中間集団の世界に対する、嫌悪感があるのではないか。そうでなければ、総裁選の最中から「地銀再編」を口にして、スガショックとまで報道される事態は、説明がつかないように思う。

竹中平蔵氏との共鳴

こうした視点で眺めたとき、安倍晋三氏以上に菅氏と重なって見えてくる人物がいる。いまも親しい関係とされる、経済学者の竹中平蔵氏である。

一般には、2005年の郵政民営化選挙を経た小泉政権の最末期に、竹中総務大臣・菅副大臣でコンビを組んだことが、今日につながる親交の起点とされる。しかし二人の歩みをふり返ると、潜在的には両者に共鳴する要素が、かねてあったように思えてくる。

忘れられた事実だが、平成の序盤に論壇に登場したころの竹中氏は、公共事業による内需拡大を唱える「大きな政府派」だった。1990年、バブルの余波による土地の高騰が問題になっていた時期には、「土地価格の高騰にたいしては、宅地の供給を増やし土地利用の効率化を進めるために、資産税を引き上げることが必要である」にもかかわらず、日本では逆に「都区内に中規模の一戸建てを保有していても、標準的ケースでは相続税がゼロになるような措置が取られている」ことを強く批判していた（※4）。はじめから資産を持ち一等地に家まで建てている旧中間層（＝土地持ち）を甘やかす古い自民党の政策が、土地資源の適正な配分を妨げ、経済成長の癌《がん》になっているという認識である。

これを打破する手段として当時の竹中氏が期待したのは、交通インフラに代表される公共資本の再整備を、国の財政が主導して進めることだった。そのためには「合理的な増税プラン（及びその背景となるトータルな経済ビジョン）を示し、これに対し国民が〝YES〟と応えるような政治環境」が必要だというのが、同じ論考の結論である。

周知のとおり、竹中氏は2001年から小泉政権に入閣し、市場原理主義と謗《そし》られるほどにまで国の財政支出を削ろうとする「小さな政府派」となってゆく。しかし見方を変えれば、もともと「自助」抜きで恵まれた社会的条件を得ている――しばしば地域や業界の中間集団でも核をなす――古い保守層につながる金脈を断ち切り、彼らが水面下で振るってきた権勢を削ぐという目的では、首尾一貫しているとも言えよう。

※4　竹中平蔵「日米経済を揺るがす「市場の逆襲」」『中央公論』1990年11月号、155―156・159頁。

竹中氏の目標は、これまで不透明な形で実権を握ってきた見えざる支配階層を「中抜き」することであり、大きな政府か小さな政府かは、取り換え可能な手段に過ぎない。そう考えれば、菅政権発足時に唐突に提唱してメディアを騒がせた、「社会保障を月7万円のベーシックインカム（BI）で置きかえる」構想にも納得がいく。政府（＝公式の権力）が直接、個人あてに現金を給付するなら、これまで競争規制や補助金の裁量――「共助」の差配を通じて非公式に行使されてきた、中間集団の権力の源泉は涸渇《こかつ》するからである。

「竹中批判」のノンフィクションとして高い評価を得た佐々木実氏の『市場と権力』（原著は2013年）は、「〔生まれ育った地元の〕商店街がひとつのコミュニティーなんですが、向かい側の三和銀行・南和歌山支店だけは別世界だった」とする竹中氏自身の回想（『週刊文春』2007年8月2日号）を引きつつ、匿名の政界関係者による「彼は徹底した合理主義者と見られているけれども、実際には不合理なところがありますよ」という証言を記している（※5）。そうした経済合理性とは別次元の情念こそが、前のめりに地銀再編を打ちだす菅首相とも響きあっているのではないか。事実、菅氏の政治家デビューとなる1987年の横浜市議選もまた、地元の有力階層に挑むかのように、よそ者の「地方出身者」としての出自を強調しての勝利だった（※6）。

なお竹中氏自身は、BI論争をめぐる取材に「菅総理は、特定のブレーンを持たない方」と答えて密接な関係を否定し、BIも「そんな簡単には、菅さんのときにはできないでしょう」と明言した（※7）。私自身も、菅氏がBI導入を掲げて総選挙に打って出るといった事態は、想定しがたいと考える。

むしろ「新自由主義の権化《ごんげ》」の印象がある竹中氏にアドバルーンを上げてもらえれば、世論はおのずとBIに対して慎重になる。そうした空気を背景に「社会保障の改革は、遅いのではありません。民意を汲みながら進めているのです」というポーズで、既存の制度を前提にすることへの支持を調達する。仮に菅首相と竹中氏のあいだに黙契があるとしても、おそらくはそうした「保守政治の知恵」のような形だろうと思われる。

コンサル政治を脱却できるか

菅氏の政治家としての体質が、竹中平蔵氏とも重なる「中抜き」への志向にあるとする

※5　佐々木実『竹中平蔵 市場と権力 「改革」に憑かれた経済学者の肖像』講談社文庫、2020年、229—231頁。
※6　菅義偉『政治家の覚悟』文春新書、2020年、7—8頁。
※7　「竹中平蔵氏に、もう一度ベーシックインカムを聞こう」J-CASTニュース、2020年10月10日。

と、見えやすくなるのが大阪維新の会への好意的な姿勢だ。これまた端緒としては、創設者である橋下徹氏の大阪府知事当選時（2008年、当初は自民推薦）に、菅氏が自民党で選挙対策を担っていたことから来る偶然である（※8）。しかし積極的なテレビ露出に加えてツイッターをフル活用し、各種の支持団体（とくに自民系の府議・市議）を丸ごと中抜きして有権者と直《じか》につながる橋下流の手法が、菅氏の琴線に触れても不思議ではない。

もっとも菅氏自身は政治家としても遅咲きで、橋下氏のように軽妙な「タレント活動」を自らこなすのは無理がある。だから金融危機後の政策提言で知られた梶山静六、自民党改革派のホープだった加藤紘一、北朝鮮への強硬姿勢で名を上げた安倍晋三と、すでに「顔が売れて」民意の好感度が高い政治家を支えてきた（※9）。この点は（あまり指摘されないが）、むしろ自民党を離れて同じ振る舞いを続けた、小沢一郎氏と相似する面もある。

もっとも、こうした軍師・参謀型のポジションには独自の困難がある。まさにそうした本人の立ち位置こそが、仕える主君（たとえば安倍晋三）と支持者とのあいだの「夾雑物《きょうざつぶつ》」に他ならないことだ。一般国民の目線から見れば、自分自身こそが中抜きされるべき場所に身を置いてしまうわけである。

安倍前首相が重用した政治家は菅氏のみではなく、後継の本命も岸田文雄氏だったとされる。菅氏は岸田氏を「押しのける」形で首相となり、「官邸官僚」と呼ばれてきた経産省系の安倍ブレーンも即座に更迭《こうてつ》した。真に「中抜き」されるべきは、かつての安倍側近の中でも自分ではなく、無能な彼らだ——。どこか、そうした殺伐さを漂わせる人事だった。

むろん国民にとって重要なのは、参謀どうしの寵愛争いではなく、結果として実現する政策だ。「担がれ上手」でお友達に寛大な分、むやみと軽薄な名前の会議体を乱立させてはコンサルの売り込みにつきあってきた安倍官邸のあり方が、この際スリム化されるなら、それ自体は歓迎すべきことだと思う。

もっとも然る後に、菅首相自身が登用するブレーンが怪しげでは、問題は変わらない。具体的な名指しは控えるが、率直に言って不安を感じる顔ぶれも混じるし、なにより菅氏が深くかかわった「ふるさと納税」や各種の「GoTo事業」にも、同種のほころびが徐々に指摘され始めている。

これらの事業はいずれも、国民を新制度の「ユーザー」とみなして、彼ら自身に税金や補助金の「送付先」を選択させる点に特色がある。それは確かに、従来型のロビイング団

※8　後藤謙次『ドキュメント平成政治史3　幻滅の政権交代』岩波書店、2014年、112頁。
※9　なお民主党政権下の野党時代、菅は安倍再登板に向けた「つなぎ」として、当時人気の高かった舛添《ますぞえ》要一の総裁擁立も企図したという（同書、521頁）。

体を中抜きする新しい手法ではあるのだが、その分窓口となる「プラットフォーム」を担う企業体――納税サイトや旅行代理店、グルメ予約サービスなど――による、巨大な鞘《さや》取りを可能にしている面も否定できない。適切な点検と見直しがなければ、菅政治は再分配の「中抜き」を目指しつつも、実際には中間搾取をより「不可視化」しただけだったとの審判が下る日が来ないとも限らない。

よく知られるように、菅氏は初めて自分の意思で総裁選に担ぎ出した梶山静六を、亡きいまも師と仰ぐ。本人の回想によれば、官僚を「中抜き」して直接ブレーンの話を聞くことの大切さを菅氏に教えたのも、梶山だった（※10）。

しかし一方でその梶山は1988年、竹下登内閣の自治相として（今日ではバラマキだったとも批判される）ふるさと創生1億円事業を指揮した際、使途を国が指定せず完全に市町村側に委ねる理由として、「画一的な、それぞれ〔の自治体〕がコンサルタントなどに頼んで、東京から眺めたような村おこしの計画をつくられることの方が心配だ」と答弁している（※11）。

担いだ神輿の意向に反して、ついに自ら頂点に立った元・参謀が、さすがは実力派の政権だったと後に回顧される功績を残すのか。それとも策士が策に溺れるように、中抜きを標榜する裏面で都合よくニュータイプの仲介者――知恵袋を自称する取りまきに蚕食《さんしょく》され、彼らを肥やすだけのピエロに終わるのか。
梶山は総裁選での自身の必敗を見越して「梶山静六に梶山静六はいない」（＝本人自身が軍師役だった分、頼れる懐《ふところ》刀がいない）と述べたそうだが（※12）、「菅義偉に菅義偉はいない」ことの孤独に、首相本人がはたして堪え得るのかどうか。国民はその一点こそをいま、刮目《かつもく》して見てゆかねばならない。

初出＝『表現者クライテリオン』２０２１年１月号（啓文社書房）

※10　菅、前掲書、25―26頁。
※11　田崎、前掲書、１６４―１６５頁。
※12　同書、５５３頁。

迷惑かけあえる個人主義に

2020年10月9日

なぜ新型コロナの感染者を責めてしまうのか。一般的なイメージには反しますが、現在の日本が世界でもまれな「個人主義の国」であることが一因だと思います。

日本では、同調圧力を恐れず自分の意見を堂々と唱えるといった、ポジティヴな意味での個人主義は乏しいですよね。しかしそうした「正の個人主義」が弱い裏面で、実は「負の個人主義」は猛烈に強いんです。

「おれはおまえとは別の存在だから、触るな、不快な思いをさせるな」というのが負の個人主義です。自分と相手を包む「われわれ」の意識がない。「自己」が指す範囲を、個体ごとに分割し、「混じるな」と間に線を引く。

多くの飲食店が今、透明なアクリル板で客席を分けていますね。しかし日本人はコロナ以前から、自分と他人の心を擬似的なアクリル板で区切ってきた。「不快な気持ちにさせただけで、相手の領域への侵犯であり、アウト」。そうした発想が定着して久しい。

歴史家の渡辺京二さんの著書『逝《ゆ》きし世の面影』に、「心の垣根《かきね》」という絶妙な比喩があります。近代的な個人概念に出会う前、つまり江戸時代までの日本人は垣根が低かった。宿場や飯屋では初対面の人と一緒に飲食して楽しむし、幕末に外国人が来訪しても、恐れずに近寄って日本語で話しかけちゃう。他者への遠慮を知らない子供のような、イノセントな状態が最初にあったわけです。

ところが近代化の過程で、日本人は「過学習《か》」をしてしまい、心の垣根をゼロからマックスまで上げちゃったんですね。直近の契機として重視すべきなのは、僕の観点では戦後の高度経済成長に伴う都市化、そして平成のIT化です。

渡辺京二

高度成長以前の日本は、圧倒的な農村社会でした。「村八分」が恐れられたのは、周囲の家と手伝いあって、順繰りにお互いの田んぼで共同作業をしあわないと、そもそも人手が足りないからです。菅義偉首相風に言えば「共助」ですが、そうしないと個々の生業も成立しえないほど過酷だった。

やっぱり、それは疲れることなんです。だから若き日の菅さん始め、多くの人が「自助」で村を出て都市をめざした。結果として「もう周囲に気遣《づか》いしないし、されなくていいんだ！」という感覚こそが、自立した人間の条件だと思い込んだのでしょうね。

平成の後半、誰もがSNSを使う過剰接続の風潮が、さらに「自己」の範囲を狭くします。ITの力で広範な人々と交流できる分、前提を共有せず、無礼で攻撃的な人と出くわすリスクも高まった。「それはさすがに対話不能でしょう」として、各種のSNSにブロック機能が整備されたのが分水嶺《ぶんすいれい》でした。バーチャルな形で垣根を作って、「不快な人」とは初めから出会わない環境に慣れていった。

そうした社会では、相互に「迷惑をかけないこと」だけが絶対の規範になります。コロナの感染者に罪はなくても「うつされたら迷惑だから」と排除される。個人主義の負の側面だけが残ってしまった。

僕がうつ状態のとき、病気の患者同士で話しあった際の忘れられない出来事があります。若い患者さんが「自分は周りに迷惑をかけてばかり。いないほうがいいんだ」と言う。僕は「君から迷惑をかけられたことなんて、ないよ」と励ましたけど、別の患者さんは「迷惑かけていいんだよ。迷惑かけない人なんていないから」と言った。そのとき、ああ、自分はわかっていなかったと。本当の問題はどこにあったのか、初めて教わったと思いました。

迷惑を減らすのではなく、「迷惑をかけあえる関係」を築くことの先に、初めて正の個人主義が見えてくる。共助という言葉で美化するより、マイナスも込みで他者を受け入れ、心の垣根を下げてゆくことが大事だと思います。

（聞き手・中島鉄郎）

初出＝『朝日新聞』「耕論」

「元・学者」が日本学術会議騒動に抱いた大いなる違和感
――平成の諸学界の総括こそ必要だ

2020年10月9日

日本学術会議という、平素は話題に上ることすら乏しい組織が珍しく注目されている。同会議が新たな会員（規定にのっとり全体の半数を改選）として推薦したメンバーのうち、6名が任命されなかったからだ。

法律上、任命権者は内閣総理大臣と定められているので、菅義偉首相が「任命することを拒んだ」形である。6名のうちに加藤陽子氏（歴史学）・宇野重規氏（政治思想）という、幅広い媒体でオピニオン欄・書評欄の常連を務める「著名研究者」が入っていたことも、問題を激化させているようだ。

官邸は任命拒否の理由を明らかにしていないが、6名全員が安全保障法制ないし共謀罪に反対し、「学者の会」を組織して活動していたため、それが理由だと目されている（違うというのであれば、官邸側が反論すべきだ）。これが火をつけたのか、平素は眼前の政治には我関《われかん》せずという姿勢の研究者や大学教員たちまで声を上げ、ネット上ではかなりの規模の騒動となった。

私自身、今回の任命拒否が好ましいことだとは思っていない。しかし、政権による任命拒否を声高に非難する「学者」たちの議論の進め方については、より一層深い疑問を感じる。

「学問の自由」とは無関係

たとえば非常に目立ったのは、とくに加藤・宇野の両氏の業績（著作など）をにわかに持ち上げて、「これほど識見ある学者を任命しないのはおかしい」という論法だった。しかし、これは奇妙である。

こうした批判をする以上は、自身の主張と表裏一体のものとして、「識見のない学者なら、任命拒否もやむを得ない」とする前提を受けいれなければならない。その場合は当然、学術会議会員候補の見識の有無を、任命権者である総理大臣が判断してよいということになる。かつてのソ連ではスターリン首相が、誰が「正しい学説を打ち立てた優れた学者」であるのかを全部決めたが、彼らは日本をそうした国にしたいのだろうか。

「総理大臣による任命は純粋に形式的なものであり、実質的な（＝業績等に照らした任命の当否の）判断に政治家が踏み込むのはよくない」とする立場をとるなら、最後までそれで一貫しなければおかしい。業績の多寡やその内容にかかわらず、極論すれば「なんの見識もなく、学界での人脈に強い」だけの候補者であっても、学術会議の推薦に従って任命されるのが当然との原則に立つべきだ。取ってつけたように加藤・宇野両氏が「いかに優れた学者か」を持ち出すのは、議論の進め方として不公正であり、本人にも失礼だろう。

同様の理由で、「学問の自由」がこの間、振りまわされたことにも違和感を持った。そもそも日本学術会議とは、会員210名の少人数の団体であり、そこに所属しなければ「研究ができない」「不利益を被る」といった性格の組織ではまったくない。

会議として声明や指針を取りまとめ、政府や社会に提言することはあるが、法的な拘束力や遵守《じゅんしゅ》する義務はない。私自身、7年ほど公立大学の准教授として勤務したことがあるが、研究の遂行にあたってこの会議の存在を意識したことは一度もなかったし、多くの学者が同様だと思う。

むろん誰でも入会可能な民間の学会ではなく、首相から任命されて会員となる「政府の組織」である点に、一定の権威を感じる人はいるのだろう。しかし、根本的な「目指すべき国のかたち」——たとえば安保法制に基づき集団的自衛権を行使する日本——のレベルで、目下の政権と見解を異《こと》にする学者が、その政府の組織に加入することを名誉に感じるとしたら、それは自家撞着《どうちゃく》である。

今回任命を拒否された6名はおそらく、そうした矛盾した人びとではないように思う。

周囲が勝手なおせっかいを焼いて、彼らにも学術会議の会員という「権威」や「名誉」を与えよと要求するのは、奇異であり非礼なことだ。

むしろ真に「学問の自由」と関わるのは、こうしたマイナーな政府機関の人事ではなく、各学界での「研究の潮流」である。たとえば平成の半ばからずっと、政治学・日本政治史の分野ではオーラルヒストリーが流行しており、引退後の政治家（多くは保守系）や大物官僚への聞き取りの成果を叙述に組み込むと、著作の評価が上がるといった現象がみられる。各種の「学術賞」も獲りやすくなり、それは当然、得られる大学のポストにも反映する。

しかしたとえば安倍晋三や菅義偉のような前・現首相に、将来「聞き取り」したければ、研究者は論壇等での「政権批判」を控えておかざるを得ない。結果として、政権を動かす人びとに忖度（ないし協力）する学者のほうが、業績を上げるうえで有利になるなら、それはボディブローのように「学問の自由」をすり減らしてゆくだろう。

学問の自由を毀損《きそん》するのは、政治家のような「外部」からの一方的な圧力とは限らない。むしろ研究者自身の怯懦や認識不足によって、「内部」から自由が失われてゆく危険は常にある。後者に対してなんの声も上げてこなかった――時としてむしろ同調してきた者が、前者に対してだけ声高に叫ぶのは、学者のあり方として不誠実だと思えてならない。

学者たちは「族議員」になったのか

少数だが指摘する識者が散見されたように、「菅首相による任命拒否」の真の問題点は、学問の自由とは別のところにある。すなわち、長年にわたり「形式上の任命権者」とされてきた行政の長が、(今回は日本学術会議の)推薦を拒否して実質的な人事の判断を下すことは妥当なのか。妥当な場合もあるとするなら、その範囲はどこまでか、という問題である。

読者の便宜のためにあえて極端な例を出せば、日本国憲法下では国会の指名に基づき天皇が総理大臣を任命するが(6条)、これを「国会の指名する候補が不適当だと考えられる場合は、天皇自身の判断で任命を拒否できる」と解釈する人は誰もいない。それでは形式的な任命権者が総理大臣の場合は、どこまでを本人が判断できるものと見なすべきか。そのように考えれば、今回の件が学者に限られた問題ではないことがわかる。

各紙の調査報道により、2016年の安倍政権時にも、官邸側が日本学術会議による会員補充の打診に対して候補者の差し替えを求め、(会議の側が応じなかったため)欠員を生じさせていたことが判明している。しかし、これを「菅政権の本質はアベ政治と同じだ」と論評する根拠に使うのは、ニュースの読み方を知らない人である。

2016年の時点では国民の目に触れない「水面下」での折衝《せっしょう》で、官邸と学術会議が人事をめぐる調整を非公式に行い、結果的に任命拒否と同様の事態が生じた。2020年にはそうした調整が行われず、公然と任命権者（菅首相）による任命拒否が行われた。この違いは相当に大きいし、そして実は、一概に後者のあり方を「横暴」「独走」と非難できるものでもない。

日本学術会議のような「中間団体」は、どこまで（選挙を通じて選ばれた）行政の長に対して自律性を持つべきか。こうした問いは平成期、おもに政治改革論という形でくり返し問われてきた。そして少なからぬ学者たちが、行政の長が民意を反映させて中間団体に大ナタを振るうことを、肯定してきたのだ。

戦後長らく、農協や医師会のような中間団体は選挙時に票を取りまとめ、自民党内の族議員を動かして、自身の業界への保護主義的な政策を実現させてきた。こうした個別利益の追求が「既得権」「利権」として論難の対象になり、むしろ国民投票的な形で支持を受けた指導力のあるリーダーが、トップダウンで全体最適を実現することが望ましいとされる。そうした改革が必要だとする主張は、社会科学の研究者を中心にずっと唱えられてきたし、いまなお世論に影響を及ぼしている。

たとえば菅首相の肝《きも》いりで任命された河野太郎・行革担当相は、省庁内の手続きから

「はんこを一掃する」と表明し、こちらは国民に広く好評を博している。しかし行政機構の意思決定という観点から見るとき、そこには学術会議の任命問題とも、相似形の構図を見出すことができる。

大学を含めた「日本型の組織」で働いた経験を持つ人は、擬似的な「全会一致」が組織の運営原理であることをよく知っているだろう。稟議《りんぎ》書に関係者一同が捺印《なついん》してゆく（＝決定に時間のかかる）システムは、後になってから「私は知らされていなかった／反対だった」と主張する人を出さないための装置である。結果的にリーダー主導のスピーディな決定は難しく、派閥談合的な「中間集団どうしの折衝、根回し」で物事が決まることになる。

こうした意思決定の過程をそのままにして、はんこだけを取り上げると、「あなただって捺印した、つまり同意していたじゃないですか」と説得するツールがなくなるので、かえって行政は停滞するだろう。それを避けるには、官房長官時代から菅首相の十八番《おはこ》だったとされるトップダウンの官僚統制——政治家が方針を決め、不同意の官僚は一方的に異動させる方式に切り替えざるを得ない。

菅首相と親しいとされる竹中平蔵氏が提言して物議をかもした、「社会保障をベーシックインカム（BI）に切り替える」という提案にも、同じ側面がある。同一の金額を「個人」に配り、後は各自で工夫して生活しましょうという福祉政策は、地域や業界ごとの互助会として組織されてきた「中間団体」の存在意義を、確実に薄めるからだ。それが新たな自由と、トップダウンへの牽制《けんせい》力の弱さのどちらに帰結するのか、国民は冷静に議論しなければならない。

実はこれらの問題について、私は9年前が初出となる『中国化する日本』の結論部で――BI導入の長短も含めて――**歴史学の知見**を基にしながら、すべて書いている。そうした者の目で見るとき、6名の学者の任命如何《いかん》のみでしか政権の「批判」ができない現今の学界の窮状は、あまりにも矮小で寂しい。

「代償行動」であることを自覚せよ

今回の騒動の結果として注目を集めている記事に、2017年10月6日に掲載された、朝日新聞による加藤陽子氏へのインタビューがある。タイトルは「国家が国民の私的領域を侵そうとしている」で、当時の安倍晋三首相の政治姿勢に感じる懸念を、教育基本法改正（2006年、第一次政権時）などを素材に述べたものだ。

「歴史を振り返ると、今と同じように国家が「私的領域」に侵入する時代がありました」というリード文で始まるが、これは加藤氏が専門とする昭和戦前期を指すものだろう。安倍政権に対する彼女の評価に同意するかは、読者によって異なるだろうが、かつて総力戦体制のもとで国家が国民の私的領域を侵食し、自由を剝奪する時期があった史実については、誰であれ否定する人はいない。

しかし不思議なのは、まさについ先日、「国家が「私的領域」に侵入する時代」を実際に体験した際にはまるで無批判だった人びとが、いまになって日本学術会議という小さな話題で盛り上がっていることだ。言うまでもなく、２０２０年前半のコロナ禍で出現した「総自粛体制」のことである。

当時、「三密の回避」なる定義の不明瞭な名目の下に、私たちはみな憲法が定める集会の自由（21条）を奪われた。生業やライフスタイルによっては、感染防止の手段だと言って、移転や職業選択の自由（22条）、さらには財産権（29条）を侵害された人もあったろう。２０１５年の安保法制などとは比較にならない規模の「解釈改憲」が、一時的とはいえ政策判断として強行されたことは、それこそ学識を有する人には自明だったはずだ。

こうした自粛が人権に優越する状況に、擬似的な「戦時体制の再来」を看取して批判した識者は、狭義の歴史学者以外では必ずしも少なくなかったが、しかし隣接諸学も含めて、人文系の研究者の反応は乏しかった。仮にステイホームの要請に従うのがやむを得ないとしても、たとえば疫病対策に伴う「立憲主義の空洞化」を憂慮《ゆうりょ》する署名をネットで集めるといった活動は十分できたはずだが、そうした例はほとんど目にしない。

かような歴史学者の無責任ぶりを、緊急事態宣言下の5月に批判したところ（本書209頁以下）、「コロナが危険ないま何を言っている」・「文系なのに専門外のことに口を出すな」・「お前の語る歴史の教訓話なんか学問じゃないよ」と、散々な言いようで反駁を寄せる人たちがいた。そうした彼らはいま、日本学術会議の問題では「学問の自由」（23条）を守るのにたいそう熱心なようだが、私としては憫笑《びんしょう》するほかはない。

精神分析の基本的な視点のひとつに、「代償行動」がある。本人の主観では「なにがなんでもAをやりたい。Aができないのは絶対許せない」と思っているが、実際に（無意識において）欲しているのはBである場合に、「Bができないことの代償として、Aを求めている」と解釈するわけだ。ほんとうは自分を虐待した親に復讐したいのに、できないから子供にあたってしまって、虐待の連鎖が起きるといった分析が一例である。

そうした目で見たとき、学術会議会員の任命拒否にいきり立つ学者たちが行っているのは、典型的な代償行動だと言わざるを得ない。「学問の自由」を言うのであれば、自粛の要請下で各大学が自らキャンパスを封鎖したこと。各種の図書館が一時は完全な閉館になり、先学の成果を参照しつつ「政府の対応の科学的な妥当性や、合憲性」を検証する機会が、国民から奪われたこと。これらこそが自由の侵害だったことは明白であり、**大学教員たちはその共犯者**であった（†1）。

冒頭に述べたように、私も菅政権による「任命拒否」を支持するものではない。しかし、一学術団体の人事に目をとられるあまり、国のかたち全体やそこにいたる歴史の文脈を忘却し、自身が行ったばかりの「自由の放棄」を糊塗《こと》する人びとには、大きな疑問を持つ。わずか6名の任命如何が学問の帰趨を左右することはありえないが、学者たちの共同体の全体がみずからを偽って省みないとき、知性は滅ぶのである。

初出＝論座（朝日新聞社）

†1　もっとも加藤陽子氏の憲法解釈では、「23条は生まれながらの人一般の学ぶ権利を保障したものではない」ので、学問の自由を享受するのは公的学術機関に属する研究者に限られるのだという（『毎日新聞』2020年11月21日）。日本学術会議への「生まれながらの人一般」の支持が広がらなかったのはなぜか、その理由をこれ以上なく雄弁に物語る当事者の証言である。

不寛容論――アメリカが生んだ「共存」の哲学（新潮選書）　森本あんり　著

「トランプ後」の共生作法　2021年1月31日　産経新聞

新型コロナ禍がもたらした発見は、平素は自国の批判ばかりする日本の大学教員の意外な「寛容さ」だった。政府がステイホームを要請するや、粛々とキャンパスでの授業を放棄して遠隔講義にいそしむ、まことに権力に従順な人々である。

しかし実体験に基づいて言うのだが、もし「私は常に、対面でしか行えない授業の価値を追求してきたから、従えない」と主張する教員が出てきたらどうか。彼らはきっと「お前は組織の足を引っ張っている」とのレッテルを貼り、非国民だとばかりに糾弾するだろう。

単なる「信念の欠如」の裏面に過ぎない寛容さは、かくして瞬時に「信念を持つ者への不寛容」へと転化する。だがそうだとすれば逆に、不寛容なまでの「自分の信念」の貫徹を通じて、異なる信念を同じように貫《つらぬ》く隣人への寛容を育てることは、できないのだろうか。

本書の主人公ロジャー・ウィリアムズ（1603年頃〜83年）は、まさにそうした人物だった。初期の植民地時代のアメリカで、ジョン・ロックに先んじて政教分離を唱え、先住民の権利を尊重し、移住者の宗派を問わない自治体を樹立したリベラル派の鑑《かがみ》である。

しかし著者はむしろ、彼自身は偏狭なまでに「己《おのれ》の信念」を譲らぬ人物だったことを強調する。友人や恩人とも決裂して論争し、追放の憂き目にもあった。そんなウィリアムズの説く寛容は、「異教徒の信仰は誤りだが、自ら気づくまで放っておいてやる」という中世キリスト教会の高慢さに由来しており、あらゆる価値観を等しく是認する近代的な自由主義ではない。

彼の築いたロードアイランド植民地は、実際には「良心の自由」を口実に私権を振り回すフリーライダーの巣窟《そうくつ》となり、本人をしばしば悩ませた。だがそうした御《ぎょ》しがたく、素直には「自粛」しそうにないエゴイストの群れ——闇市的な猥雑《わいざつ》さの中でしか、真の自由と寛容は磨かれないのかもしれない。

はじめから選別済みの「好ましい他者」しか現れないリベラルの理想郷の夢は、トランプ登場によって米国でも崩れ去った。それ以降でも可能な共存のあり方を埋もれた過去に探る、新たな創世記の誕生である。

第6章

［対話］

歴史はよみがえるのか

浜崎洋介さん（右上）、大澤聡さん（左上）、先崎彰容さん（右下）、開沼博さん（左下）

対談

平成文化論——「言葉の耐えられない軽さ」を見つめて

與那覇潤×浜崎洋介

2019年2月16日

「平成デフレーション」——みんなバラバラの時代

浜崎　今回、與那覇さんをお呼びしたことの意味は、後ほど述べさせていただくとして、まずは掲載号の特集を「平成デフレーション」としたことの趣旨から話しておきたいと思います。ご承知の通り、この国は西暦と並行して元号を使っているのですが、元号で括《くく》ると一つの時代の性格が見えてくるのと同時に、なぜか、それまでの時代が一気に過去のものに見えてくるということがあります。そこで、今回の特集では、まさにそれを利用して、と言うと不敬になるのかもしれませんが(笑)、この平成という時代を「デフレーション」と捉えて総括とするとともに、その社会的、文化的デフレ状況に対してどのような思想が必要なのかといったことについて、少し頭と心の準備体操をしておきたいと思ったという次第です。

　では、そもそも「デフレーション」とは何なのか。それは、実物の価値が下がって貨幣の価値が上がる現象を指しますが、それを比喩的に考えれば、実物から乖離した「記号」の価値が上がると同時に、人々が、「リアルなもの」を見捨てて記号的価値に囚われていく現象だと言うこともできます。

まず国際情勢から振り返っておくと、與那覇さんも『知性は死なない　平成の鬱《うつ》をこえて』で指摘されているように、平成とは、まず東欧の自由化とベルリンの壁崩壊から始まった時代でした。そして、それがそのまま平成3年（1991）のソビエト連邦の崩壊に繋がっていく。フランシス・フクヤマの「歴史の終わり」の議論が有名ですが、まさしく共産主義圏に対する自由主義圏の勝利によって、文字通り「国の内外、天地ともに平和が達成される」と思われたその瞬間に「平成」という時代は始まっていたということです。

しかし、それが完全な「勘違い」だったことは、その後の歴史を見ての通りです。90年代以降、「世界の警察官」となったアメリカは、91年の湾岸戦争、2001年の同時多発テロ、03年の国連決議なしの「イラク戦争」などを次々と引き起こしていきますが、その傍若無人な軍事行動が、後に中東秩序と世界秩序とを崩し、結果として、イスラム国などによるテロを拡大させていくことになります。

また、経済的に言っても、同じことが言えます。これは、與那覇さんが『中国化する日本』でお書きになっていたことでもありますが、90年代以降アメリカ資本主義の全面化と、平成5年（1993）のEUの発足とともに、いわゆる「グローバリズム現象」が出来《しゅったい》してきます。

それは資本のために既存の「国民国家」の枠組みを弱体化させ、先進国の没落を促していく一方で、BRICsの一角をなしていた中国の台頭を後押ししていくことになりましたが、その矛盾が一番分かりやすい形で表に現れてきたのが、20

08年のリーマンショックであり、16年のブレグジットとトランプ大統領の誕生、そして、昨今の米中新冷戦状況でしょう。つまり、世界は「平和に成る」どころか、ますます混迷の度を深めているというわけです。

そこから、国内事情に眼を移すと、同じような混乱が目に入ってきます。まず、平成は、ほとんど「バブルの崩壊」(1990＝平成2年)と同時に始まっていますが、それはまた、細川連立内閣の誕生、つまり55年体制の終わり(93年)とも相即していました。そして、そのなかで次第に唱えられ始めたのが、行政の効率化を唱えた「行財政改革」(公共事業費のカット)であり、政権交代の必要を唱えた「政治改革」(小選挙区制の導入)であり、また、「終身雇用」や「護送船団方式」などに象徴される日本式経営の改革、つまり「新自由主義」(ネオリベラリズム)を背景とした「聖域なき構造改革」でした。

具体的に言えば、95年の住専問題(住宅金融専門会社)での公的資金投入の見送り。96年衆院選での小選挙区制の実現。97年には金融ビックバンによって護送船団方式が終わりを告げ、銀行・証券・保険の兼業化によって金融資本主義が全面化する素地が整えられていきます(2002年)。

また、97年には北海道拓殖銀行と山一證券が破綻。翌98年には日本長期信用銀行と日本債券信用銀行の破綻があり、この年、自殺者が初めて3万人を超えることになります。そして、2001年の「小泉構造改革」の登場によって、「労働者派遣法改正」(04年)などの規制改革が進み、時代は、ますます「みんなバラバラ」の時代に突入していくことになります。

「昭和」という時代が、良くも悪しくも「みんな一緒」に成長した時代だったとすれば、「平成」という時代は、その反対に、個人の「能力主義」という建前によって、人々から「共同の支え」を奪い、みんなバラバラに「退行」(デフレーション)していった時代だったと言えるのかもしれません。そして、その挙げ句に、2011年の東日本大震災が起こるわけですが、それはまさしく、あの原発事故を含めて、この国が「共同で危機に対処する」能力をほとんど失ってしまっていることを印象づける事件だったと言えます。

そこで、ようやく與那覇さんをお呼びしたことの意味なんですが(笑)、もちろん、與那覇さんが、私とほぼ同世代で、物心ついた頃に「平成」を迎え、その「平成」のなかで自己形成された歴史学者であるということもあるんですが、それ以上に、18年の4月に上梓《じょうし》された『知性は死なない』のなかで、與那覇さんは、「平成」という時代を「鬱」というキーワードで論じていらっしゃるんですね。「能力主義」全盛の時代に、しかし、ご自身の「能力」を失う「鬱」という病を体験され、大学もお辞めになられ、また、その経験から、ネオリベ的「能力主義」とは違う「能力」の捉え方をお考えになり始めたという経緯が、個人的には非常に興味深いと思っております。この「アフォーダンス」という能力の捉え方については、後で改めてお話ししたいと思いますが、そのあたりに、実は「平成デフレーション」を超えるためのヒントがあるのではないかと考えているんですが。

しかし、先を焦らず(笑)、まずは與那覇さんの「平成」観からお聞かせ願えるでしょうか。

「平成」は、いつ始まったのか

與那覇　率直に申せば平成は「日本人が元号を使わなくなった時代」です。秋篠宮《あきしののみや》眞子さんが（今や有効なのか分からない）婚約を発表する際に西暦を使われたということで、産経新聞界隈がやかましかったですが、そうした歴史意識の「西暦化」が進んだ時代だった。ゼロ年代とかミレニアル世代とか、西暦由来のバズワードが文化批評で生まれる反面、「昭和30年代」と言えば『ＡＬＷＡＹＳ　三丁目の夕日』の世界が……のようには、「平成20年代の社会とは」といった問いを立てなくなって久しいわけです。

しかし先ほど年表を振り返って驚いたのですが、実は今こそそうした区切りをもう一度すべきなのかもしれません。この対談を行っている２０１８年が平成30年ですから、平成20年が２００８年で、これはリーマンショックの年。１９９８年が平成10年で、個人的には大学入学の年なのですが、後に述べるように文化史的にも大きな分水嶺でした。

つまり97年までが「平成ゼロ年代」ということになりますが、この時期の日本社会はむしろ明かったと思うのです。先ほどおっしゃった住専問題にしても、民意の側が圧倒的に「公的資金なんか入れるな。バブル期に好き放題したやつらの〝自己責任〟だ！」という風潮だった。自己責任という用語が「国家や資本主義が押しつけてくるもの」ではなく、自分たちを社会の重荷から解放してくれるものとしてポジティヴに使われた時期があった。当時の気分がよく出ているのが援助交際と呼ばれた「自己決定・自己責任による少女売春」のブームで、宮台《みやだい》真司さんの『制服少女たちの選択』が出るのが94年ですね。
　すでにバブルが崩壊していたにもかかわらず、この奇妙な明るさがどこから来たかを考えると、政治改革が果たした役割はそれなりに大きかったと思います。1年保《も》たなかったとはいえ、93年に小沢一郎氏の主導で細川非自民連立政権が生まれて自民党一党支配が崩壊し、「平成は世の中が新しく、よりよく変わる時代だ」という空気を作った。ただ後から考えると、これは早産した改革だったんですね。竹下派の継承をめぐるトラブルで小沢氏らが自民党を割ったことで、一時的に生じた逆転劇にすぎず、だんだん国民が変化のペースについていけなくなったように思います。
　実際に次の「平成10年代」（1998〜2007）が、戦後日本的な価値観の「全面的な解体期」として機能することになる。98年に突如として自殺者が8500人も増えて3万人を超え、実はこれ、下落傾向に転じるのがちょうど平成21年（2009）からなんです。

浜崎　そうなんですよね、急に時代が暗転した感じでしたね。

與那覇　この異常な自殺者増の理由については、浜崎さんのお話にあった金融危機・長期不況がよく指摘されるのですが、私は自分のうつの体験から、ここで戦後日本を信じてきた人々にとっての「意味」が崩壊したことが大きいと思うのです。もちろんお金は大事だけど、意味さえ感じられれば貧乏になってもすぐ死のうなんて思わないですよ。逆に、傍目《はため》には十分資産がある人でも自殺してしまうことがあるのは、人生に意味を感じられなくなっている、意味を奪われているからです。
　早産した改革の季節としての平成ゼロ年代末に、

日本型の長期正社員雇用を解体したとして評判の悪い日経連レポート「新時代の「日本的経営」」(95年)が出て、中選挙区制に基づく田中角栄的な政治文化を終わらせる初の小選挙区制での衆院選(96年)がありました。しかしちぐはぐなことに、後者での勝者は橋本龍太郎が率いた自民党だった。つまり、「新しい世の中が来るぞ!」と言われて期待していたのに、実際には古い人たちの手に権力が戻って、自分たちのしていることの意味が分からなくなってきた。

社会が進歩しているのか否か不透明になった時期に、「気分としての脱・戦後」が噴出して始まったのが平成10年代でした。98年に小林よしのりさんの『戦争論』がベストセラーになり、翌年には西尾幹二さんの『国民の歴史』が続いて、さらには国旗国歌法も成立する。世の中うまくいかないのは、要するに「戦後民主主義」なる腐敗した体制のせいだから全部ぶっつぶせと。そういうムードがわーっと広がった。そのなかで「いったい、自分の信じてきた価値観はなんだったのか」と、苦しむ人が多数生まれたのだと思います。

ただこうしたエネルギーは振れ幅が大きくて、「現状否定」の一点さえあれば右にも左にも流れ得ます。浜崎さんも関わられたという、「資本と国家の揚棄」を掲げた柄谷行人《からたにこうじん》さんの協同組合運動NAM(New Associationist Movement)が2000~02年、逆に自民党総裁が「自民党をぶっ壊す」とうたった新自由主義的な小泉改革が01~06年。小林さんも西尾さんも、この間に後者を痛烈に批判して「新しい歴史教科書をつくる会」を抜けましたね。

知識人であっても、自分が何を信じてどの流れにコミットすべきか見抜けない。そうした「意味をめぐる混迷」こそが、同時期の「自殺率高どまり」の真因ではないでしょうか。「アベノミクスで景気がよくなったから自殺者が減った。やっぱり大事なのは経済政策だ」なる提灯《ちょうちん》論説をよく見かけますが、端的に嘘ですよ。自殺者数が減り出すのは、リーマンショック直後の絶望的不況で、しかも民主党政権下の09年ですから。

そうした大混乱の平成10年代の最後（平成19＝2007年）に話題を呼んだのが、朝日新聞の論壇誌『論座』1月号に載ったフリーターの赤木智弘さんのエッセイで、要するに「丸山眞男の評伝を読んだら、戦時中に徴兵されて農民兵に殴られたという悲劇が書いてあったけど、むしろ自分は殴った方に共感する」と（笑）。非常に象徴的な形で、戦後民主主義や知識人の輝けるイメージが、もはや地に堕ちてしまったことが示された。しかしその『論座』が08年、カウンターパートにあたる文藝春秋の『諸君！』も09年に廃刊して、新しい言論が出てくるよりも「論壇自体が潰れる」方が早いという流れになります。

こうして平成20年代に入って、初期の3年間は「遅れてきた改革」としての民主党政権、続いて6年くらいはまた自民党に戻っての安倍晋三政権ですが、これは国民の間にある二つの時代感覚を代表しているように思えます。「いまこそ〝真の平成〟を始める時だ」という気持ちが生んだのが前者、「平成なんかどうでもいい。〝昭和〟に戻してくれ」が支えているのが後者で、はっきり言えば圧倒的に昭和派が強すぎて勝負になっていない（苦笑）。平成とはそういう、ある意味でかわいそうな時代ではなかったか。

ちなみに先に見た、壮絶な過渡期としての「暗黒の平成10年代」に、自分はずっと学生してるんですよ。98年に大学入学、07年の夏に博士号取得なので、いわば自宅ではなく大学（院）に引きこもって過ごしていた（笑）。それで生き延びられたのだと思います。

〈平成10年＝１９９８〉の暗転
——ポストモダンの「左旋回」

浜崎　言われてみると、平成の初年代はまだ明るかったというのは、確かにその通りですね。それで思い出すのは、見田宗介なんかが言っている時代の三区分です。戦後復興期の「理想の時代」、60年安保闘争から高度成長期の「夢の時代」、そして高度成長が終わって安定成長期に入る「虚構の時代」という三区分なんですが、その「虚構の時代」が終わるのが、やっぱり平成10年（１９９８）前後、だいたい95年から97年あたりだと言われるわけです。そして、たとえば見田の弟子筋でもある大澤真幸《まさち》が、その「虚構の時代の果て」を「不可能性の時代」というキータームで語り始めると。つまり、現実を吊り支える「理想」も「夢」も「虚構」も失《な》くしてしまった時代、それが「平成10年代」だということです。

ちなみに言えば、僕自身が大学に入ったのが97年なんですが、今でもハッキリと覚えているのは、入学と卒業のときの時代感覚のギャップですね。入学した頃は、将来や就職のことなんか考えなくたってなんとかなるだろうという雰囲気だったんですが（笑）、大学を卒業する２００１年は就職氷河期のどん底なんです。そこで耳にタコができるほど聞かされたのが、英語ができないと就職はできないし、ITを知らないと社会でやっていけないという「能力主義」的な話。実際、その頃から「理想」と「夢」と「虚構」にとって代わって、「英語」と「IT」が現実を吊り支える観念になり始めたかのようでした。そして、そのなかで、繰り返し呪文のように唱えられたのが「構造改革」という魔語でした。

しかし、逆に言えば、平成10年からの暗転というのは、それほどに急激な転回であり、価値崩壊だったのかもしれませんね。そのギャップに物凄《ものすご》く混乱した記憶があります。

與那覇　おっしゃる通りで、リアルタイムの感覚では改革というよりも、崩壊でしたよね。

浜崎　そうですね。実際、この「暗い時代」に、どう自分を合わせていけばいいのか分からなくなっていくなかで、僕自身が向かったのが、先ほどお話に出たNAMの運動だったわけです。

しかし、そう考えると、その時代の暗転の雰囲気を色濃く反映していたのが、柄谷行人と浅田彰がやっていた雑誌『批評空間』の急激な「左旋回」なのかもしれない。『批評空間』自体は91年の創刊なんですが、90年代前半は、アカデミズムを高級化したような、単なるインテリ向けの言論誌でしたよ。カルチュラルスタディーズや、ポストコロニアリズムなんかを取り込みながら、言うなればポストモダン的「文化左翼」をやってたわけです。でも、まさしく平成10年（98年）頃から、このまま、俺たちは「文化左翼」を気取っててもいいのだろうかという感じで、急激に「運動」の方に傾き始めるんですね。

與那覇　ああ、「命がけの飛躍」（マルクス）ですね（笑）。

浜崎　そう、「命がけの飛躍」（笑）。でも、実際に、その時点で、柄谷行人以外に、この現状をどうにかしようと本当に動いた「左翼知識人」がいなかったのも事実です。みんな「口だけサヨク」を気取って格好つけている時に、良くも悪しくも柄谷行人だけが、一歩踏み出そうとしていた。だったら、柄谷行人に言葉を学んだ人間として、自分も……。

與那覇　行かなくちゃと。

浜崎　そう、駆けつけなくちゃと（笑）。しかし、それも今から考えると、ただ未熟で不安な22歳の青年が、先行きの見通せない暗い時代を前に、自分が頼れる何かしらの外在的価値を欲してたということだけだったのかもしれないし、それも結局2、3年で潰《つい》えていくと。

だから、その時は相当参りましたね。でも、この経験があるから、実は、與那覇さんが「鬱」になっていく時の描写に感情移入できたんですよ（笑）。僕が十代から二十代前半にかけて、幼いながらに身につけてきたはずの「知性」が一気に崩壊していくという、まさに自己喪失の体験です。だから、それから1年くらいは本を読む気になれませんでしたね。ちゃんとした思想的な支えというか、信念を作ってからじゃないと、恐くて何も読めないという感じでした。まぁ、その経験が、後に小林秀雄や福田恆存《つねあり》との出会いを用意し、また、ある種の「知性」の限界を自覚する「保守思想」との出会いを用意していくことになるんですが。

身体性の後退と、言論の「デフレーション」

與那覇　浜崎さんの経験も、やはり時代の転換期と関係するものですよね。大澤真幸さんの『虚構の時代の果て』はオウム真理教事件（95年）を論じたものですが、昭和最後のバブル期は「高度資本主義ってのはシミュラークルで回す商売なんだから、虚構で別にいいんだ」という空気だった。ところが、チープなコピー宗教だったはずのオウムが信者を動員してテロまで起こしたことで、そうした居直りが通用しなくなる。

でも、じゃあ居直らずに何を指針にするのか。それが分からないままみんなが走り出したことが、平成10年代の知識人の狂乱を生んだという見方になりますか。

浜崎　おっしゃる通りです。

與那覇　運が悪かったなと思うのは、そうした混乱期を導けたはずの昭和の先人たちが、平成ゼロ年代に亡くなっていたことです。戦後という時代の歴史的な位置を熟知した上で、根底から批判しようとした福田恆存（94年没）と、逆に可能性の中心をつかもうとした丸山眞男（96年没）が、ともに82歳で亡くなっている。

彼らは天寿とも言えますが、しかし両者の中間をなす良識的な保守派とも言うべき昭和世代が、享年69歳の山本七平（91年没）・62歳の高坂正堯《こうさかまさたか》に72歳の司馬遼太郎（ともに96年没）と、早すぎる死を迎えた。平成10年代初頭には、66歳だった江藤淳の自殺（99年）もありました。結果として、すごく底の浅い――彼らの旧稿を文字面《づら》だけ劣化コピーしたような、テンプレ的な戦後論ばかりがはびこる時代になってしまった気がします。

浜崎　なるほど、今おっしゃったことって、つまり、戦後を身体的に知っている人たちの「戦後」擁護、あるいは「戦後」批判の内実が、平成10年（1998）以降は、見えにくくなっていってしまったということですよね。

與那覇　そういうことですね。

浜崎　それで言えば、確かに、平成10年以降、西暦で言えば2000年頃から、政治的な問題について、ある「常識」から言葉を発するということはほとんどなくなってきて、政治言語が、ポジションモークになっていきますよね。言葉を発する肉体が消えて、「親米保守」とか「反米リベラル」とかいう立場だけが力を持ってくるという。

でも、これこそ言論の「デフレーション」そのものです。つまり、実態とは関係なく、記号的ポジションだけが価値を持つという。たとえば、緊縮で国民が疲弊し、ネオリベ路線（新自由主義）の延長線上で「移民法案」が通過し、国家の制度的な枠組みが壊れていくなかで、しかし、反左翼のルサンチマンに囚われた「右」は、未だにLGBTがどうとか、嫌韓嫌中をやっていて、「68年」に囚われている「左」は、未だに「反国家」や、「国連軍の成立」（加藤典洋）とか、見果てぬ夢を語っているわけです（笑）。

與那覇　つらい（笑）。サブカルだって評論していこうという意味ではなく、真面目な評論の中身が無自覚にマンガ化してしまう、悪い意味での「平成のサブカル化」ですね。

浜崎　つまり、「立場」だけが肥大化してるんですよ。しかし、これこそ「平成」時代の「親米保守」と「反米左派」のシミュラークルです。前者は、アメリカとの対峙を避けることで、今、目の前にある「資本主義」の問題から目を背け、後者は「資本主義」までは問題にするものの、それに抵抗する「国家主体」の問題から逃げ続ける。その結果、どちらも空論と化していくから、結局誰も

「言葉」を信用しなくなっていってしまうという。
その意味じゃ、まさに「知性主義」自体が空転することで「反知性」的になっていった時代、それが「平成」なんじゃないか。それが相当に困難な課題であることを自覚しつつ言いますが、だから言論において必要なのは、どうやってポジションを超えた「常識」を取り戻すのか、他者の手触りを宿した身体的な言葉を取り返すのかということではないかと。

「世代間ギャップ」をどう乗り越えるか

與那覇　完全に同意です。しかしそこで難しいのは、世代が違うと同時に手触りも変わってしまうことで、たとえば今の若い子に「オウム事件の衝撃」を話してもたぶん通じない。宗教的テロリストの擬似国家なら「ＩＳ（イスラム国）の方がすごいもん」でしょう（笑）。２０１１年の震災ですら、もうそうなりかけていて、18年夏の芥川賞を揺るがした騒動はその徴候です（†1）。文学作品が参考文献に頼っていいかという問題以前に、「いや、あれだけの同時代的な大事件を〝他人の言葉のコピー〟で語ろうだなんて、そもそもしないだろ！」と、本能的に私たちは思う。でも現に、もはやそう感じない世代がいるわけです。

浜崎　ホントその通りですね。でも、実は、與那覇さんの『知性は死なない』が面白かったのは、そこで與那覇さんが「教育者」として相当頑張っ

†1　東日本大震災を描き最有力候補と目された北条裕子『美しい顔』（群像新人文学賞）が、一部、震災に関連する複数の書籍から表現を借りて書かれていたことが判明した事件。剽窃《ひょうせつ》か否かが大きな論争を呼び、同作は受賞を逃した。

ている点ですよ（笑）。

というのも、世代間の断絶という問題は、いつの時代もあるんでしょうが、でも、それを僕らどう乗り越えてきたかというと、やっぱり師弟関係とか、それに類した「付き合い」、幅広い意味での「教育」によって乗り越えてきたところが大きかったんじゃないかと。

たとえば、僕自身が学部時代に出会った師匠は、60年代末に大学に入って、70年代にセクト化していった学生闘争を肌身感覚で知っている人でしたが、その師匠から、政治というものの悲喜劇性、また彼自身の学統というか、さらに上の世代のことなんかを聞いて育つ。そうすると、だいたい戦後から学生闘争に至るまでの時間の厚み、また、そこから現在までの時間の流れが、ものすごい肉感を持って迫って来るんです。それで、そんな時間を4年間ほど過ごすと、卒業する頃にはもう世代間ギャップはほとんど感じなくなっている（笑）。

で、実はこれ、今から考えると、柄谷行人の「知性」と、西部邁《すすむ》の「身体性」の違いにも当て嵌《は》まるのではないかと。たとえば、NAMはネットを駆使して組織運営を行おうとしましたが、やっぱりメーリングリストでの議論にはどうしても身体性が伴わない。だから、一度、誤解が生じてしまうと、疑心暗鬼が肥大化していって、収拾がつかなくなってしまう。

それに対して、たとえば西部邁の「表現者塾」では、コミュニケーションギャップが生じたときには、もう朝まで付き合うことになる（笑）。要するに、目の前の他者と付き合っていくために、ギャップを折り合わせていこうという能動性がお互いに生まれるから、自然とポジショントークを超えた「社交」が促され、その「常識」が世代を超えて伝えられていく。

その意味じゃ、SNSが全面化している今だからこそ、まさに世代間の断絶を超えるために、僕たちがどこか一肌脱いで、若い世代と付き合っていく必要があるんじゃないかと。

「身体主義」の陥穽——オウム・ライブドア・SEALDs

與那覇 元教員としてはお恥ずかしい（笑）。おっしゃったことを拙著の用語で言い換えると、「言語だけ」では思想は自立できない、ということかなと思います。著者との間で（バーチャルな形であれ）なんらかの身体性を共有しないと、思想書を読んでも「まぁ、とりあえずAmazonレビューは星5で」みたいな、データ的な感想しか残らなくなってしまう。

しかし一方で、「身体だけ」の感覚が思想を暴走させる怖さも知っておかなくてはなりません。先ほど話題に出たオウム事件が典型というか、実は病気をすることで初めて、自分の場合はあの事件の意味を考えられるようになったんです。

僕は全共闘的な色彩の濃いATG（アート・シアター・ギルド：現在のインディーズ映画の走り）系の古い映画ばかり見ている変な高校生で、あと音楽的にはU2とか、政治色の濃い洋楽で育ったから、「テロがある」のを先進国の条件だと思っていたんですよ（笑）。だから同時代には、オウム程度で何をみんな騒いでるのくらいの気持ちだった。

ところが自分がうつ状態を体験して、身体が弱ると「思考能力も衰える」という実感が分かったんですね。もしそういうところに「この教えを信じれば助かる」と言われたら入信しちゃうかもしれない、その怖さを初めて体感して、見方が変わったわけです。

浜崎　なるほど、「知性」と「身体」の関係が見えてきたと。

與那覇　そうした目で見たとき、教祖の麻原彰晃《しょうこう》はあえて信者に貧しい食事をさせて、明らかに身体とともに思考力を弱らせていましたでしょう。はたから見たらバカバカしくても、当人たちの主観としては、そうしたなかで生まれる関係が「自分と他人とが融合して、もはや支配も被支配も消え去った真の共同性」に見えていた。昔ヴィクター・ターナーという人類学者が使った用語で言えば、「コミュニタス」の出現ですね（†2）。

おそらく一番広く理解してもらえる比喩は、「学園祭前夜的なもの」です。ぶっちゃけしょぼいハリボテの出し物でも、前日に徹夜で友達と準備するとものすごく崇高な事業に参画している気持ちになるし、単なるカップラーメンが異様に美味い（笑）。衰弱した身体どうしの近接性が、架空の集合的身体を出現させることの法悦《ほうえつ》ですね。

95年にオウム事件が提起した真の問いは、しかしそうした「学園祭的な身体」は公共性の基盤たり得るか、だったと思うのです。興味深いのは、平成では同じ問いが10年ごとに繰り返される。

10年後の2005年の末からライブドア事件の捜査が本格化し、年明けに堀江貴文さんが逮捕されますが、これは大学のサークル的なノリで仲間と会社を作って、常識外れのことをしていたら足元をすくわれた形ですよね。

宗教だと失敗する、起業してもダメ、だったら政治運動を学園祭のノリでやったらどうかということで、そのまた10年後に出てきて潰れたのが、15年前後のSEALDsなる学生団体でした。

10年周期ごとに「身体性だけ」のムーブメントが現れては、しかしこれといった成果を上げずに消えてゆく、そうした側面が平成にはあったように思います。

平成事件史――生活感覚の喪失

浜崎　なるほど、おもしろいですね。「Amazonレビュー星5クリック」の非身体性も問題だけど、身体だけにべちゃっとくっついた政治性、集団性も不毛だと。

しかし、それは考えてみればポストモダン的な「知性主義」も問題だが、プレモダンの「実感信仰」も問題だということなんでしょうね。問題は、いつでも「知性」と「身体」との関係であり、また、そのバランスなんだと。でも、それこそが最も原理的な話でしょう。

たとえば、ポストモダンの議論ってこういう話でしたよね。特に、ニーチェの議論が典型的ですが、知的な解釈図式っていうのは、ある流れ、生成変化する流れに対する一つの切り取りでしかないがゆえに、どうしても「真理」にはなり得ない。そのため、Aという解釈図式、Bという解釈図式、Cという解釈図式を提示して、そのどれもが整合的であった場合、どの解釈図式を選ぶかは原理的には決定不可能だと。

しかし、だからニーチェなんかだと、その決定

†2　これはコミュニタスの概念をやや過小評価しており、むしろ「ホモソーシャリティ」の問題と記すべきだったかもしれない。斎藤・與那覇、前掲『心を病んだらいけないの?』終章を参照。

を担っているのは「肉体」における「力の上昇に関する有用性の視点」ということになってくる。つまり、「知性」は、ある解釈を作り上げたり、それを疑ったりすることまではできるけど、どの解釈を選ぶべきかまでは決定できないと。そこに「知性」の限界（外部）が見出されてくる。

與那覇　柄谷氏が一時期やっていた「ゲーデルのパラドックス」と似た感じですね。

浜崎　そうですね。ただ、ニーチェの場合は、その「知性」の外にある「肉体」がエゴイズムと重ねられていて、そのエゴを貫徹できる人間が「超人」だという話になってくる。すると、與那覇さんのお話と同じで、オウムや、ホリエモンや、SEALDsのような「肉体主義」は、ほとんど恣意的なエゴイズムと区別がつかないという話にもなってくるわけです。

でも、だからこそ、ある種のプラグマティズムと、それを支える一定の伝統感覚が必要なんですよ。たとえば、『プラグマティズム』のなかでウィリアム・ジェームズは、先ほど言ったAやBやCの解釈図式を前に、そのどれが正しいのかを決定するのは、「最小の動揺と最大の連続性」という規準であり、それを価値として感じとることのできる、その人の「気質」だって言うんですが、じゃあ、そんな個人の「気質」がどこで育つのかと言えば、それこそ、やっぱり「言語ゲーム」のなかに埋め込まれた生活形式や伝統でしょう。

とすれば、私たちが「知性」的であるには、どうしても、その「知性」以前にある歴史に対して自覚的でなければならないということにもなる。福田恆存の言葉を借りれば、歴史のなかで「後ろから自分を押して来る生の力」を常に感じていなければならないということです。

與那覇　「言語ゲーム」を提唱したウィトゲンシュタインを、保守思想家として捉える見方に近い気がします。柄谷さんの場合は、言葉と指すものの対応関係は恣意的だからこそ、「命がけの飛躍」をして自分が断定するんだというラディカリズムに進んだ点が、逆であったと。

浜崎　その通りです。しかし、その意味で言えば、実は、「平成」における事件のほとんどは、そんな「後ろから自分を押して来る生の力」の欠如そのものに由来しているのではないかとも思うんです。つまり、バブル崩壊とネオリベの台頭で、「みんなバラバラ」になっていく時代のなかで、その不安に煽られて起こった事件、それがオウム事件であり、ライブドア事件であり、ＳＥＡＬＤｓ現象でありといった平成事件史ではなかったかと。

たとえば、ネオリベで勢いづいたエリートたちが、「国境」や「同胞愛」なんかに拘《こだわ》る時代はもう終わったと言って、自らの「能力主義」を加速させていく一方で、一般の生活者は、「能力主義」によるストレスのなかで、次第に「生活感覚」を狂わせていく。そして、その不安を塞《せ》き止めるために集団的な外枠（ポジション）に縋《すが》りついていってしまう。それが、そのまま「平成」の数々の事件を引き起こしていったのではないかと。

生活感覚の喪失で言うと、「平成」は宮崎勤事件（平成元年＝１９８９年）から始まって、それが酒鬼薔薇《さかきばら》聖斗事件（97年）に繋がっていって……。

與那覇　２００８年には秋葉原通り魔事件もありましたよね。

浜崎　そうそう、あと、光市母子殺人事件（99年）とか、佐賀バスジャック事件（２０００年）、池田小事件（01年）とか、つい最近の相模原障害者施設殺傷事件（16年）や、座間九遺体事件（17年）なんかもありましたよね。そういった事件をずっと見ていると、僕なんかは、日本人の生活感覚が崩れ始めていること、他者感覚が麻痺し始めていることを如実に感じます。

しかし、その一方で、この生活感覚が失われているからこそ、それを埋め合わせるものとして、自分の外に集団的な外枠を求めていくことにもなる。オウムがその典型ですが、その他にも、ネトウヨ、在特会、若者のイスラム国に対する憧《あこが》れ、SNSやインスタグラムの流行なんかも、その断片的反映ですよね。つまり、自分が依存できる外枠が欲しいんですよ、みんな。

でも、それは、この人と交わりたい、世界についてもっと深く知りたいとかいう内発的な感情ではなくて、孤立と不安に基づいた受動的感情だから結局は脆《もろ》いし、すべてが現象で終わっていく。その意味じゃ、この内発性というか、人や世界との「付き合い」によって育てられる「生の力」を見失っていった時代、それが平成の30年間だったんじゃないかと。

東浩紀と「オタク」——平成の批評

與那覇　私が大学に引きこもって生き延びた「暗黒の平成10年代」は、戦後という伝統や生の様式が、日々に崩れ去っていく時期であった。そして思想史的には同じ10年間が「東浩紀さんの時代」になるわけですが、この意味は意外に大きいかもしれません。

東さんの最初の本は、平成10年（98年）のデリダ論『存在論的、郵便的』。ところが２００１年にオタク評論のような『動物化するポストモダン』を出して、なんで気鋭の哲学者が萌《も》えとかにハマってるんだとみんなを唖然とさせた（笑）。ですが師匠格だった柄谷さんの運動が自壊するなかで、逆に先見の明があったと言われるようになり、平成20年（08年）には宇野常寛さんが、東さんのサブカル理解への批判を明確にうたって登場する（『ゼロ年代の想像力』）。つまり平成10年代を通じて、東さんのポジションが「挑戦者」から「権威」へと、正反対のところまで移動していったとも言えます。

　しかし「デリダからオタクへ」という東さんの軌跡は、同時代には異様に見えたけど、大学や学問の権威が崩壊したいま振り返ると、むしろ非常に一貫していたとも思えるのです。一言で言えば、「真の解釈図式」なるものを決める必要はない、という立場ですね。まさしく、先ほど浜崎さんがおっしゃった決定不可能性の問題です。

　昭和末期に流行した構造主義の場合、とにかく何かペア（人間‐自然、男‐女など）があって世界を解釈できれば、どんな構造でもＯＫになってしまう。ドゥルーズなどのポスト構造主義になると、ある構造が生成変化して別の構造に変わる力学のようなものは描いてくれるけど、結局どの構造を選ぶべきかは、やっぱり教えてくれない。

　東さんのデリダ論は、「そんなところで悩まなくていいじゃないか」と言っていたと思うんです。複数の構造や解釈図式の間で「郵便的」にコミュニケーションが成り立っているなら、どれかひとつが正解とは決めずに、その状態じたいを楽しむ態度がとれるはずで、それは「オリジナル」にコンプレックスを感じずに「二次創作」で遊ぶオタクの肯定にも通じていく。

浜崎　なるほど、そうですね。ただ、同じポストモダニストでも、たとえば昭和末期に出た浅田彰の『構造と力』と、平成10年に出てきた東浩紀の『存在論的、郵便的』とを比べてみると、理論的な違いはほとんどないにもかかわらず（笑）、しかし何と言うか、やっぱり、その「明るさ」が違いますよね。たとえば『構造と力』の方は、ポストモダニズムの決定不可能性を、未来の変革可能性に明るく繋げていきますが、東のデリダ論の方は「郵便的不安」ということを言う。つまり、自分の言葉が、他者に届くかどうか決定不可能だということを、潜在的な「可能性」ではなく、書くことの「不安」の側から論じ始めるわけです。

しかし、だからこそ東浩紀は、そんな自分の「不安」を埋め合わせるために、その後に、どんどん自意識過剰に振る舞っていくことになる。要するに、市場のなかで、自分の言葉がどう「売れる」かを考え始めるんですね。でも、それは言ってみれば、「売れる」かどうかとは別に、まずは「自分の言葉の正しさを見つめる」という言論の潔さが死んでしまったということでもある。それがちょうど平成10年の転換点に重なってるんです。

実際、その後に東浩紀は、講談社ＢＯＸ主催で、新人批評家育成・選考プログラム「ゼロアカ道場」っていうのをやることになるんですが、その際に「批評」に持ち込んだのが、いわゆる「市場原理」でした。応募者でグループを作らせて同人誌を作り、それを文学フリマに出して売り上げを競うというね。しかし、これぞまさに、時間をかけて弟子を育てる「教育」ではなく、市場による「選択と集中」というネオリベ的態度そのものでしょう。

当時、まだ僕は大学院生でしたが、そんな思想オタク、批評オタクたちの空騒ぎを横目で見ながら、つくづく「批評は死んだな」と感じていましたね（笑）。

與那覇　「奇《く》しくも」と言うと失礼かもしれませんが、まさに『存在論的』の年にWｉｎｄｏｗｓ98が出て、翌99年にはｉ－ｍｏｄｅと2ちゃんねるが登場します。そうしたネット文化のなかで、「とにかく、まずは書きこんじゃえ。それに対する反応が、後から価値を決めるんだ」という身体感覚がネットユーザーに広まっていきました。ツイッターなんか分かりやすくて、「郵便的」には誰にも届かずに0リツイートかもしれないし、目にした著名人が連鎖的にRTしてくれたら、マスコミが記事にするくらいバズるかもしれない。

そこが東さんの先駆けた部分だったのですが、それは一方で「書く前に呻吟《しんぎん》する」という文学的な営為を殺してしまったと。次々に若手をデビューさせては喧嘩別れしたり、平成末にはデリダ以前の研究対象だったロシア文学に回帰したりといった行為が「迷走」だと批判されがちですが、東さん自身にも過渡期の人としての孤独があるのかもしれません。

内田樹と「身体」――平成の論壇

與那覇　また東さんの『動物化』と同じ2001年に、内田樹《たつる》さんが最初の本（『ためらいの倫理学』）を出して、当初はあまり注目されなかったのですが、翌年から「学者エッセイスト」という感じでわっと内田さんの文章が読まれるようになる。東さんのベースをデリダとすれば、内田さんはレヴィナスですね。

90年代半ばに従軍慰安婦問題が昂揚した結果、デリダやレヴィナスは非常に政治的に読まれていて、要は日本人なる存在を「脱構築」し、慰安婦という「他者」に応答せよという主張の論拠になっていた。哲学者の高橋哲哉さんや、フェミニズム社会学の上野千鶴子さんがそうした当時の論壇の主流派でした。

しかしそれは明らかな短絡で、他者を絶対化して正義の基礎づけに使ったら、かえってその「他者性」を奪ってしまいはしないか。そもそも、そうした論争をレヴィナスやデリダはしていたはずですよね。そういう違和感を汲みあげる形で、既存の左派論壇に違和感を覚える広い読者をつかんだのが、東さんや内田さんだったように思います。

東さんはいわば、「ゆるい態度でとりあえず発信して、当たっていたかは反応次第で〝後から〟決めたらいいよ」という立場を郵便の比喩で語ったわけですが、内田さんはむしろ、発信する〝前の〟悩んでいる状態に留まり続けようと。決める前によりよく「ためらえる」人こそが、真の意味で成熟した大人ではないかと説いたわけですね。

浜崎　なるほど、今、聞いてて思ったんですが、内田樹って01年に出てくるんですね。つまり、内田の「ためらい」って、ちょうど柄谷行人の「命懸けの飛躍」と入れ替わって登場してきたんだ。

與那覇　確かにそうだ。しかも翌02年には、柄谷氏が浅田彰さんと組んでいた『批評空間』が終刊する。当時、内田さんは加藤典洋さんの系列の批評家と見られていましたが、1995年の「敗戦後論」以来、『批評空間』グループが「無教養な日和見《ひよりみ》右翼」だとして、一番バカにしてきたのが加藤さんでした。でも、ここでヘゲモニーが入れ替わる。

浜崎　そうでしたね。今、言われて気づきましたが、僕自身、内田樹を読んでいた時期って、ちょうど、柄谷行人から離れていった時期と重なっています（笑）。と同時に、ユダヤのラビ（師）の伝統から出てきたレヴィナスをやっているだけあって、内田樹は師弟関係、教育論についてはものすごく意識的ですよね。それも、彼が「反ネオリベ」であることと矛盾しない。

與那覇　なにせ、合気道の道場主ですからね（笑）。

浜崎　そうでした（笑）。でも、そこに内田樹の「新しさ」があったんでしょうね。ポストモダンの記号の戯《たわむ》れを通過した後で、なお「身体」を語る道があったぞといった感じ。その意味じゃ、2000年代に、内田樹が柄谷行人以前の吉本隆明や江藤淳を高く評価し、柄谷行人と敵対していた加藤典洋なんかの近くから出てきたというのは、よく分かります。

僕は、加藤典洋や内田樹の「戦後民主主義」擁護に対しては距離がありますが、でも、『アメリカの影』（1985年）や、『敗戦後論』（97年）、あるいは『ためらいの倫理学』が示した「ナショナリズム」の議論には意味があったと思っています。実際、加藤典洋が言う「土地にひげ根をのばし、根づこうとする努力」（『アメリカの影』）とか、「語り口の問題」（『敗戦後論』）とかいう言葉って、要するに、理念だけで空回りしていく戦後の論壇に対して、もう少し日本人の身体を見ろということですよね。

與那覇　加藤さん自身の本にも『日本という身体』（94年）がありました。

浜崎　そうでしたね（笑）。ただ一方で、さっき言ったことと同じですが、加藤典洋も内田樹も、「政治」について、個人的な「身体」だけで語りすぎているきらいがある。世代的な身体感覚の延長線上で、戦後的「平和主義」に居直り、「脱成長論」に開き直ってしまう。知性による「改革」に反対するのはいいけど、その反動で、あまりに身体的な「現状肯定」に傾きすぎてしまい、その結果として「戦後」を相対化する眼を失くしていくという。

與那覇　当初は既成論壇人の「言語の過剰」に対して身体の重視を言っていたはずが、自分たちがヘゲモニーをとった今、逆に「身体の過剰」に陥っていることに気づいていない。一度は世界を俯瞰した上で、自分の位置がどこかを確認する作業を経由しないと、「俺がこう感じたからこうなんだ」という実感信仰に戻ってしまいます。

もちろんそうなる文脈はあって、社会が明るかった平成ゼロ年代の10年間は、まさに「俯瞰の時代」だった。柄谷さんや『批評空間』が権威として仰がれたのも、イェール大学時代に知りあったフレドリック・ジェイムソンや岩井克人《かつひと》さんといった多国籍・多分野の識者をまきこんで、「これが世界標準だ」というムードを作ったことが大きい。当時はバブルの余韻でお金もあったから、小学館の『SAPIO』が浅田彰さんを特派員のようにして、エドワード・サイードら世界の知識人と連続対談させたりもしていました（『「歴史の終わり」を超えて』）。今風に言えば「グローバル哲学者」ですかね（笑）。

だから内田さんが言論活動を始めたときに、それへのアンチテーゼになるんだという意識は強くあったと思います。『ためらいの倫理学』のなかで、内田さんは宮台真司さんについて、好きになれないというか自分には「合わない」という話を書いている。なぜかと言えば、彼はすべてを俯瞰した視点から「わかっている人」の目線で喋るからだと。

浜崎　「宮台真司が好きになれない」というのは同感です（笑）。

與那覇　俺は全世界のあらゆる分野を俯瞰ずみの優秀な人間だから、もう全部分かっていて正解を知っています、という語り口への反発ですね。80年代には重苦しい文芸評論家だった柄谷さん、逆にスキゾなインテリ遊び人という感じだった浅田さんが平成ゼロ年代に「キャラ変」して、また別の社会学の系統から宮台さんも入ってきた。「頭のいいやつが偉いんだ」と臆面なく発言できた、日本史上珍しい時代でしたよね（苦笑）。

そういう態度にこそ陥穽《かんせい》はないのか、という問いを内田さんが立てたのは、反知性主義の時代――「インテリどもは黙ってろ」となる平成20年代を予見していたとも言える。そこは優れていたのですが、問題は「だから街場《まちば》の人びとのように、常識で考えればいいんだ」という地点で止まってしまったところでしょう。ご本人が反知性になってしまった。

平成のネトウヨと、福田恆存

與那覇　少し話は変わりますが、竹内洋さんの『革新幻想の戦後史』（2011年）の頃から、日本思想史の研究対象として「戦後保守論壇」のブームがありました。それで浜崎さんの『福田恆存思想の〈かたち〉』（同年）も当時すぐ読んだのです。しかし難しくて歯が立たなかったので、戦後保守を考えるにしても福田だけはやめておこうと心に決め（苦笑）、山本七平や江藤淳などを読んだのが自分の病前最後の仕事です。

しかし、病気を通じて「言語と身体」の問題を実感した後に、近著の『反戦後論』に収められた「福田恆存とシェイクスピア、その紐帯」に接して、少し分かる気がしたんですね。福田の本領である演劇は、その性格上、まさに言語と身体とが両輪として嚙みあって初めて機能する。そのモデルとしてのシェイクスピア劇を知り抜いていたところに、福田恆存しか持ち得ない思想家としての強さがあった。ここまで論じてきた平成の諸論客のように、言語か身体かの「どちらか」に偏って振り切れてしまわないのだと。

そうした目で浜崎さんの編んだアンソロジーを読むと、福田が1965年に書いた「当用憲法論」、まずこれはタイトルが絶妙ですね（笑）。敗戦後に「何も変えるな」という超保守派と「漢字を全廃しろ」といったウルトラ急進派が綱引きして、真ん中で妥協したのが当用漢字表ですが、憲法だって似たものじゃないかと。「明治憲法のままでいい」派と「天皇制を廃止せよ」派の中間で成立した、あくまでも「とりあえず」の規定だったはずであり、それを絶対の基準のように見るのは間違っている。これはその通りだと思います。

しかし分からないのが同論説の最後で、現行憲法の前文をこき下ろすのですが、その読み方はほとんどいちゃもんで、「俺は英文学のプロとして、こんな受験英語まがいの汚い直訳は許せない」としか言ってない。もちろん福田さんの実存がそうであったなら、文学者なのだからそう書いたっていい。だけど、その口真似というかコピーが他の論客によって、保守論壇誌で複製され、また複製され……とやっているうちに、ネトウヨのテンプレートになっていった。そういう側面がありはしませんか。

　実際、この論説で福田は「現行憲法は改正ではなく〝廃棄〟して明治憲法を復活させ、それをリベラルな憲法に改正しなおせばよい」と提案していますが、後段の部分を無視した「現行憲法無効・明治憲法復活論」は、いま極右の政治ゴロ的な集団にいくらでも落ちていますでしょう。同じ状況は、江藤淳のWGIP（ウォー・ギルト・インフォメーション・プログラム）の話もそうで、「知っていますか?」とか言ってそもそもお前がパクリだろ!（笑）みたいな書き手の新書が書店で山をなしています。

　つまり、いかに福田や江藤が強靱《きょうじん》な「言語と身体」の関係性を保っていたとしても、本人が亡くなった後の平成の言論空間では、文字面だけがまさに郵便的・幽霊的に流通してしまう。

福田恆存

浜崎　なるほど。そこはホントそうですね。「ネトウヨ」とは何かという問いを括弧《かっこ》に括った上で言うと、私はネトウヨが言う「内容」に関しては一部頷《うなず》くこともあるんです。が、まさに今、與那覇さんがおっしゃったように、その「語り口」には違和感しか感じません。
　たとえば、福田恆存が「歴史的仮名遣《づか》い」に拘《こだわ》ったのは、それこそ彼の身体性ですよ。福田が終戦を迎えたのは33歳ですが、そこから、どう考えても合理性のない「現代仮名遣い」に変えろと言われても、俺は拒否すると。それは憲法に対する態度も同じです。

江藤淳で言えば、たとえば『一族再会』なんか読めば分かるように、彼の「戦後」批判の背景には、勝海舟の海軍学校で学んで、後に明治政府の海軍中将になった祖父から、銀行員だった父、そして自分に至るまでの記憶の連なりと、戦後の没落体験など、江藤淳固有の身体性があって、そこから、あのGHQの占領研究や検閲研究への情熱が出てくる。

その意味では、福田や江藤の言葉から文脈や身体性を抜いて、それを一つの記号として消費していくことは、先ほど言ったように、まず立場ありきのポジショントークですよ。そこから、他者との生産的な議論が出てくるとは思えない。それが結局、ネトウヨを含めて、福田、あるいは江藤の言葉をコピーするしか能のない一部保守派の限界なんでしょう。

ただもう一つ言っておきたいのは、とはいえ、私たちが現行憲法になじんでいるかと言うと、それも相当に怪しい。たとえば、憲法9条第2項に芦田《あしだ》修正が入っているとか、入っていないとかいう議論がありますが、それ自体が憲法学者の神学論争でしかない。でも、憲法を「コンスティチューション」、つまり僕らの「性格」や「気質」に根差した法文だと考えたときに、やっぱり中学生くらいの子が読んでも、まぁ普通に「分かる」ものじゃないとまずいでしょう。

だけど、日本国憲法を普通に読めば「自衛隊」は否定せざるを得ない。つまり、どこからどう読んでも「言っていること」と「やっていること」

がズレているんですよ。となれば、結局は、憲法か政府か、そのどちらかが「ウソ」をついていることになる。

内田樹なんかは、その本音と建前の「矛盾」に耐えるのが「大人」だと言いますが、僕はそうは思わない。タルムードの律法でもなし、「憲法」という改定可能なパブリックな法文において、「言っていること」と「やっていること」がズレているのなら、それを修正し「人格統合」を果たそうとするのが本当の「大人」でしょう。だったら憲法9条第2項の「改正」、あるいは「削除」でいいじゃないですか。同じ敗戦国のドイツも含めて、どこの国でもやってることです。まさに「ポジション」ではなく「理屈」でそう思いますね（笑）。

與那覇　なるほど。私も平成の護憲派の取り組みとして一番誠実だったのは、「憲法を口語訳して、身体感覚に根ざしたものにしよう」とした大塚英志さんや、高橋源一郎さんの発想だったと思います。しかし今は、われわれプロに任せれば自在に解釈してあげるから、とにかく文言は変えるなという態度の学者が護憲を担ってしまう。聖書の文言は絶対に正しい、と前提して演繹してゆく司祭の思考法と同じになっていて、まさしく憲法学というより「憲法神学」ではないかと感じます。

一方で改憲派はアイドルプロデュース業化して（笑）、福田や江藤といった先人の人生から生まれた言葉をオリジナルから切り離し、新しいキャラ要素と組み合わせて売っている。「元皇族」とかアメリカ人弁護士とか。ある意味で平成らしいけど、嫌な時代です。

浜崎　いわゆる「ビジネス保守」ってやつですね（笑）。

文化サヨクと、平成のニヒリズム

與那覇　言葉の機能不全ということから「歴史喪失の時代」としての平成を振り返ると、歴史を冠する学科に勤めていた際の出来事を思い出します。拙著にも記したように、文化左翼ですらない「文化サヨク」みたいな同僚が何人かいて、卒論審査の時はそうした人たちと主査・副査で組みますでしょう。そうすると、本当に唖然とすることがある。

あるサヨク教員の教え子の卒論の序文に、「この8月に、日本の首相はあの戦争についてこう言った。しかし、反省が足りない」みたいな批判が書いてある。その首相というのが菅《かん》直人さんなのですが、同じ箇所に「鳩山首相」や「麻生首相」が入っても、何ひとつ変わらないテンプレートのような文面なんです。

菅さんは社会民主連合から政界入りした市民運動家で、良くも悪くも一貫して「左翼的」な人であり、自社さ政権期には厚生大臣（96年）として薬害エイズやハンセン病問題で被害者に寄りそう成果も残しました。そうした彼のルーツに筆を及ぼした上で、「最左派の菅首相でも、この程度の反省しか表明できない。それこそが日本政治の限界だ」のように書いた方が、その子の（サヨク的な）立場としても説得力のある論述になるはずでしょう。ところが本人にも指導教官にも、そんな気が初めからない。

歴史を冠する学科の卒論を、歴史を振り返らずに「日本の総理の談話と言えば、とりあえず叩いておくものでしょう」みたいな「お約束」で書くというのは信じがたかった。

浜崎　なるほど。それって「ワンフレーズ」に脊《せき》髄《ずい》反射するネトウヨと同じですね。サヨクの側でも、似たようなことが起こっているということですね。

與那覇　「日本の首相のコメントはダメなものだと決まっているので、定義上ダメです」って、ワンフレーズも踏まえてない。ゼロフレーズ思考ですよ（笑）。

浜崎　いや、この手の「思考停止」は相当にまずいと思うと同時に、この「思考停止」が、どこから来たのかなと考えたときに、やっぱり、僕は「戦前を抑圧した戦後」ということを考えざるを得ないんですね。サヨクはよく「戦前」を批判するけど、お前たちの「ワンフレーズ」主義と、それによる思考停止ほど、戦前の「大政翼賛会」に似ているものはないぞと（笑）。

たとえば冒頭で、戦後史というのは「理想の時代」と「夢の時代」と「虚構の時代」に分けられるみたいなことを言いましたが、これって、逆に言えば「現実の対義語」として、「理想」と「夢」と「虚構」のなかに何か一つ「ワンフレーズ」を見つけておきさえすれば、平成10年までは、何とか生き延びることができたっていうことじゃないですか。

でも、それこそ、近代の「ニヒリズム」ですよ。たとえば、『ニーチェ』という本のなかで、ハイデガーは、「私たちは形而上《けいじじょう》学（理念）を持ったからニヒリズムに陥ったのだ」って言うんですが、これって普通は逆に解釈しますよね。つまり、「僕たちは、形而上学的理念、超越的理念の吊り支えがあるからニヒリズムに陥らないで済んでいるんだし、実際、戦後の現実は『理想』や『夢』

や『虚構』などの理念によって吊り支えられてきたじゃないか」と。

でも、僕たちの彼岸に超越的理念を投影するということは、また、その理念を抜き取ることもできるということなんですね。ハイデガーは、この理念の「投影」と「抜き取り」をずっと繰り返してきたのが、実は西欧形而上学の歴史、つまり、ニヒリズムの歴史だって言うんです。

與那覇　デリダの脱構築論に繋がっていく、いわゆる後期ハイデガーですね。

浜崎　そうです。それで、このプラトン以降の価値の「投影」と「抜き取り」の歴史そのものが、価値相対主義を引き寄せたのだと。

じゃ、この価値の投影と抜き取りの循環、その「ニヒリズム」をどう乗り越えていくのかと言うと、ハイデガーは二つのことを言うんですね。一つは、だから個人の「意志」や「能力」によって価値を見出すことをやめようと言う。で、もう一つは、そんな意志を「放下《ほうげ》」してもなお残るものだけを見つめようと言うんですね。そして、そんな意志を「放下」した後に残るリアリティを担保しているものとして、「芸術」について語り始めることになる。でも、それは自己表現としての「近代芸術」ではありません。むしろ、この「大地」と繋がっている生活の手触りのようなものとして「芸術」を語るわけです。

その意味で言うと、まさに與那覇さんが体験された「ニヒリズム」に耐え抜くためにも、やっぱり「言葉」がどこから生まれてくるのかというリアリティにこそ目を注がなくてはならないんでしょう。それは結局、シモーヌ・ヴェーユなんかが言った「根を持つこと」なんかにも繋がってくる話なんですが、やっぱり「言葉」と「身体」の循環の問題に戻ってくる。その意味では、與那覇さんの言う「平成の鬱を超えて」というのは、僕流に言い換えると、「平成のニヒリズムを超えて」ということにもなるんですよ（笑）。

與那覇　今のお話を聞いて思ったのは、デリダなら「現前の形而上学」への批判になるというか、身体感覚に裏打ちされた臨在感と、言語による抽象化とは本来一致し得ない。言語で表現できることと身体が感じとることは必ずズレてしまうのだけど、それでも何とか一致させようと努力し続けることで、相互に循環が生まれ、人が生きる力を育んでいくと。

戦後思想で言うと、よく福田恆存と丸山眞男は仇敵どうしだった半面、どこか似ていたと言われますね。演劇の専門家として、身体から言語との一致に近づこうとしたのが福田で、逆に思想史家として言語から身体をめざしたのが丸山というだけの違いかもしれない。

福田恆存は1980年の「言論の空しさ」で、前年のソ連のアフガン侵攻もあって日本でも再軍備論の芽が出てきたことを、「全然嬉しくない」と切って捨てた。論理（言語）の正しさで現実を変えたなら嬉しいけど、先に現実が変わったことに引きずられて「福田さんの言ったことが正しかったんですね」なんて、空しいばかりだと言う。これは50年の前後に「肉体文学から肉体政治まで」や「「現実」主義の陥穽」で、丸山眞男が告発したのと同じ問題でしょう。身体感覚にどっぷり浸かって言語を使わないでいると、「これが現実だ！」とされるものに引きずられるだけの批判力のない人間になってしまうと。

「アフォーダンス」と「歴史」
──平成デフレーションを超えて

浜崎　そうすると、やっぱり問題なのは、どう言葉と身体を循環させながら、この近代の「大衆社会」（オルテガ）のニヒリズムに抵抗することができるのかということなんでしょうね。「平成」という時代は「能力主義」という言葉が猖獗《しょうけつ》を極めた時代でしたが、それは要するに、身体なき「知性主義」ですよ。浅田彰、宮台真司の俯瞰主義の系譜と言ってもいい。一方で、この競争社会のなかで、人々は不毛なマウンティングと、優越ゲームを繰り返し、他方で、その孤立と不安を癒すために、ますます理念的な言葉を求めていくという悪循環に陥っている。

しかし、だからこそ、これからは、ますます與那覇さんの言う「アフォーダンス」の認識が必要になってくるんだと思うんです。どんなに足が速い人間でも、平坦な道がアフォード（提供）されてないと走れないし、どんなに授業がうまい人間でも、それを聞いてくれる学生がアフォードされていないと成り立たない。つまり、人の「能力」は個体に帰属しているのではなく、人と人との間、ある種の「生活世界」の枠組みに帰属しているのだということですよね。

人は一人で生きられないのだとしたら、私とあなたは何によって繋がっているのか、そのアフォードされている条件をしっかりと見つめましょうということですね。それは、もちろん過去の記憶なわけだし、「歴史」なわけですが、そもそも、その時間意識がなくなってしまえば、「われわれ」の意識、政治や文学が成り立たなくなってしまう。とすれば実在や他者と交わることの喜びも失われていってしまうという。
その「他者感覚」を改めて自覚し直すことで、まさに「平成の鬱を超えて」ですね(笑)、次の時代を迎えることができればと考えているわけです。

與那覇　ありがとうございます。重要なことは一つなのかなと思うんです。いわば身体と言語とが有機的に連環する条件としてのアフォーダンスということですが、私の趣味としてはそれをマルクスに仮託して「コミュニズム」と言ってみました。

浜崎　本のなかでは「コミュニズム」を「共存主義」って訳されていますよね。

與那覇　そうです。大事なのは「共産主義」ではないということで(笑)、先ほども言ったように用語の選択というのは趣味だから、マルクスが嫌な方はハイデガーに倣って「大地」でもいいと思う。それらが重なり合いながら、指し示している問題系こそが重要です。

ところでどうしてマルクスとかハイデガーとかデリダとか、学者時代の専門と違う話をしているかというと、僕も歴史学者をしていた頃は「歴史」こそが、そうした万人に共通の土壌を拓《ひら》いてくれるはずだという気持ちがあった。しかし、今やそう思えないのです。歴史学科の機能不全だけではなくて、学界や出版界もひどいものでしょう。

たとえば2012年に出た孫崎享《うける》さんの『戦後史の正体』は、60年安保闘争がアメリカの陰謀だったと主張するトンデモ本だけど、売れている上にサヨク(反米)の文脈では政治的に使える本だからということで、学者がきちんと批判しない。翌年に『永続敗戦論』をヒットさせた白井聡さんも、同書のなかでは一応距離をとっていたはずなのに、あっさり孫崎さんと対談して「やっぱり対米自立だよね」みたいに意気投合してしまう。

つまり平成半ばに「歴史修正主義と戦う」と言っていた人のほとんどは嘘つきで（苦笑）、自分の立場に都合がいいなら歴史なんか修正してなんぼだと内心思っていたことが、みんなの目に分かっちゃった。その空気を読み切って出てきたのが百田尚樹さんの『日本国紀』（２０１８年）だから、いくら叩かれようが本人がヘラヘラしてますでしょう。

もはや日本人にとっての「歴史」は発泡酒や缶チューハイと同じで、健康に悪い成分（＝妥当でない歴史解釈）がいくら入っていようと、スカッとしたいから飲むものになってしまった。大昔のアメリカで禁酒法が失敗したように、そうした欲求を完全に規制することは不可能なので、そりゃみんな安く酔いたいですよねという目で見ておくしかないわけです。

浜崎　なるほど。今のお話を聞いてて思い出すのは、小林秀雄の「歴史について」というエッセイです。〈歴史とは、死んだ愛児の遺品を前に、子供の顔を必死に想い出そうとする母親の努力のようなものだ〉という、あの小林の言葉ですね。つまり、遺品という史料に沿って目の前にはない過去を、一つのヒストリー、ストーリーとして作り上げることだと。
それで言うと、少なくとも「トンデモ」というのは、「愛児の遺品」つまり「史料」を無視しているということですよね。しかし、そうなると、そもそも、いたかどうかも分からない子供を想像していることになるわけで、歴史というよりはフィクション、妄想だということにもなりかねない。

でも、そこを許してしまうと、逆に「何でもアリ」のアノミーを引き寄せてしまいますよ。私たちにアフォードされている史料を裏切っているわけだから、それこそ、個人の語りの「能力」に依存した「売れたもの勝ち」の世界がまかり通ってしまう。

與那覇　その点で言うと、吉野源三郎が戦前に書いた『君たちはどう生きるか』が、2017年にマンガ化されて爆発的に売れています。同書は本来、近代科学的な認識論の大切さを説いた本で、主人公のあだ名がコペルニクスから来ているのはそのためだけど、そんなこと誰も考えずに「究極の〝生き方本〟」として買っている。その10年前(08年)にあった『蟹工船《かにこうせん》』ブームが、「格差社会の告発」として一応は原著の文脈を踏まえていたのと比較しても、歴史的なコンテクストを抹消した売り方になっているわけです。

学者時代はそうしたビジネスに対して絶対怒ったと思うんだけど(笑)、今はもう、ともあれそういう形で過去への「アクセス・ポイント」だけはできたんだからと、呆れながらもポジティヴに評価してよい気もしている。浜崎さんはどうお考えになりますか。

浜崎　そうですね、僕は一応しっかりと怒った上で、その人の態度を見て許すかもしれない(笑)。

先ほど言ったように、本物の「歴史」とは、史料を前に過去を思い出すことだということを自覚しさえしていれば、たとえば『蟹工船』のマンガを読んでも、小林多喜二《たきじ》の『蟹工船』を読んだことにはならないのだということさえ自覚してさえいれば問題はないという立場です。つまり、「本物」と「偽物」の一線さえ自覚していれば遊びはあっていいのではないかと。
　僕は「知性主義者」でもないし、「反知性主義者」でもないけど、ただ、人が無知であることを責めようとは思いません。なぜなら、無知であることは、そこから何かが立ち上がる可能性を否定してはいないから。でも、だからこそ逆に、何か分かったような顔で、「保守」とか「リベラル」、あるいは、親安倍とか反安倍から始める人間を許したくはない。
　彼らは、まさに目の前に見えている「愛児の遺品」を無視してでも自分に都合のいい「物語」、つまり「嘘」を紡ぐからです。しかし、この「歴史」に対する思い上がりこそ、人々から信頼を奪い、その心に疑心暗鬼を掻き立て、自立的に思考することの喜びを疎外してきたものの正体ですよ。
　でも考えてみれば、これが、ポストモダン的な「小さな物語」に開き直り、「みんな自由で何が悪い？」と嘯きながら始まった「平成」という時代の成れの果ての姿なんでしょう。この惨状を、しかと目に焼き付けてから次の時代を迎えたいですね。

與那覇　叩くかはともかく、犬が水に落ちたことは認識しようと。いやはや（笑）。

浜崎　続きは、飲み屋でやりましょうか（笑）。今日は、長い時間ありがとうございました。

初出＝『表現者クライテリオン』2019年3月号（啓文社書房）

対談

歴史喪失のあとに〈歴史〉を取り戻す
――『荒れ野の六十年』『歴史がおわるまえに』をめぐって

與那覇 潤×大澤 聡

2020年3月27日

教養主義の崩壊

大澤　新刊『荒れ野の六十年』には、2008年から15年のあいだに発表された学術的な論文が収録されています。これを読むと、與那覇さんが歴史と現在をブリッジする中で思考することに大きな可能性を見出していたことがよくわかります。けれど、姉妹編『歴史がおわるまえに』の最後のパートには「歴史学者廃業記」と題された、18年の復帰直後のスキャンダラスなテキストが収録されていて、かつてのそんなスタンスはもうやめるのだと宣言している。

これは與那覇さん個人の内的な変化なのか、それとももっと大きく社会的な変化によるものなのか。おそらくセンシティブな與那覇さんの感性が後者を前者に直流させてしまったんだろうと察しますが、このあたりを対話できたらと思います。

『荒れ野の六十年』の「まえがき」で、私の『教養主義のリハビリテーション』（以下『教養主義』と略）に出てくる「ポストヒストリー」論を援用してくださっていますが、あの本が出たのと「歴史学者廃業記」がウェブサイトにアップされたのとがちょうど同じ時期で、いちいち首肯しながら拝読したのを覚えています。

歴史を積み上げた先で自分たちの存在についてどう考えるかが教養主義のポイントだと仮に定式化するなら、近年はそうした構えは完全に失効しました。教養本がどれだけ流行ろうとそれは別問題です。とりわけここ5、6年、ちょうど與那覇さんが充電なさっていた期間のメディア環境の変化に由来してもいるはずです。SNSが人びとの判断や思考のプラットフォームになった結果、ストックではなくフローですべてを捉えるモデルに切り替わった。そこには「今・ここ」しかない。

深層や奥行きの発見が「近代」であり「教養主義」であり「歴史」であり「人間」であるとすれば、新たなメディア環境はそれらをのっぺりとフラットに均《なら》してしまいました。ピンポイントでたまたま拾い上げた情報だけをたよりに考える。そんな「歴史なき歴史観」について、「ポストヒストリー」という言葉をあてがってみたわけです。

與那覇　病気の前にツイッターで感じたのは、歴史云々以前に「遡る」という営為自体が失われていることでした。続きもののツイートなのだから、元まで辿《たど》ればすぐわかるのに、「何についての話?」と発信者に聞いてしまう。病気が縁で知りあった若い世代と話すと、LINEでもそうらしい。自分で画面をスクロールして情報を得るのではなく、「いまバイト終わり。どこの店に集まってるの?」と聞いちゃった方が早いと。

大澤さんの『教養主義』の第4章では、どうせネットに載っているから「後で調べればいい」とする態度を、それだと結局後でも調べないと批判していますね。ぼくには「授業中に電子辞書を引くヤツは絶対に伸びない」という経験則があるんですが（笑）、あれは知らない用語が辞書に「載っていた」時点で安心して、記述を読まないからです。

自分が欲するタイミングで「聞けば／引けば」答えは返ってくるものだと。そうした感覚がデフォルトになった結果、対話の相手とリズムや時間を同期させる必要を感じなくなった。それが歴史喪失の背景ではないですか。

大澤　そう、擬似的な同期ばかりで実際の同期ができなくなった。5、6年前までは、90分間の講義の中で、前半の話を後半でがらりと引っくり返す驚きを体験してもらうとか、あちこちに伏線をはっておいて最後に根こそぎ回収していくとか、構成を工夫したものですが、前半部や伏線部しか聞いていない学生もいて、コメントカードやテストで正反対のことを記述してしまう。これは困ったということで、15分完結のユニットを5つ6つ展開するオムニバス形式に切り替えました。

教員である私自身が教養主義の崩壊を加速させていやしないかと悩みもしますが、大学一、二年生にはそうせざるをえないのが中堅私大の現状です。

與那覇　サプリ化しないと知識が伝わらないので、学生の前で教師が「物語」を演じることができなくなったと。

大澤　高校生のときに使ったであろう学習系の講義動画も数分のワントピック解説が多く、弱点をピンポイントで克服する形式になっています。まさにサプリを摂取するように受験勉強する。

與那覇　ＹｏｕＴｕｂｅでは短時間の動画ほど見られやすいし、ＳＮＳでバズらせるにはさらにそれを細切れにする。プラットフォーム自体が反物語、反歴史的に設計されていますよね。

大澤　トータルの視聴回数を稼ぐには細かく分割した方が得策という事情も。あらゆる発想がそうなりつつありますね。反物語的に断片化していく。そして、動画サイトが思考のリズムを決定してしまう。

となると、戦略を変えるしかありません。たとえば私の講義で言えば、6つのトピックスは一見ばらばらに見えるのだけれど、よく聞けば実は因果関係にあったり、部分的な共通点を持っていたり、構造的に相似関係になっていたりする。パズルを組み合わせるように、自分なりにコンテクストを編み上げてくれることに期待して、繋がりはあえて自己解説しません。そういうところからリハビリしてもらうしかない。

與那覇　コミュニケーションのサプリ化で「困るのは（元）歴史学者だけだ。私は別に関係ない」と感じる読者もいるでしょうが、そうでもないんです。一定の時間の幅のなかで、首尾一貫した「筋」を通すことで物事を理解する態度が薄らぐと、実は「現在」に対しても全体像を把握できない。その時ごとの「旬な話題と解決策」に飛びつく結果、相互に矛盾が生じても気づくことができず、「原子力も二酸化炭素（＝火力）もゼロにしろ」みたいなことを平気で言える大人になってしまう。

大澤　個別のトピックを全体の中に位置付けられない、と。

與那覇　大澤さんもぼくもテレビの討論番組に出ましたけど、驚くのは「それはさておき」のように文脈を切って、いきなり本人の専門や話したいトピックに持っていく出演者が結構多い。ここまでの議論の流れを踏まえて、接続すると……というた作業を経ずに、即「プレゼン」に入っちゃう。

大澤　討論よりも、視聴者に有益な情報を単発的に提供することが専門家の責務だと考えているわけでしょう。『教養主義』の中では「対話的教養」と表現しましたが、相手の発言を引き取って自分のジャンルに繋げる面白さを私たちは歴史に学んだわけですね。けれど、今となってはそんなまどろっこしい作業は無用で、あらかじめ準備しておいた弾《タマ》の発射ボタンをいつ押すかだけが関心事になる。ラップのフリースタイルバトルでいう「ネタくさい」というやつです。

『歴史がおわるまえに』では、流行りの歴史小説に「具体的な描写がない」と指摘されています。ここも『教養主義』第4章に繋がるところです。細部の描写はどうだっていい、それよりも偉大な固有名さえあればいい。容姿や風景は読者がそれぞれに想像力で補塡すればよいのであって、作品がそこまで限定する必要はない。むしろ示すと読者の空想との間で齟齬《そご》を起こしてしまう。

それで、描写を排除してモジュールだけで構成するわけでしょう。実際はスキルがないだけなんだろうけど。でも、それが売れてしまう。近代の表現者たちが130年を費やして苦闘してきた蓄積は一体なんだったんだろうと愕然《がくぜん》とします。見立てだけで勝負するという意味では、近世以前に回帰しているといってもいい。

與那覇　『中国化する日本』の文庫版に収録した、宇野常寛さんとの対談では「歴史意識の歌舞伎化」と表現しました。「織田信長の決断力」とか「坂本龍馬の雄大な構想」とか、予め読者が期待している「見得《みえ》」をいかに切るかだけが注目される。

大澤　専門家が文脈抜きで発射ボタンを押したり、講義動画でわかりやすい部分を最短距離で解説したりするのも、まさに「かぶく」ということですね。最大瞬間風速を出せる場面でだけかぶいて、ドヤる（笑）。

與那覇　だから「コミンテルンの陰謀」や「WGIPで洗脳」は史実に基づかない見得ですが、史実に即して見得を切るのがそんなに偉いんですかという話も出てくる。歴史が歌舞伎の等価物になるなら、「実証的な忠臣蔵」なんて別に見たくない（笑）。

歴史では世直しにならない

大澤　リアリズムの否定は、書き手の技量不足もさることながら、先ほど言ったようにメディア環境の問題でもあります。それらすべてが歴史の消滅に合流してしまう。

與那覇　おっしゃる通りですね。そこで気になるのは、大澤さんが『批評メディア論』で探究されたように、日本の出版文化には海外にはあまりない「対話」のデバイスがあった。誌上座談会とか、対談とかですね。

はたしてそれらは、発明された昭和戦前期には十全に機能していて、後のテレビ化・ネット化のなかで劣化していったのか。それとも、そうした見方じたいが「小林秀雄の対談の切れ味は……」といったノスタルジーの産物にすぎず、最初から実態はいまと似たものだったのか。

大澤　固有名の呪縛という問題に尽きますが、昔も今も出席者の並びで座談会の良し悪しが決まる。そこも歌舞伎と同じですね。途中どんなことが討議されるかはあまり関係がない。今の討論番組もそうで、有名性や肩書を持つ人間が揃《そろ》いさえすればいい。実際、初対面の人間が1時間や2時間話し合ったところで、きっちりした結論にたどりつくなんてことは稀です。

ただし、かつてはそんなだらだらしたプロセスそのものを楽しんだり深読みしたりする度量が読者の側にあった。けれど、今はそれを許してくれない。その違いはあります。描写の欠落と同様、固有名に全部回収される問題です。これこれの萌え属性のキャラが出ているからよいという、十数年前の動物化したコンテンツ消費のあり方との類推で説明してもいいかもしれません。極端には、結論やストーリーはどうだってよくなる。

與那覇　萌えというと軽い印象ですが、いまハリウッドで流行のダイバーシティ（多様性）・キャスティングも、萌えの真面目バージョンみたいなものですよね。ツインテールと眼鏡っ娘《こ》は1人ずつ要るだろう的な感じで、有色人種とLGBTはキャラとして入れとこうと。もちろん悪いことじゃないけど、「画期的な達成。意識高い！」みたいに言われると……（苦笑）。

大澤　他方で、1990年代後半の繊細でナイーブでポリティカルに正しい知のあり方、たとえばマイノリティに対する言説化の不可避的な暴力への警戒感が、私たちの中には刷り込まれていますよね。

與那覇　以前、編者の河野有理さんを交えた『近代日本政治思想史』の巻末鼎談《ていだん》でも議論しましたが、ポスコロ・カルスタが知的なプラットフォームの基本にあった世代ですからね。

大澤　『荒れ野の六十年』の収録論文は90年代から時間が経っていないこともあってか、想定読者がそういうサークルの人間だからか、その達成をきっちり継承しようという強い意志が伝わってきます。社会的にはバックラッシュが来たけれど、盥《たらい》の水と一緒に赤子を流さないためにはどうしたらよいのか、歴史家廃業以前の與那覇さんはその部分でずいぶん苦闘しつつ、表面的には軽やかにアクロバットを披露するという、とても複雑な技を展開していた。今はそこが吹っ切れたんでしょうね。

與那覇　それはあります。「天皇制批判」とかいうのも、左翼一門の学者が切る見得に過ぎないことがわかったし（笑）。

大澤　読者をどこまで信頼できるかという問題でもあるのではないでしょうか。『荒れ野の六十年』の表題作にもなった長大な、まず類を見ない高水準のサーベイ論文では、「このテーマだけは新しく研究に取り組む世代に受け継ぎたい」から引用頁数の情報などを追補したと「あとがき」で解説されています。ここなんかは與那覇さんがアカデミックな歴史の継承をまだ信じているように見えるし、その長い時間の中に自身を位置づけてもいる。

他方、ある時期以降、『歴史がおわるまえに』所収の論考や対談がそうですが、一般の読書人向けに発信していくようになると、そこでは学術サークルと違って、前提がほとんど共有されない、場合によってはそれこそ固有名に脊髄反射してしまう人たちとも対話しなければならない。そして、與那覇さんのパーソナルな繊細さとハイスペックの処理力とをフルに活かして啓蒙の役目を果たされた。雑誌やテレビ以外にＳＮＳにまで啓蒙のチャンネルは及びます。

一方ではタコツボ化しきった学術の世界で文明史レベルの大胆な見取図を提示しつつ、他方では歴史の使い方を示すことで一般向けに世直しを実践する。その両面の過度の無理が與那覇さんのバランスを崩したのではないか。

與那覇 震災の時、スマホでSNSをやっていたか否かで生死を分けた例がありましたでしょう。ぼくはネットには奥手だったけど、あれでとにかくスマホを買ってきてツイッターを始めた。ところが「日本史」みたいなジャンル名で検索したら、上位アカウントはほぼ全員ネトウヨですよ（苦笑）。世の中こんな風になってたのか、大変なことだと思いましたね。

結果的にそのツイッターで知りあった人たちが応援してくれたおかげで、同じ年の11月に出した『中国化する日本』が話題になり、一息つけた。ところが、前に綿野恵太さんとの対談でも話したとおり〔本書191頁の注4参照〕、翌12年の7月に孫崎享さんの『戦後史の正体』が何倍も売れるのをみて、間違いに気づいた。歴史を通じた啓蒙なんて幻想ですよ。人びとが期待しているのは、「この世界の悪は、あの場所（たとえばアメリカ）から来るのだ！」という宗教的な託宣《たくせん》で、それが近代のあいだはたまたま、史実と矛盾しない過去語りの形式をとっていた。しかし、そんなものは壊れてしまったのだと。

大澤 それでもなお、しばらくは読者や社会に寄り添うかたちで、「それは歴史ではない」と発信し続けた。それが歴史家の責務だと考えていたわけでしょう。

與那覇 非常に強くそう思っていたし、当時は歴史学者として給料もらってたから（笑）。

「共有」か「棲《す》み分け」か

與那覇　逆にいうと読者の賛否はわからないけど、もう諦めてもいい、否むしろ「諦めた方がいい」かもしれないと考えるようになったのが、近刊で示した新境地です。そこには、月給取りをやめた以上の理由があります。

歴史（学）的な啓蒙って、どうしても「共有」を志向するじゃないですか。自国の過去についてのストーリーを共有することで、国民がまとまっていく。隣国の学者と共同研究をして、成果を共有することで歴史和解が達成され、国際関係が安定してゆく。ところがどうも、それは嘘だという気がしてきた。

ご紹介いただいたサーベイ論文の「荒れ野の六十年」とは、日清戦争から朝鮮戦争までの期間を指しているのですが、これは「どの国が東アジアのリーダーなのか」・「国境線はどこにあるのか」について、相互に認識を共有しようとした時代でした。でもその過程でものすごい数の人が死んで、冷戦以降は「どちらが本当の中国政府ですか」といった問いについてすら、答えが共有されない状態が続いている。

むしろ私たちは最初から、共有はしないけれども一緒に生きていける方法を考えるべきではなかったのか。そういう気持ちに変わっていったんですね。

ぼくが博士号をとったのは2007年の7月で、つまり同月の参院選に敗れて退陣していく第一次安倍政権の下で博士論文（後に単行本『翻訳の政治学』）をまとめているんです。これは結構大きな意味がある。博論の主題は明治期の沖縄問題ですが、歴史の共有がなく、お互いにずれた認識を持ち合っていたとしても、相手に干渉しなければ一緒にいられる。そういう近世期の秩序を振り返るところから始まります。

琉球王国は清朝に朝貢しつつ、薩摩《さつま》藩の支配に服しているどっちつかずの存在で、日中間で認識にずれがあることは、日本人も清国人も知っていた。しかし「自分と同じ解釈をしろ」と相手に強制することはしないので、だらだらと平和にやっていけたわけです。

大澤　論文「荒れ野の六十年」の用語でいえば「自覚的に曖昧な秩序」、ようするに棲み分けですね。

與那覇　おっしゃる通りで、棲み分けと呼ぶのが一番わかりやすい。しかし当時そこまで割り切れなかったのは、すべて安倍のせいである（笑）。端的にいえば、日米間では執筆当時がピークだった従軍慰安婦問題の影響なんですよ。

博論では、そうした共通認識なき共存のあり方が琉球処分（王国の廃止、沖縄県の設置）で壊れてゆく過程を、独自の視点で扱っています。国際的に報じられる際、当時の英字新聞では「Ryukyu annexation（琉球併合）」と書く例が多かった。面白いのは、明治政府は上海の英字紙の元編集者を雇って、これに反論するんです。琉球は〝もともと日本の一部であって、別に新たにannex（併合）はしてないよと。

読めばすぐわかるだろうと思ったわりに、理解してくれる読者が出てこなかったけど（苦笑）、そんな研究をしたのは同じ問題が眼前にあったからですよ。つまり、従軍慰安婦を「sex slave（性奴隷）」と書いていいかどうか。こちらの問題では最右派の保守政治家や識者が「慰安婦は性奴隷じゃない」とする全面広告を米国紙に出しちゃって（07年6月）、逆に米議会が態度を硬化させる事態にまでなりました。そこに至る流れを見ちゃうと、「認識の共有なんて要らない。意見が違う国とは、棲み分けたらそれでいい」とはなかなか言えなかった。

日本人も韓国人も中国人も、自分の国の中では自分に都合よく歴史を語るのだろう。しかし、それだけではなく「他国にも共有される（べき）真の歴史」といった審級の水準があり、かつ裏付けとしてのアメリカ主導の世界秩序がある。そうした審級があるおかげで、各国ごとのナショナリズムにもどこかで歯止めがかかり、完全な暴走までは行かないですんでいる。

そう当時は思っていたから、現実に共有することはたぶんできないとしても、「共有するべき」という理想の地平まで捨ててしまってはいけないのだ、というオチにしたんです。

大澤　かつては独自の全体性、つまり多義的な解釈の併存を許容する秩序が東アジアに担保されていて、それによって回っていた。ところが、ウェスタン・インパクト以降はそんな曖昧さが許されず、しっかり境界画定することが要求された。それが「近代」という時代です。理想と暴力とが抱き合わせでやってくる。

けれど、もっと長期的なスケールで捉え直すなら、曖昧化を上手く実装しながら棲み分けるような秩序もありえた。そのことを歴史から丹念に掘り起こす仕事をされたわけですね。

與那覇　ある理想を共有することを通じて、人々を最悪の紛争から避ける。そうした限界づけられた意味でなら「近代というプラットフォーム」は、今後とも必要とされると考えていました。

「安倍2・0」の誕生を見て

大澤　そちらの理想の部分についての認識は、どう変わったんでしょうか。

與那覇　この点では正しかったという気持ちは今もある半面、大きく間違えたこともありました。先ほど審級の水準とか理想の地平と言ったのは、大澤真幸さんが「第三者の審級」と呼ぶものとほぼ同じですけど、やっぱり第三者の審級の地位に就き得るのは「それなり以上の水準のもの」だという思い込みがぼくにはあったんですね。しかしいま〔対談時〕、その席にはトランプが座っている(苦笑)。これは考えを変えざるを得ない。

まだオバマ政権だった2015年4月、首相に返り咲いた安倍さんが米議会で英語で演説したことがありましたね。ぼくは入院していたからロビーのテレビで見たけれど、そのとき「ああ、すべて終わったな」と思いました。

安倍さんは「deep remorse」という言葉を使って、remorse は英語では regret よりもかなり強い後悔を指す「呵責《かしゃく》・自責」の意味だから、アメリカの議員たちは拍手で歓迎した。意外にこの人、戦争を反省してるじゃんと。しかし日本の安倍応援団は「総理は apology(謝罪)とは言わなかった。日本人の名誉を守った、さすが安倍さん!」と正反対の方向で拍手する。究極の棲み分け外交が出現したわけです。

安倍さんは第一次政権の前に出した『美しい国へ』では、私は摩擦や衝突を怖れない「戦う政治家」だ、なあなあでごまかす戦わない政治家とは違うと書いていた。これを仮に「安倍1・0」とすると、その後の挫折もあって、より巧妙に認識を棲み分け、双方に勝った気持ちを味わわせることで共存しつつ、実際には戦わない政治家としての「安倍2・0」がこのとき生まれたんだと思う（苦笑）。同じ15年の夏に安保法制が国会に出ますが、それに挑んだSEALDsや彼らを祭り上げた学者たちが完敗したのは、もう存在しない「1・0」の幻影と戦ったからですよ。

自分たちはあくまでも藁《わら》人形を叩き続けます、なんていう運動は、国民に支持されない。同じように、単なる棲み分けではない何か（＝共通の認識の地平）を求めてきた歴史学にも、社会的な意義はなくなった。歴史が終わったんです。

大澤　共通認識の構築への志向を放棄したのち、では、文筆家としては今どんな選択肢をとりうるのでしょうか。

與那覇　白井聡さんが毎日新聞（20年3月1日）に書いてくれた、『荒れ野の六十年』の書評も事実上その問いかけで閉じられていて、恐縮しました。たとえば『FACTFULNESS《ファクトフルネス》』（ハンス・ロスリング他）という本が去年すごく読まれたそうだけど、これはたぶん精神療法のマインドフルネスに借りた発想ですね。政治的な主張や、先入観はいったん捨てて、ファクトだけに神経を集中してみよう。そうすることで対立が緩和されて、楽になるかもしれないと。そうした局面があることは否定しません。

しかしぼくがいま必要だと思い、これから探究していきたいのは、むしろ「ファクトレスネス」なんですよ（笑）。これこそは客観的な事実であり、したがって全員が共通に認識し、議論の前提とすべきだ――そういったファクト的なものを、いかに最小限に抑えて、それでも社会の分裂や破局を避けるかを考えたい。

それこそ90年代の緻密な議論では、ナイーブに事実（ファクト）を振りかざしてはいけないというのが常識でしたでしょう。事実は常に複数ある以上、俺的には「この事実」が特に大事なんだとピックアップした時点で、その人の思想やイデオロギーを反映してしまっていることを、自覚しなくてはいけないよと。ところがいまや、自分は統計をとったから、現場に行ったから「エビデンス・ベース」です。だからオピニオンよりこっちが偉いんだぞとか、そういう知的水準の低い議論が横行し、原文書に触るしか芸のない歴史学者が合流して延命を図る（苦笑）。これはなんとかしないと、と痛感します。

大澤　何を言おうとポジショナリティが必ず織り込まれていることをたえず自覚しながら、自分の立ち位置からという限定条件付きにおいてのみ発言できるのだといった、あまりに繊細なファクト提示の方法がかつてはありました。今はみんな島宇宙の王様と化し、そこを世界の全体だと錯覚している。そこから提示される肥大化した自意識の延長にあるようなファクトばかりです。

１９９０年代のファクト語りを過剰に封鎖する閉塞状況でもなく、といって、２０１０年代のファクト同士の殴りあいというかバトルロイヤルの状況でもない、また別のモデルを模索する段階でしょうね。

神話化する過去語り

與那覇　綿野さんとの対談でも出した比喩でいえば、ある種の人類学的なアプローチが必要だと思います。A族とB族がそれぞれ、「わが部族の神話では、この山はわれらが聖地。やつらは元々、われわれの分家にすぎない」と主張して争っていたとして、歴史やファクトが何の役に立つんですか。学者が石碑の文章とかを分析して、歴史的には「A族が山を支配した期間の方が長い」のように結論したところで、紛争の調停にはならない。

これまた政権をネタにして申し訳ないけど、終戦70年にあたる2015年には安倍談話も出ましたね。あれはひとつのエポックで、「歴史学者廃業記」でも触れたとおり、「歴史の共有による和解はあきらめます。むしろ神話の力を活かして共存していきましょう」というのが、あの談話が発信したメッセージです。

前半では19~20世紀に地球はどういう状態にあったかという「世界観」(舞台設定)が語られ、後半、具体的な戦争の過程はプツンと省略されて「さまざまな惨禍がありました。何人もの人々が犠牲になりました。そのすべてを悼《いた》みましょう」という鎮魂の祭文が続く。ぶっちゃけ真ん中に起きたことが戦争でなく、天災や神罰でも文章をいじる必要がほぼない。

この談話は絶賛されてはいないけど、中国や韓国も含めて、外国から強く抗議されたという話もあまりないでしょう。必要なのは相互に尊重しあえるレベルの神話であって、歴史じゃない。左右問わず、歴史研究者へのリストラ宣告が安倍談話なのだから(笑)、怒ってブレーンを辞めた中西輝政さんだけが正しい。

大澤　なんとも皮肉な事態。そして、語りが神話化していくところはいかにも日本的ですね。

與那覇　日本的じゃないのは、こうしたメタ・メッセージを読みとれない学者なんですよ。19年の秋、中華民国期の抗日戦の歴史を研究している日本人の国立大教員が、北京で拘束されて騒ぎになりました（†3）。しかし、日本政府を代表して安倍さんが「神話に基づいて共存しましょう」と言っているのに、なんで中国に行って共産党の建国神話にちょっかいを出す研究が無事にできると思ったのか（苦笑）。そんな人が「私は歴史といっても、軍事史・外交史ですから」と言って国際政治を講じているとなると、さすがに私も日本の大学が心配になります。

ネトウヨとも対話はできる？

大澤　今日は読者とどう向き合うのかが一つのテーマになっているように思いますが、前提を共有できていない読者たちと今後どんな距離感で付き合っていきますか。以前はどこまでも、それこそ私生活を切り崩してまで啓蒙する役割を真摯に引き受けてらっしゃったわけだけど。

與那覇　まさにそこでこそ、病気の体験を経て得たものを活かしたいと思うんです。たとえば始終ヘイトスピーチを垂れ流すタイプのネトウヨとは、ファクトを持ち出したところで話が通じませんよね。でもそこで視点を変えて、なぜこの人はここまで追い詰められているのだろうと。どうして他人に罵詈雑言《ばりぞうごん》を浴びせ続けることでしか、生きている実感を持てない「症状」が出ているのかと、考えなおすのが大事だと思うんですよ。

---

†3　中国の研究機関からの招聘を受けて訪中していた北海道大学法学部の教授が、国家機密を収集したとして、宿泊中のホテルで拘束された事件。解放（保釈）には2カ月を要した。

ぼくも体験したけど、「うつ」ってまず、病気だと気づくことが大事なんです。症状としては異様に疲労しやすいとか、少食なのに胃腸の調子がめちゃくちゃだとか、色々ある。このとき、エナジードリンクや整腸剤のような「症状向け」の薬でごまかすのは悪化するだけで、うつの本体に効く治療に踏み切らないと治らない。

実はちょうどいま、斎藤環さんとの対談本（『心を病んだらいけないの？』）を作っています。精神科の現場では統合失調症のように、症状として文字通りの妄想を語る患者さんに出会う。でもスパイ組織に監視されていると訴える患者に、医師が「そんなことして誰が得するの？　エビデンスは？」と詰め寄ったら、「先生もスパイの一味なんだ！」としてもっと状態が悪くなるでしょう。

正しい対処は逆に、相手に同意はせずとも耳を傾けて、「いつからそう感じるようになったの」「どんな風にスパイだと見抜くの」と話を聞いてあげることなんです。すると説明するうちに患者さんの理性がだんだん戻ってきて、本人自身が話の矛盾に気づき、自分から「考えすぎですかね」と言うようになる。ぼく自身もかつてそうでしたが、「このファクト（史実）を見ろ！　まさにお前の物語（偽史）への反証だ」とやってしまいがちな歴史学は、それに比べたとき、なんと貧しい実践だったかと感じるんですよ。

大澤　20年ほど前に鷲田《わしだ》清一さんが『「聴く」ことの力』で、ケアの現場の「聴く」というメチエを理論化し哲学に移入したわけですが、今度はケアの現場での「聴く」ことの形骸化に警鐘を鳴らし、むしろ「「聴かない」ことの力」を提唱する向谷地《むかいやち》生良《いくよし》さんのような路線も出るなど、ここは難所です。いずれにしても事実の提示で論破するのではない道を模索するべきでしょうね。

與那覇　その通りですし、他方で「正しい歴史観を打ち立てて、教育はすべてそれに則って行い、政治家も同様に外交で発信してもらうべきだ」といった考え方を解除した方が、歴史のあり方自体も充実するんじゃないかと思うんです。そこでファクトレスまで行ってよいかは難しいけど（苦笑）、大事になるのはファクトよりもテイスト。

　こういう風に過去を語り、現在に繋ぐ行為が「自分の価値観では」上品であり、洒脱《しゃだつ》だと感じるんだと。歴史の再生がありえるとしたら、そうした洗練さの競いあいの彼方にでしょう。エビデンスプロレスみたいな下品な見世物に参戦しても、歴史は還ってきませんから。

大澤　その場合、「趣味」を肯定的にキーワード化してもいい。「歴史家廃業」とはまさにそういう意味においてですね。歴史そのものを與那覇さんが捨てるというわけではない。エビデンスやファクトを学術的に詰み上げていく以外の方向に歴史を開いていく。

與那覇　ええ。だから大澤さんが『群像』に連載している「国家と批評」はとても興味深い。内容としては三木清《きよし》論でも、通常の思想史の書き方とはまるで違って、戦前の生活空間を小説風の文体で描写するなかに異様な愛煙家が出てきて、よく見たら三木だったと。読者をバーチャル・リアリティの世界観に誘い込んで、いわば身体的に過去の時空を感じさせるような叙述になっていますね。

2015年以降の潮流

大澤　研究者の世界も批評の世界も、何重もの前提を踏まえた上でハイコンテクストな空中戦を展開してきました。けれど、実はみんなほとんど文脈を共有などしていなかったのではないか。それでも、少なくとも読者に共有されていると信じることはできましたから、たとえば柄谷行人や浅田彰の共同討議『近代日本の批評』はその歴史の上で曲芸がやれたわけですよね。

けれど、今は幻想であれその前提からセットアップするしかない。それで、私が東浩紀さんたちとやった『現代日本の批評』では、いわずもがなの基礎情報から愚直に整理してみせたわけです。これもリハビリですね。それと同じ構造ですが、抑圧となる年長世代、この人にさえ認められればよいと思える存在もいなくなってしまった。

與那覇　「小林秀雄←江藤淳←柄谷行人←東浩紀←宇野常寛」のように、この人を乗り越える批評を書いて、相手に認めさせてみせるぞと。そうしたドライブで言葉を紡ぐ系譜は途絶えましたね。

大澤　そうした継承なり弁証法なりが歴史そのものだったとすれば、その意味での歴史も消失しました。となると、投壜《とうびん》通信モデルに居直るか、戦略をシフトチェンジするかしかない。與那覇さんが指摘してくれたように連載「国家と批評」がギミックとしての身体性を媒介にしているのは、「歴史がおわったあと」の時代に向きあった私なりのリハビリのつもりなんです。

與那覇　興味深いのはそうした動きがいま、同時多発的に起きています。原武史さんや東浩紀さん、先崎彰容《せんざきあきなか》さんは意図的に「紀行文」のスタイルを嚙ませて歴史を書こうとしているし、岸政彦さん・古市憲寿《のりとし》さん・千葉雅也さんと、小説家デビューして話題になる学者さんもいる。歴史や学問の「自明性」に寄りかかっていては、なにも伝わらないと感じる人が増えたような。

大澤　個人の資質の問題だったり、業界の限界を突破する意図だったりと経緯はかなりばらばらでしょうけど、方々で抑圧が解除されて急速に自由度が増したということなんだと思います。

もっとも、自由になれてよかったじゃないかというとそんな簡単な話じゃなくて、無重力状態で読者の俗情にばかり訴求するようになれば前半にお話ししたとおりマズいので、あくまでロゴスや描写を手放さない、そのバランスが肝《きも》になってきます。ここで出来がわかれる。

『群像』での連載の話があったのは2013年で、そのときには今のスタイルを提案していましたから、少しラグがあるんですよ。だから、15年1月に『批評メディア論』を出したときは、新しいことをやっている自負はあったんだけど、他方でもっと実験的なスタイルに挑戦したいという思いも強くありました。この2015年は、與那覇さんが休職しつつ新たな模索を始められた年でもある。

與那覇　そして「安倍2・0」が誕生し、歴史に引導を渡した年（笑）。それに気づかない人たちが、昭和に先祖返りした主張を叫ぶデモに合流してベタな身体感覚に埋没する一方、言葉をこれまでとは違う形で使うことで、平成に得たものを新しい身体性に繋いでゆく人もいる。久々に歴史学者っぽくまとめると、いまは両者が綱引きをしている時代なのかもしれませんね。

初出＝『週刊読書人』

対談

「成熟なき喪失」の時代——批評の復権にむけて

與那覇 潤×先崎彰容

2020年6月15日

『コンビニ人間』をめぐって

先崎　今回お呼びした與那覇潤さんは周知のとおり、3冊目の著書だった『中国化する日本』で論壇にデビューされ、その後、ご病気をされましたが、復帰後第一作『知性は死なない』も話題となりました。東アジア史にかんする幅広い知識と視野をもつと同時に、現代社会論も積極的に発言なされていて、今まさに最も活躍する言論人のおひとりだと思います。

與那覇　病気のブランクもあり、本人は活躍している実感はないのですが（苦笑）、過分のご紹介ありがとうございます。

先崎　いきなり歴史の話に入る前に、まずは助走として最近の日本社会について、どのようにお考えですか。

與那覇　『ひらく』で対談させていただくにあたり、図書館で2019年の創刊号を拝見しました。先崎さんは佐伯啓思《けいし》さんとともに、東浩紀さんを迎えて鼎談されていますね。そこでの佐伯さんと東さんの議論のすれ違いが、すごく印象に残りました。

単純にいうとグローバル化やIT化など、目下の日本社会を激変させている事象について、佐伯さんは究極的には「新しいものではない」と考えている。グローバル化とは、どう遅くみても産業資本主義が世界市場を形成した19世紀にはすでにあった。また世界が均質化する流れのなかで「自明だったはずの共同体が解体されてゆく」という観点でいえば、古代ギリシャのポリスの思想家からずっと議論されてきた主題であると。

これに対して、東さんが「そういう視点はわかりますが、いま起きていることは次元が違うんです」と強調されたのがやや意外でした。いわく、世界が市場取引を通じて「どこも似た感じになっていく」くらいなら、古典古代にも帝国主義時代にもあっただろう。しかし今は〝似てる〟では止まらずに、世界中で文字どおり〝同一の〟ものを見ている――たとえばYouTubeでバズった動画やトランプ大統領のツイッターをチェックしている。これは従来生じた変化（たとえば近代化）とは絶対的に質が違うと。

私も先崎さんも広い意味での歴史研究者になるわけですが、歴史を振り返るときよく話題になるのが「画期」の問題です。日本史上で最大の画期はいつか。律令の継受か、応仁の乱か、明治維新か。あるいは昭和の戦争はどこで「ポイント・オブ・ノーリターン」を越えたのか。満洲事変の時点ですでにアウトだったのか、真珠湾攻撃の一歩手前でも戻れたのか、など。

病気の前の私なら、佐伯さんと東さんの議論では明白に前者についたと思います。直近の事象に「画期」を求めるのは、短いスパン（近代以降、あるいは戦後以降）しか見ていないからですよ。もっと長い視野をとってご覧なさい、比較にならない巨大な画期が遠い昔にあったことに気づきますからと。しかし病気で職業的には歴史学者を辞めてみますと、そういう物言い自体もまた「視野が狭い」というか、いまだに歴史なるものにこだわるマイナーな趣味人限定の議論という気もしてきた。先崎さんは、どうお考えになりますか。

先崎　僕は今、現代社会をどう見たらいいのか悩んでいます。一応、次のような考えをもってはいるんですがね。半年ぐらい前になるけれど、偶然、僕の机の上に2冊の本が並んでいた。一冊は村田沙耶香《さやか》の『コンビニ人間』で、第１５５回芥川賞をとって話題になった作品です（２０１６年）。それからもう一冊は今から２００年近く前の文政８年、すなわち１８２５年に、会澤正志斎《あいざわせいしさい》が書いた『新論』という著作です。水戸学という学問の代表的作品として、日本思想史家のあいだでは有名です。

この2冊が並ぶことはあまりないだろうから（笑）、両方をめくって読み直していたんです。村田氏の作品については、大学の同僚が「あの本が海外でも翻訳されて評判なのは、世界は日本をああいう国だとみているからですよ」と言っていて、なるほどと思った。たとえば主人公の女性は、コンビニでアルバイトをする中で、「そのとき、私は、初めて、世界の部品になることができたのだった」とか、「あ、私、異物になっている。ぼんやりと私は思った」という発言をします。店を辞めさせられた白羽《しらは》さんという恋人関係になる人がでてくるのですが、彼の解雇を聞いて、「次は私の番なのだろうか。正常な世界はとても強引だから、異物は静かに削除される。まっとうでない人間は処理されていく」とつぶやくことになります。

僕がこうした発言に不満を感じるのは、世界が最初から正常／異物に二分されていて、主人公と読者は「異物」の側から世界を見ることが決定してしまっているからです。異物とは恐らく弱者や少数者とも言い換えられると思うけど、人間がいったんこうした立場に立ってしまうと、世界は非常にたやすく「批評」できるわけです。僕はこうした作品を、二つの観点から複雑な思いをもって読んだ。

第一に、世界に違和感をもつならば、自分を形成している地盤、存在の根拠それ自体を疑うことから始めねばならないと思うからです。最初から自分を「異物」であると断言できてしまうなら、世界は非常に見通しがよくなる。だがそれでは世界は実は描けていないのではないか。関連して、第二に、ここでしきりに使われている「正常な世界」とは何なのでしょうか。むしろ「正常な世界」の中に、人間のあらゆるおぞましさ、悪臭や矛盾、正気と狂気が混在している有様を描くことが、言葉の使命ではないですか。にもかかわらず、あらかじめ「正常な世界」を設定し、それに結婚、出産、標準家庭程度の肉付けをして、それを糾弾する。

これでは全く世界を描けていないのではないでしょうか。結婚とはそんなに平穏なのでしょうか。結婚とはそんなに容易なものではなく、標準家庭の内部は本当に平穏なのでしょうか。異物だと規定され、排除されることが暴力だとすれば、標準家庭と名づけて画一的なイメージで糾弾することも、暴力のはずです。

そして文学とは、あらゆる意味での暴力への抵抗を求められる、シンドイ、緊張感に満ちた言葉でなければならない。言葉が世界と天秤《てんびん》にかけて同じ重みをもつならば、そういう矜持《きょうじ》が求められると思うのです。

與那覇　『コンビニ人間』はいい意味で驚嘆した小説で、私は先崎さんの評価は辛《から》すぎると思いますが、そこは後で議論しましょう。

むしろおっしゃる命題は「異端者にとって〝普通〟とは抑圧だ」といったスタンスが、今日も有効かどうか。それは内部に葛藤を抱え、ひょっとすると異端以上に解体の危機にあるかもしれない「標準的なもの」を、いまも泰平無事で安定した存在のように想定してしまう矛盾を犯してはいないかということですね。

先崎　そうそう。たいして、会澤正志斎の『新論』は、当時日本近海に現れる外国船にたいし、「そんなの通商を要求しているだけで問題ないよ」という通説を批判し、国際情勢の危機を最新の情報を駆使して解説した作品です。と同時にこの書では、国際情勢は本文の後半を占めていて、前半部分は日本の国柄とは何かを考察する原理論から始まっています。「国体」という言葉もここにでてくる。さらに会澤は日本にとって本当の危機とは何かを問い、それをキリスト教の侵入だと言い切ります。今、問題なのは、日本人の精神が空洞なことにある。この空白地帯めがけてキリスト教が布教されれば、精神の次元で日本は侵略される。植民地化されたも同然で、国際情勢を語るよりも大事なことだという。

以上の2冊の本が、僕の卓上にあった。この偶然が、とても今日の「日本のリアル」を体現している気がしたのです。つまり、コンビニの快適さと「正常な世界」への違和だけに生のリアリティを感じている世代が存在する。一方で、はるか200年近く前の著作には、「どうせたいしたことないでしょ。通商要求だよ」という弛緩《しかん》した意識にたいし、諸外国との緊張関係を強調する言葉が書かれている。

前者の狭い生活圏での「現実」と、緊急性を増しつづける東アジアの「現実」、この二つの現実が全く嚙み合っていない、交錯していないことこそ、現在の「日本のリアル」だと思うわけです。

本当の対立軸はどこに

與那覇　いまの問題提起を伺《うかが》って、先崎さんと「再会」したときのことを思い出しました。もともと2002~3年頃に大学院のゼミや勉強会でご一緒したわけですが、その後はお互いの就職先等もあり没交渉で、13年の末にテレビの討論番組の収録で10年ぶりに同席した。当時はまだ東日本大震災の直後ともいえる時期で、若い学者や評論家の発言が「ポスト震災の新しい言論」として注目を集めていました。

先崎さんも私もその番組には何度もお世話になったわけですが、この再会した回は非常に運が悪くて、たまたま「学者」は全員が男性で、女性の登壇者はみな企業家や、ブロガーといった違う分野の方だった。結果的に「アカデミックな視点か、ビジネスの視野か」と「男女の違い」とがベタっと重なっちゃって、議論が嚙み合わない。「男性―学者」が長期的な視野を持って、日本の国土全体をどのように捉えるべきか……のように話を振ると、「女性―ビジネス」の側からそんなのリアリティ持てませんと。まず自分の周囲、そしていまやってる会社をどう運営するかが第一で、何十年・何百年単位で考える発想自体が理解できないと返される。

先崎　お互いあの時は苦労したね（苦笑）。僕が当時、痛烈に感じたのは、ビジネスの側の人たちの発言や態度が「全く新しくない」ことだったんだ。

そもそも彼ら／彼女らが一方的にこちらを「学者」だと区別し、イメージで断定的な発言を重ねてきたし、何よりも自分の成功体験だけ語るその語り口が、成金オヤジたちと一緒なことに驚いたの。これ、20～30代の「新しい」人たちが、新しいビジネスで頭角を現したはずなのに、態度・口調・世界観は全くもって古臭く、何も変わっていない。自らが抱く「イメージ」の世界から、全く脱出できていない。

與那覇　その体験を踏まえると、もし『コンビニ人間』の作者が男性だったらどうだったか、と考えることはできます。「実際にコンビニバイトを続けてきた女性作家が描く現代性！」というPRもヒットの一因でしたが、もし男性フリーターが書いていたら「生きづらいとか言ってないで就職しろ！」とあしらわれたかもしれない（笑）。そりゃ女性だったら天下国家に興味はないでしょう、日々の生活が何より大事でしょう、だったらそうしたミクロな視野から社会を描くのもいいじゃないですか——みたいな、巧妙な男尊女卑が読み手にありはしなかったかと、反省する余地はある。

一方『新論』的な世界に話題を転ずると、2019年の東アジアは激動の1年でした。香港の反体制デモが長期化・過激化する一方、韓国では従軍慰安婦や徴用工への補償問題がこじれにこじれて、ついに日本との貿易戦争にまでなってしまった。こうしたとき、平成のあいだでは「左右」の対立軸に沿った議論が行われ、右の一部が「東アジア諸国にも確かにいる親日・反中共の人々（典型的には台湾）にも目をむけよう」と打ちだすくらいが新機軸だった。しかし、それらはもう通用しないという実感を持つんです。

いまある本当の対立軸は「歴史を生きる人・対・生きない人」、あるいは「歴史ある社会・対・ない社会」ではないか。村田さんの『コンビニ人間』は歴史なき世界の極致《きょくち》ともいうべき作品で、海外でも広く読まれているそうですが、たとえば毎日全土を挙げたデモが行われた時期の香港のような場所――人々が熱烈に歴史を活性化させている「戦時」の社会では、逆にリアリティを失うかもしれません。

つまり「われわれはこのまま中国に飲み込まれてよいのか」といった形で、男女関係なく共同体と同一化した「大きな自己」の物語を生きるようになった場合は、むしろ『新論』的な言説のほうがリアルに響く気もします。

先崎　まさに僕と與那覇さんとが、テレビの討論で再会した震災直後の日本というのは、そうした環境だったともいえる。もっとも僕は当時主流だった言論のあり方には批判的だったから、その当否も後で議論したい。

與那覇　震災直後の日本はいわば擬似的な「戦時」の社会で、だからこそ珍しく（脱原発の）デモが盛り上がり、市井《しせい》の人が普通に「代替エネルギーには何があるか」「ＴＰＰはありか、なしか」といった会話をしていた。ただしきっかけが災害だったがゆえの歪みがあって、討論番組でも「なんとかポジティヴな結論を出してくれ！」とする聴衆のプレッシャーを強く感じました。ＡＫＢ48の「恋するフォーチュンクッキー」がニッポン応援ソングとして大流行し、ＥＸＩＬＥグループがブレイクしてヤンキーが旬な存在になり、当時はとにかく前向きにあらずば人にあらずという空気でした。

私は『新論』的な、襟《えり》を正してマクロに国家や社会を議論するセンスは絶対必要だと思う半面、それと「日本は大丈夫！　シケたこと言わず気分アゲてこうぜ！」みたいな同調圧力を混ぜるのは勘弁してほしい気持ちがあるんです。だからむしろ又吉直樹《またよし》さんが太宰治への偏愛を語りながら芥川賞をとって、続いて『コンビニ人間』も売れて、ひきこもり歴のある歌手の米津玄師《けんし》さんが若者に支持される今のほうが、あの頃よりも健全な時代に思える。無理に前を向かされずにすむというか(笑)、〝健康的に〟後ろ向きになれる、ネガティヴさや弱さを表明できることが結構大事ではないかと。

先崎　ちょっとそれは難しい問題ですね。あるいは反対意見に聞こえるでしょうけど、僕は今、與那覇さんが言ったEXILEとかAKBが100%の自己肯定を礼賛するグループだとすれば、逆にネガティヴなことを強調しすぎることも危ういと考えている。

具体的には、僕は最近の過激化するツイッター騒動と、明治末期の自然主義文学の関係性を考えているんです。自然主義文学というのは、要するに、自らの性的破廉恥《はれんち》を描くことこそが文学だという考え方です。性的なもの、最も人間の本性に近く感情を刺激する材料を赤裸々《せきらら》に大衆の前に「さらす」。すると喝采と興味半分から注目を集めるわけです。これはツイッターも同じで、人に対する攻撃的発言、あるいは刺激的逆説を言うことで感情部分を刺激し、注目を集めることをねらう。

両者に共通しているのは、人間の営みのうちロゴスにかんする部分、つまり理論的なものを徹底して軽蔑してしまうことです。たとえば著名大学の教授で知識人だと思われている人が、いとも簡単にツイッターの攻撃に翻弄され、感情的な反論を行っている。これは理論武装で生きているはずの自分が、気づかぬうちにその仮面をはぎ取られ、否定されたことへの怒り、感情の部分を鷲掴みにされ動揺している証拠です。

人間の恥部を曝《さら》けだす、あるいは感情的な反発をするツイッターや自然主義に共通するものは何か。それは「他者」との距離感の決定的喪失です。他人は自分の恥部を曝けだせば理解してくれる。「いいね」と承認してくれる。ここには言葉の技術への感性が完全に欠落している。あれだけ理論武装して尊敬を集めているはずの知識人が、こうした状況に簡単に呑み込まれているのを見ていると、戦争など非常事態になったとき、知識人が簡単に「転向」していった過去の事例が、生々しく蘇ってくる思いがするんです。

そして與那覇さんのいうネガティヴさや弱さも、おなじように消費されてしまう可能性があると思う。「私の弱さ」をわかってくれと。でも実際、わかるわけないじゃないか。小説でも絵画でもいいし、装丁でもいいけど、それぞれの技術力によって相手に自分の弱さを伝えること、技巧っていうのが本来、文化的なことの生命線なんです。

ところが今は、生理的な嫌悪感が、あたかも意見であるかのような時代になっている。だから僕は、與那覇さんがいう弱さの表明に、いささか懐疑的なわけです。

ヤンキー論はリアルなのか？

與那覇　なるほど。いまおっしゃったのは近代の日本思想史でいうと、「柳田國男と田山花袋《かたい》の決裂」として知られる問題ですね。

官吏の道を行って後に民俗学者となる柳田は、当初は詩も詠む自然主義文学の実践者だったのだけど、花袋らの創作についていけなくなった。中年作家が横恋慕《れんぼ》した女弟子の蒲団《ふとん》に突っ伏して泣くとか（『蒲団』1907年発表）、そういう露悪的な自己曝露を続けて何になるのですかと。それも「自然」すなわち現実の描写ではあるだろうけど、公共的に共有すべき価値があるかといえば否ではないか。

先崎　柳田國男は、当時、法制局参事官として山村での凄惨《せいさん》な事件を知ることになるわけですよ。その話を、自然主義を標榜していた田山花袋に話したのに、悲惨すぎると言われ相手にされなかった。つまり柳田が目撃した現実のほうがよりリアルだし、小説ごときでは表現できない真実を語っている。

では言葉の世界にはどんな存在意義があるのでしょうか？　この問題を現代社会にひきつけて言えば、どんなに感情的、陰湿な話であっても、言葉に独自の世界があるのだということ、柳田の「リアル」を超えた「リアル」を創造するだけの技術を求めなくてはいけないのではないか。

なぜこんなに言葉の問題を強調するかというと、現在のSNSのように言葉の技術面が無視されている状態があまりに酷いからです。SNSの言葉は、要するに、自分の感情＝世界になっている。自分の喜怒哀楽を書くと、「そのまま」誰かに伝わるという前提がある。そのまま、というところがポイントで、彼らは自分の意見が無媒介に他者に伝わることを前提してしまっているのです。しかし本当の意味での「他者」とは、自分と全くちがう善悪観と価値観をもって世界を眺めている存在のことを指すはずです。

この他者感覚が欠如した状態が常態となり、社会全体の常識に化してしまえば、世界は「自分」しかいなくなるのですよ。これほど恐ろしいことはない。だって自分の考えと異なる存在が出てきたら、感情的憤激に心を奪われるのだから。アメリカを含めた現代がニヒリズム化しているとは、こういう状態を指して言うのです。

與那覇　ＥＸＩＬＥ人気もあってヤンキー論が流行ったと言いましたが、現場のリアルが〝そのまま〟伝わるはずだとする発想が他者の抹消を招く流れは、むしろ震災後のポジティヴ推しの風潮から来ていませんか。一方の極に「即時原発ゼロを宣言し、代替案は再生エネルギーのみ！」とするエコロジーのデモがあり、反対側には「在日朝鮮人を日本から追い出せ」と叫ぶレイシズムの街宣があった。当時から、そうした現象を「内在的に理解する」ことと、当人と飯《めし》食って話して「あいつらにはあいつらで、熱い気持ちがあるんだよ」と事実上擁護することとが、混同されている気がしたんです。

ヤンキー論の端緒となったのは、斎藤環さんが２０１２年に刊行した『世界が土曜の夜の夢なら』ですが、この本はなによりも「インテリの自己反省」なんです。どうして知識人の言葉がダサい・イタいと嗤われ出し、大阪維新の会のようなインテリにはゲテモノとしか見えない政治が人気を博すのか。どこか、自分たちには見えていないリアリティがあったんじゃないか。それを追求して「逸脱的な存在と見なされがちなヤンキーこそが、実はマジョリティだったのでは?」と問題提起した。そこに意義がありました。

ところが「どうもヤンキーの生態を取りあげると、論壇でウケるらしいぞ」となった結果出てきたのが、自分はガテン系で働きながら/キャバ嬢しながら観察しましたといった見世物的な貧困ポルノです。これ、1970年前後に新左翼の学生が「マルクスは〝読む〟だけじゃわからんよ。俺は山谷《さんや》に行って日雇いで汗をかいてきた!」とマウンティングしあったのと同じなんですが、当人は「エビデンス・ベースの新しい社会評論」のように思っているらしい(苦笑)。そして2016年のトランプ当選を受けて、同じ傾向が政治評論にも拡散します。現象を冷静に解析すべき識者が「トランプこそが圧倒的な〝リアル〟だ! 批判するのは社会不適応者であり、ダサい」といったふるまいをしてしまう。

先崎 そういう人は確かにいるね。リアリズムには文学と政治学と、二つの意味があるけれど、どちらも劣化すると単なる現状肯定になるわけだ。

與那覇 この点でいうと、そうした世界から疎外された著者が書いている『コンビニ人間』には、むしろ批評性——つまり先崎さんのいう自然主義、今でいえば覗《のぞ》き見ルポが社会学を気どって「私の体験こそがリアル!」と無媒介に垂れ流すのとは異なる、対象から距離をとって突き放す感覚があると思います。すでに多く読まれているのでネタバレしますが、主人公の女性は極度の発達障害であるか、もしくは軽度の知的障害があることが冒頭から仄めかされている。つまり通常の意味でのコミュニケーションが取れず、言われたことを〝文字どおり〟に実行したり、鸚鵡《おうむ》返しに復唱してしまったりする。

ここで「そんな私はこんなにつらい」とだけ叙述すると、悪い意味で田山花袋になってしまいますが、この小説の巧みさは中途まで、そうした「障害のある人間こそ実は最強?」という雰囲気を醸《かも》しながら進むところです。途中から同棲する白羽さんは本当のクソ男で、お前はしょせんバイトだとか、その年で処女だろうとか、徹底的に罵倒して彼女を支配下に置こうとする。ところがまさに障害ゆえに、それらのハラスメントが彼女には一切効かない。

こうした黒いユーモアを通じて「障害の特性を使ってスルーしないと生き延びれないほどの、抑圧が蔓延した社会って、どうなんですか?」と問いかけ、しかし最後に現実は甘くない(=彼女は本当は「最強」ではない)という逆転で〆る構成です。

先崎 僕がこの小説で、批評性を感じるのは、シュウマイとチキンナゲットを食べてるシーンで「自分が何のために栄養をとっているのかもわからなかった。咀嚼《そしゃく》してドロドロになったご飯とシュウマイを私はいつまでも飲み込むことができなかった」という部分ですね。冷凍食品を解凍して食べている僕らは、はたして「人間らしい」生活をしているのだろうか。孤食という言葉がありますが、食事を無機的で無意味な、紙を呑み込んでいるようなものだという描写に、ヒヤリとさせられた。

これは都会の学生から独居老人、中年で単身赴任の人、つまり日本のかなり広範な部分にまで届く「言葉」です。食事、つまり人間の生の基本が、実は「文化の厚み」があればこそ、おいしくなるものなのだということがよく分かると思う。そして文化とは時間の積み重なりによって形成されるものだから、必然的に、歴史への興味について考えねばならなくなる。保守とはつまり、人間性を取り戻そうとする営みなのだ。おなじシュウマイでも、プラスチックパックのままなのと、お皿に盛りつけたのでは、味が違うのだよ。

與那覇　実は斎藤環さんとの共著がこの対談〔初出時〕とほぼ同時に出るのですが、その中途でも今日ほど「普通」＝中庸に留まることが難しい時代はないという議論になりました。売れ線の本が完全に二極化して、片方はヤンキー的なオラオラ感丸出しで「欲望追求100％！　妥協すんな！」と説く若年層向けのビジネス・ハウツー書。もう一方は2019年の年間ベストセラーで1位と3位を独占した樹木希林《ききき りん》さんのような、故人ないし最晩年の高齢者が「ガリガリしなさんな。結局なるようになるんです」と説く人生訓。

真ん中、つまり中年ないし現役世代にとってのモデルが欠けている。だから30〜40代で躓《つまず》いちゃうと、参考にできるものがない。それに対して「若いくせにうつとか言うのは〝新型うつ病〟だ」と貶《けな》したり、逆に「いやいや、発達障害はダイバーシティだ」と持ち上げてみたり、メディアも無責任な対応を繰り返している。『コンビニ人間』はそうした世相が生んだ、いわば傷病文学だというのが私の理解ですね。

「中間批評」の不在

先崎　與那覇さんの中年の話を引き継ぐと、ちょっと通俗的な言い方になるけど、たとえば本を読む世代が、こじらせている若い子か、60代も後半の世代ばかりになっているという問題がある。新潮新書で『違和感の正体』をだしたとき、編集者に褒められたのは、「先崎さんの新書、購買層の年齢層がものすごく幅広いです」と言われたことです。でも次に同社の選書で『未完の西郷隆盛』をだしたときは逆で、「年齢層が圧倒的に高齢かつ男性です」と言われた(笑)。改めて本を読む世代とその関心のありどころについて考えさせられた。

自分が終末をどう迎えるのか、あるいは自分は生きにくい普通って何なんだとか、これが本の支持母体になっている。そういう言葉の圏内に生きている限り、知識人・小説家・編集者には、今度はそれ自体が常識になっていく。本を読んでいる限り、世界は二極化しているように見えてしまう。でもすっぽり抜け落ちているのは本なんか読まないで、子供の世話やスーパーの閉店時間を気にして必死に生きている30代から50代の世代なわけです。こうした人たちに社会を批評的に眺める武器として、言葉は紡げるか。これを僕は「中間批評」の不在状況と呼びたい。

もっとも最近、大笑いしたのは江戸時代の書物に、「学問や禅知識などはろくでもない連中で、かえって学問などしない方がずっと国家がよく治まる。理屈臭くなると、だいたい人と仲が悪くなり、人の意見に従わない奴ばかりだ」という文章があったことです(笑)。いつの時代も同じだよね。

與那覇 『中国化する日本』や、同書を誉めてくれた池田信夫さん(経済学者)と作った『「日本史」の終わり』では、明治維新や敗戦を経ても日本ではまだ「江戸時代が続いている」という議論をしました。その点で面白かったのは最近、宮藤《くどう》官九郎さんの脚本で2005年にヒットした『タイガー&ドラゴン』にDVDではまったんですよ。

同作は落語をモチーフにした連続ドラマで、1話につき一つずつ、伝統的な落語の演目を取りあげている。若者の自分探しとか、パラサイト・シングル、ニートとか、当時話題になっていた「現代風」のトピックに言及しつつ、結局古典落語をアレンジすると、それらを組み込んで今っぽいドラマが実は作れちゃうことを、ストーリーを通じて示しているんですね。しかしこれは江戸文化の豊穣《ほうじょう》さというより、むしろ日本社会が「変わらなすぎ」なことの帰結かもしれません。


先崎　現役世代の人に、「今、社会を俯瞰するとこうなっているのですよ」と説明できる言葉を、どれだけ持てるかが重要だと思います。少なくとも、この必要性に無頓着なまま本をだしても縮小再生産になるだけです。人文系の学者だけで頷きあう部屋があって、外には全く違う風が吹いている。その自覚に立ったうえで、外にむけて書かなければ意味がないんだ。

その際、対談の冒頭にだした2冊の本、あれがやっぱり参考になる。現代社会を考える際、二つパターンがあって、一つはある程度、日本社会はのっぺりと続いている。平成が令和に代わったとか、震災から丸9年だとか、騒いでいる気もするけど、基本的に明日も自分の仕事はなくならないし、電車も動いていると思っている。その意味では日本全体がコンビニのようなものなのかもしれない。

だけど、一方で『未完の西郷隆盛』で取りあげた西郷さんであれ、あるいは戦中世代の吉本隆明であれ、三島由紀夫、坂口安吾《あんご》であれ、彼らの言葉に、今こそ耳を傾けなければいけない気もしている。彼らに共有されている感覚とは、昨日まで正しいとされていた価値が、一挙にぶっ壊れる感覚です。善が1日にして悪になる。ビルは1日にして瓦礫《がれき》と化し、電車は動かないどころか、鉄屑《てつくず》になっている。眼の前の同じ人間が、天皇陛下バンザイから民主主義バンザイに代わって平気な顔で生きている。

善悪の価値観が反転し、自分の位置づけさえ不明瞭な時代。これは精神に深刻な打撃を与えたはずで、彼らはその違和感を言葉にすることで文学作品を生んだんだ。彼らの最大の特徴は、平穏であることに逆に不安を感じていることだね。

そして僕は今、彼らの側に立つしかないという焦燥に日々駆られているんだ。中年である僕らに課せられているのは、時流に流されて気の利いた作品を書いて、その場凌《しの》ぎで売れ行きを伸ばすことではなく、日々の生活に追われている人に、「原理的な思考は大事なんだ。何か大きな転換点なのかもしれないのだ」というメッセージを届けることではないですか。

これは綱渡りのようにきわどい作業になるでしょう。常識を語ること、わかりやすい言葉を紡ぐ作業は、きわめて高度な技術と繊細な作業が求められるのだから。

與那覇　完全に同感です。先崎さんも私も「ポスト震災の若手論客」と呼ばれて一般向けの媒体に出たけど、そこですごく違和感も覚えていたと話しました。理由を考えるに、「ずっと変わらない日本＝終わりなき日常」と、「もはやすべて壊れてしまった＝全部リセットして再出発思考」とは、対立するようで裏で奇妙に癒着している気がするんです。

明日も今日と同じままの生活が続くだろう、コンビニへ行けば棚に同じ商品が並んで何でも買えるだろうと。そういうべたっとした現状への信頼感がある分、ちょっとでも物不足が起きるとパニックになって、「もう終わりだ！　日本はオシマイ！」と叫んでしまう。でもコンビニやスーパーが平常運転に戻ると、そうした根源的な懐疑が消えていって、また終わりなき日常を送り続ける。そうした、対立項が弁証法を「構成しない」状態を震災で見てしまうと、目下のコロナパニックもそうなる予感に襲われるのですが……。

右翼の左翼化、左翼の右翼化

先崎　ちょっと口挟んで悪いけど「根底的な懐疑」って大事な言葉なんだよ。僕は東日本大震災に福島県いわき市で直撃されている人間なものだから。皆さんの生々しい経験は、恐らく震災後2・3カ月程度だと思うのだけど、僕はあの地に6年住んでみてわかったのは、やっぱり一種の躁状態だったのですよ、日本人は。

たとえば、被災からしばらくして東京電力が突如、計画停電を発表した日があった。僕は偶然、東京駅にいたのだけれど、午後4時からの停電に際して、3時頃から会社が一斉に帰宅命令をだしたのです。そしたら地下鉄にワーッと人が殺到して溢れているわけ。

僕はその波から外れて歩いていると、偶然、喫茶店が目に留まった。聞いてみるとそこは計画停電の区域には入っていない。だから僕はそこで夜9時まで読書してから地下鉄で帰ったのですよ。つまり今の新型コロナウィルスもそうですが、人間というのはある方向に一気になだれ込んでいく性質があると思うんだ。学者が知識で頭をいっぱいにしていたって、SNSで感情中枢を直接刺激されて取り乱すように、一気に心をもっていかれてしまう。

いわき市の自宅周辺に目を向けると、震災から半年後には、周り中の店舗や家に「頑張ろう！いわき」って紙がべたべた貼ってあるわけ。この紙を批判する人って、恐らくいないし、批判したら白い眼で変人扱いされたって思う。この感覚がわからずして、戦争時代の総動員の雰囲気は理解できないし、表面的な批判しかできっこないんだ。だから今こそチャンスだ、と思って、被災地の自宅と避難したアパートを往復し、毎晩、坂口安吾や吉本隆明を読んだのです。

與那覇　『群像』に載せた加藤典洋論で〔本書197頁の注7参照〕、加藤さんも当時そう書いていたことに触れました。この日本が「がんばろう」一色に染まる状態は戦時下の再現であり、だからこそ「異質な姿勢」が世間から後ろ指を指されて、抑圧される事態を避けなくてはならないと。

つまり昭和の戦争前後に書かれた「古典」を知っている人は、それこそ『タイガー&ドラゴン』の江戸落語のように「あ！　このことだったのか」とすぐにわかって、現在と対照するテキストを持つことができた。しかし問題は、そうした人は元々だいぶ減ってきていたし、目下の時代が「未曾有だ」と煽りたいメディアがどんどんそうした教養を殺して、いまが新しい、類例はないという話に持っていきたがる点ですね。

先崎　震災直後の躁状態っていうのは書籍も同じでした。震災後、僕は最右翼の月刊誌と最左派の月刊誌、双方から寄稿を求められた。そして歴史の証言として残しておきますが、両雑誌から書き直しを命じられ、しかも勝手に「日本人よ、がんばろう!」とか、「原発デモをすべし」という加筆・改竄までされているのです。

僕は彼らを道徳的に批判しようとは思わない。そうではなく、言葉というものへの危機を言いたいのです。時代が劇的に変化する。そのとき言葉が改竄されるということは、時代に媚びるということです。言葉と時代を天秤にかける意思を、こんなにも簡単に奪われていいのか。だったら月刊誌なんか出していないでボランティアでも何でもすればよいのです。それは戦時中に翼賛会に入るのと同じことを意味するわけですが。保守系・リベラル系など僕には何の関心もない。言葉への感受性だけが、信じられる唯一の指標なんだ。

與那覇　いま左右の雑誌をともに批判されましたけれども、震災以降の平成最末期の数年間は、それ以前の潮流を逆流させた時期だったと思うんです。1997年に結成された「新しい歴史教科書をつくる会」は、元共産党員の藤岡信勝さんが主導した「右翼の左翼化」だったとよく言われますね。有力政治家に取り入って上から進めるのではなく、大衆動員を通じて下から世論を高めていく形での現状変革を狙ったと。彼らの主張の中身が正しかったかはともかく、出版市場でヘゲモニーを築いたという意味では「成果」も得たわけです。

これに対し、震災と原発事故の後で生じたのは「左翼の右翼化」でした。ナオミ・クラインの『ショック・ドクトリン』という、左派系の運動家にかなり読まれている本がありますね。資本主義、なかでも新自由主義的な露骨に人びとから搾取するタイプの資本主義は、まず「ショック」を与え、危機を煽ることで支配権を簒奪《さんだつ》するという話です。このままだと「チリは共産主義国になる」と脅してピノチェトはクーデターを成功させ、9・11の後にはブッシュが「テロリストに屈していいのか」と叫んで問題のある法案や海外派兵を強行していったと。そう批判する左翼知識人は昔から多かった。

ところが震災の後には、なんと彼ら自身が「ショック」で人を動かそうとしました。政府発表は全部嘘で、実は福島では放射能で人がばたばたと死んでいて、同地の農産物を食べたら県外でも人が死ぬと。そうしたパニックに基づくデマゴギーに乗っかった上で、事態を止めるにはデモによる政権転覆と、即原発ゼロしかないんだと。かつて自分たちが否定していたはずの「恐怖で脅すことで人々を動員する」手法をとってしまった。これは愕然《がくぜん》とすることでした。

被災地での日常を経て

先崎　僕は震災直後から原発デモには反対で、のちに学生団体SEALDsを中心とした一連のデモについても批判したら、幹部メンバーから名指しで糾弾されましたよ。こいつ、大学教授の資格あんのかよって（笑）。與那覇さんがいま紹介したショック・ドクトリン、それは僕の言い方だと人と人とのつながり方の問題なんだよ。東京電力でも原発でも政治権力でも鬼畜米英でもなんでもよい、ワン・イシュー、一つの悪が存在し、その悪を叩くことで集団化する。人間同士のつながりを維持しようとする。

10年ほど前の流行語に「格差社会」があったと思うけれど、これは言い方を変えると従来の会社であれなんであれ、所属先＝自分というアイデンティティが崩れ、非正規雇用がそうであるようにバラバラになっていくイメージの時代だった。そのとき、ワン・フレーズで悪人を叩くことで共同し、眼の前の取り組むべき不安から眼を逸《そ》らす。それは間違いだと思った。原発再稼働の是非以前の問題だと思ったのです。

原発事故の被災地で仕事をしつづける中で、連日テレビで報道されている東京の様子を見ながら、「僕は絶対に与しない」って思ったね。だって僕ら浜通りの人間は、壊れたら黙って直し、困難があれば会議をし、黙々と処理するだけだったもの。飯食って、糞して、子供あやして、仕事して寝る。困ったら騒がずに解決方法を見つける。

これが成熟した大人のやることだ。あるいは、大人になるとは子供たちが怯《おび》えているときに、大丈夫だよ、と言って笑いながら自分は耐えることだ。どうやら東京の知識人とやらは、一生思春期で過ごしたい人なのだろうと思ったよ。持続性のないデモという共同体に、僕は懐疑的なのだ。

與那覇　ただそこにはある程度、彼らの存立条件のようなものが絡んでいませんか。近代以来インテリというのは、社会から浮遊した存在でしかありえないわけですよね。

持続する共同体にがっちり組み込まれて、本当に民衆と一体化しちゃうと〝知識人として〟発言する意義はなくなるし、逆に完全に振り切れて自分だけの境地に行った人は、ニーチェのように狂人として排除されてしまいますから。むろん、だからといって震災後にデマに乗った人たちを免罪する気は、私もないですけれども。

先崎　僕は正しい意味でなら民衆と同化していて

も、全く問題を感じない。むしろ知識人やマスコミがいうデマに乗った人たちやデモに参加した人たちを、民衆の正義のように言う方がよほど間違っていると思う。それは、民衆というものを不当に低く見ているよ。

持続性とは「移動しないでその場所にいろ」という意味ではないんだ。むしろ地に足のついたというか、僕自身が被災して学んだと思う「生きる力」に基づいているというニュアンスです。瓦礫撤去のボランティアが福島は不足していたんだけど、ボランティアってまさに自助、あらゆることを自分でしないといけないんだよ。たとえば高速道路使って東京から来た人は、自分で申請出せば無料になるけど、それは小さな張り紙に書いてあるだけ。気づかない人も多いけど、誰も無料だと教える人はいない。

僕の場合、自主避難した当時、金がないから埼玉県に2万7000円のアパートを借りた。エアコンが壊れていて夏は壁が熱をもち50度近くになる部屋で、家族が長期に住むのは苦しかった。そこで方々に電話をし、市役所にも行ったけれど相手にされませんでした。偶然、ある職員の女性が「埼玉県の大宮駅に出張所があるからそこへ行けば、家賃を無料にしてもらえるかもしれない」と言われ、出かけていき相談した。家賃は無料にできるけど、部屋をもう少し大きい場所に引っ越すなら、2回目の引っ越しだから家賃は自腹になる。こうした相談を半年以上も続けねばならなかった。つまり生きるとは瓦解しないように秩序を〝続ける〟ことなんだ。

僕はこの体験をしていなければ、自分の生の違和感にばかり繊細な「コンビニ人間」になっていたのかもしれない。でも震災以降、生きることに貪欲《どんよく》になった。誠に恥ずかしい話です。

批評家はなぜ消えたのか

與那覇　生への貪欲さをめぐっては、先崎さんがしばしば言及される思想家に坂口安吾がいますね。彼の「堕落論」（初出1946年）は敗戦後の世相を知る上でもよく参照される評論ですが、私は震災直後の一種異様な雰囲気――あの「えっ、これが日本だったたっけ？　こんなことが起きる社会を見る日が来るとは思わなかった」という感じを思い出すためにも、いちばんいいテキストだと思っているんです。

最近も読みなおして、あのポスト3・11の日本は「戦時中と敗戦直後とが、いっぺんにやってきた」時代だったと感じました。安吾は戦時下の日本はある意味でこれ以上ないほど美しかったんだと、そういう反語を使っていますね。国民全員が心をひとつにして、死を覚悟しているところに、米軍の爆撃ですべてを焼き尽くす崇高なまでの悲劇が押し寄せてくる。しかしそうした美しさは、結局虚構であり、嘘なんだと。だから現実には敗けて、みんなが生きるために闇屋や売春婦をやってるじゃないかと。その両面を描くところに批評の凄みがある。

私はデモに行けと煽ったことも、政治的に有効な手段だと主張したこともないですが、それに美しさがあることは絶対に否定できないと思うんですよ。しかし無私の精神で多数の市民がデモに集まる裏で、「とにかく俺が欲しいんだ」と物資を買い占めてパニックを起こす衆愚がいたことも事実で、同じ人が両方をやってしまう例だってまちがいなくあったはず。このときどちらか片方だけを取りあげてしまうと、それは批評ではなくイデオロギーに堕してしまうということではないですか。

先崎　その二つの分裂を発見し、味わえる與那覇さんはさすがです。「堕落論」と「続堕落論」の最後には、人間は弱い生き物だから堕落し続けることは難しい。自分なりの武士道なり天皇を編みださずにはいられないと書いてある。結構、無視されている箇所なんだけど、僕らは美しいものを見たい、吸収されたいという欲求と、そこから逸脱する精神、この亀裂の間に住まねばならない。

與那覇　どんな人でも最後の最後には、嘘を欲しちゃうということですね。社会秩序を支える虚構が「破綻して消え去った」瞬間に留まり続けるのは、人間にできる営為ではないのだと。

先崎　亀裂を生きるって大事なことなんだよ。つまりデモでもいいし、「頑張ろう！　いわき」でもいいけど、ある美しさには気持ち悪さが伴う。文学好きの人には、この感覚、凝集《ぎょうしゅう》する共同性の感覚に違和感を覚える人は多いと思う。普通、リベラル左翼的な人がもつべきこの感覚の欠如を、與那覇さんはデモに見たわけですね。

でも人間は困った生き物で、人間って所詮こんなもんだっていう感覚、赤裸々な自然主義文学が描く性欲と狂気の塊《かたまり》だとも言えるけど、一方で人間は美しい集団なんだ、みんなで頑張ろうという精神も嘘ではない。このせめぎ合いの境界線上を生きるのが、おそらく〝正しい〟生き方なんでしょう。いずれにせよ、ここでもまた「耐える」ということです。

與那覇　中間性・媒介性というか、架橋不可能なくらい異なる二つの立場の「あいだ」に立って、ぎりぎりまで双方の視点を手放さず、対話を試みるということですね。どうもそうしたスタンスが、ぽっかり忘れ去られるというか、歴史上存在しなかったかのように扱われている気がします。

先ほどの「中年にモデルがない」問題もそれでしょう。若年層に売り込まれる自己啓発の書籍は「美しい」ものばかりで（苦笑）、社会的起業で成功すれば儲かる上に世の中に貢献できて、「世界を変える何人」特集にも登場してメディアの寵児になって完全無欠！　みたいなキラキラした話を、著者のキメ顔写真の表紙で売り込まれる。一方で引退後の老大家が語る書籍では、無理すんな、人間なれるものにしかなれねぇよといったベタな現状肯定が説かれて、誰も両者を繋いでくれない。

先ほどから、つい定義なしに「批評」と言っていますが、批評家の喪失という事態もこれに関係しませんか。批評家は作者ではないけれど、かといって完全に読むだけの読者でもない。自分の力で小説や映画を作っているのではないけど、しかし読めば（見れば）誰でも言える「感動の大作！涙が止まりません」といったレビューを書いているわけでもない。まさに両者の中間に立ち続けるからこそ生まれる、一個の作品と呼べるレベルに高められた二次創作が批評ですよね。

先崎　最近の日本が奇妙にキラキラした成功体験や、感動を醸成《じょうせい》する気分があるのは、僕は「反知性主義」のせいだと思っている。この言葉は森本あんりさんの同名の書物で数年前に大ブームになったけれど、もう忘れられている。

当時驚いたのは、「反知性主義」を振りまわす知識人が、誰一人としてアメリカでのこの言葉の用法を知らなかったことです。つまり森本さんの本一つ、きちんと読まないで発言していたのです。ホーフスタッターの『アメリカの反知性主義』は読んでいないとしても、日本では反知性主義が「知性なき愚か者」「知性を馬鹿にしている人」くらいの意味で使われ、安倍政権批判の道具となった。あまりの誤読に言葉もでませんでした。

詳述はしないけど、本来、「反知性主義」とは宗教的背景をもった極めて情緒的な自己肯定と大衆運動のことなんです。現世での成功を肯定し、高揚した気分で聖書をわかりやすく読んだことにする。まさに日本は今、アメリカ同様、自己啓発本と知識人もどきによるわかりやすい古典解釈の本が溢れています。

與那覇　大衆社会化にともなって、宗教や教養のあり方が通俗化し、オーソドックスな古典の「読み方／信じ方」が廃《すた》れてゆく。それこそが反知性主義の本質だということですね。日本でいうなら「安倍のこの発言はバカだ」云々よりも、むしろ地位も学歴もある人が非常にチープなスピリチュアルにはまってしまう現象のほうが、反知性主義の原義に近い。

江藤淳との出会い

先崎　まさにそうで、批評とはそうした大衆化・通俗化の現状をしっかり見据えつつも、流されることなく抗い、自己を保ってゆく。そのための営為なのではないですか。

たとえば2019年に、僕と與那覇さんの2人が各種のイベントでかかわった往年の批評家に、江藤淳がいますよね。江藤が漱石論で言いたかったことは、漱石は日本における数少ない本物の「近代文学」を書けた作家だということです。具体的に言うと、現在のアメリカもそうですが、当時、西洋文明が自らこそ普遍的な価値観である、つまり「西洋」文明ではなく文明そのものだと言って日本を襲ってきた。

その時、日本人には3種類の対応があったのです。第一がスウッと普遍性の側に乗っかって、今世界はこうなっているんだ、これが流行だと眼の前で蠢《うごめ》く日本人に啓蒙している知識人。ヨーロッパにおける文学の定義はこうだ、だから江戸文学は文学とは呼べないと。自分自身は西洋＝普遍＝正義の側にいて、何一つ傷つくことはない。

第二に、日本の特殊性に固執して西洋全否定の人たち。ある種の原理主義的な思考態度であって、彼らは外側との交流を行わない。つまり他者の存在を認めない。

じゃあ三番目は誰かっていうと、それが漱石の立場です。漱石は迫りくる普遍性に対し、身を開いてしたたかに傷ついた。日本の特殊性を身に帯びたまま、普遍性とどう折り合うかについて、心身をすり減らし、そのすり減らしている「現実の日本」にこそ、唯一の小説の主題を見いだしたわけです。

第一の立場が現実の日本を無視し、第二の立場が他者の存在を無視しているとすれば、第三の漱石だけが、現実に手を触れていたと言えるでしょう。他者との軋轢《あつれき》こそ、言葉が描くべきものなのです。この不器用さは、現在でも、ある意味ダサい言葉として忘れられているんですよ。

だけど僕は、そういう時代は続かず、今こそ不器用な言葉、善悪の壊れた荒野から再出発・再創造する時代になっていると思うんだ。吉本隆明などの戦時中の人の言葉に興味を感じ、そこをバネにして新しい思想を紡ぐことが大事だと確信をもっています。江藤淳はそういうことを、教えてくれる批評家の一人なんだ。

江藤淳

與那覇　私は江藤との出会い方が、先崎さんとかなり違ったかもしれなくて、大塚英志さんや加藤典洋さんといった、主に平成に文芸批評・社会評論を手がける人たち経由でした。彼らの「最後には違うところ（保守）に行くのだけど、それでも全力で近代日本の矛盾を考え抜いた、一目置くべき人なんだ」とする評価を読んで、興味を持った。あとはやはり、1999年の自殺ですね。そうした最末期の姿からふり返る形で読んだせいで、デビュー作の『夏目漱石』（1956年）が「ぼくら」という一人称で書かれているだけで、頭がくらくらしました。こんな若々しい文体で書く人だったかと思って、でも当時23歳だから当たり前なんですが（笑）。内容的にも、漱石先生は「則天去私《そくてんきょし》」の境地に至りました、いま風にいえば『一切なりゆき』の人でしたとする通説に対して、違うんだと。むしろ近代文明に全力でぶつかって、もがき苦しみながら文学というものを作っていったのだと論じています。

先崎　非常にラジカルな偶像破壊なんですよね、江藤淳ってね。やっぱ若くて論壇に出てくるだけあって。一方で単に若さだけじゃない、先ほどの與那覇くんの表現でいうと「中年」＝中間者としての性格も如実にある。そのことは、当時並べて論じられた石原慎太郎・大江健三郎といった同世代人と比べるとはっきりします。

江藤は石原・大江らとともに「若い日本の会」を立ちあげて、60年安保にもかかわっていきますよね。当時、現状なんかもう変わらないし、変えられないって意識を強烈に打ちだしていたのは、石原慎太郎なんですよ。たとえば現状の政治体制を打破できないなら、我々に残されているのは激しい性欲の蕩尽《とうじん》に溺れ、生きている感覚を充実させるか、それか暴力的になるしかない。内向的な性欲と外向的な暴力。石原は最終的には国家に自己を同一化させていくことで自分の生の充実を恢《かい》復《ふく》していくのだけれども、これは「保守主義者」江藤淳に似ているようでかなり違う。

当時、江藤がしきりに言っているのは、僕らはそんな子供染《じ》みたことを、またくり返してやるのか。性的なものや暴力などの極端なものに突っ走る、この感覚を統御して生きていく、むしろ楽しいことばかりでなく世事の積み重ねを「生きよ」、こう主張するわけですね。人はこうして成熟し、耐えていく。20代後半の江藤のこの発言は、中年の思考と呼んでいいし、しかも現在のわれわれ40代、年齢的には中年の人間に欠けている思考態度ですね。

もう一つ、江藤淳絡みで言えば、最晩年に西郷好きを公言するまで、一貫して西郷を否定するわけですよね。一押しは勝海舟〔『海舟余波』１９７４年ほか〕。では何を勝海舟に見ていたかっていえば、「政治的人間」というキーワードをだしてくる。一切の詩人的、ヒロイックな行為に走らずに、秩序を黙々とつくって誰からも称賛されずとも、次世代に平和を引き継ぐことをもって満足する。この文章を僕は20代のころ、大学図書館の片隅で読んだとき、震えるような感動に襲われたことを今でも覚えている。

與那覇　気になるのはその江藤の「政治的人間」という表現は、『性的人間』（63年）を書いた大江健三郎への当てつけなんでしょうか。もしそうなら「江藤―大江」の関係を、冒頭で議論した「柳田―花袋」の再演としても理解できることになります（†4）。もう、どなたか指摘されているかもしれませんが。

もうひとつ江藤の海舟論で印象に残るキーワードは、「みンな敵がいい」の哲学。もっともヤンキー漫画的な「喧嘩上等」を説いているわけではなく、常に他者感覚を持っていようという意味ですね。人間なら当然俺と同じように感じるだろうとして、自分の感受性を相手に押しつけてしまうのではなく、人間はみんな違っていて、その意味ではみんな敵なんだ。しかしそうして他者に囲まれていることを楽しめるのも、また人間なんだと、こういう趣旨です。

対していまの日本では、一見すると社交の重要性が言われ、SNSの普及だけでは飽きたらずにリアルでの「出会い」や「人脈」を求める人が多くいる。しかし彼らはほとんど全員、「みンな味方がいい」の哲学で動きがちなような……。

先崎　そうなんですよ。それはすごく重要で、要するに他者感覚が著しく欠如しているんだよ。

與那覇　テクノロジーがどうしても、江藤＝海舟

†4　使用語彙としての初出は、「政治的人間」の方が大江の作品より先ではないかとの指摘を、評伝『江藤淳は甦える』の著者である平山周吉氏からいただいた。謝するとともに今後の課題としたい。

的な意味での「敵」と出会うのではなく、むしろ味方を囲い込む方向で進化してゆくんですね。ツイッターでは異論をブロックし、仲間どうしでフォローしあう。オンラインサロンのような有料サービスにも、プラットフォームの構造的に「お金を出してでも、この人とつきあいたい」とする味方に囲まれてゆきやすい側面があります。

失うだけ失い、得たものがない時代

先崎　そうなんだ、テクニカルに自分の味方をつくってしまう。僕はこの問題は、民主主義の問題に繋がると考えていて、先ほどの震災の話から続きますが、人と人との繋がり方が今、重要な論点なのだと思う。現代社会は個人が所属先への将来設計に不安を抱く時代、つまりバラバラに資本主義の海に投げだされてしまう時代で、ハンナ・アーレントがかつて言ったように、「何も信じないが、何でもすぐに信じてしまう」人間たちの時代なのです。

そのとき、たとえば戦後民主主義っていう言葉がいつの間にかポピュリズムと呼ばれるようになり政権批判に使われている昨今、民主主義＝ポピュリズムは、一時的で情緒的だという意味で、デモと全く同じ集団のつくり方のモデルに成り下がってしまった。そういった時代風潮において、どうやって時間的な積み重なりをもった安定的な共同体、人と人との繋がり方を回復できるのか。「歴史を共有する」とは、その際、しばしば言われることだけど、歴史が専門である與那覇さんは、この点、どう考えているのでしょうか。

與那覇　冒頭の話題に戻ることになりますが、先崎さんと東浩紀さん・苅部《かるべ》直《ただし》さん・大澤聡さんが日本思想史を論じあう座談会を拝読しました（『ゲンロン9』所収、2018年）。そこで感じたのは、先崎さんは明白に、日清・日露戦争が終わった後の「明治末期」に現在の起源を見る、そうした歴史意識を表明されていますね。

幕末の会澤正志斎『新論』以来の、「日本」という単位の大きな自己を全員が共通して持たなければ、大変なことになるぞと。大きな物語と呼んでもよいし、批判的にいうなら最初のショック・ドクトリンですけど、この脅しが効かなくなる。とりあえずは欧米列強に追いついて、植民地化の危機は終わったじゃないかと。結果として先崎さんが挙げた例でいうと、生きる意味を喪失して「鬱的」な方向に行ってしまったのが自殺する北村透谷。逆に過剰に「躁的《とうこく》」になって、日本主義だ、いや日蓮主義だと信仰の対象をくるくる変えてゆくのが高山樗牛《ちょぎゅう》だった。

比喩的にいうなら、近代日本における「中年の危機」――もはやナイーブに青春の夢（＝国家の独立）を追い続ける時期ではないが、次の目標が見つからない状態だったかもしれません。ゲンロンでの座談会では、これが戦後も反復して高度成長の達成後、1970年の三島事件の頃に反復される構図になっていると感じたんです。つまり「戦争とかあったけど、それは昔の話。いまは戦前よりずっと豊かになったんだから、もうそれでいいじゃん」と切り替えられなかった人たちが、かたや楯《たて》の会で戦後を全否定し、かたや極左ゲリラになって死ぬまで資本主義と戦うと、こうなっていった。

この明治末期と、私の用語でいうと「戦後後期」、その両者と比べたとき現在はちょっと位相が違う気がするのです。つまり佐伯さんか東さんかでいうと、ここでは宗旨《しゅうし》替えして東さんの側に立ちますが（笑）、先例のないことが起きている。明治や戦後のような、なにかを〝達成してしまったがゆえの〟虚脱感ではなくて、むしろ現実に価値のあるものは何もなかったんだと。そういう純粋な喪失感が、捨て鉢《ばち》なニヒリズムにいま結びついていませんか。

先崎　達成はなかったというのは、高度成長とかを達成と感じられないってこと？　それとも平成期くらいの政治状況を指しているのかな。

三島について言えば、彼は戦争、つまり非常時が常態の生から抜けだせなかったんだよ。まさに與那覇さんのいう「純粋な喪失感」、ただそれだけが実感だったのだと思う。『金閣寺』に「虚無」という言葉が何度でてくることか。

與那覇　三島のように文学でそれを表現できる人を欠いたまま、二重の喪失感だけがせり上がってきたのが、震災直後だったと思うのです。当時執政していた民主党政権への失望が決定的になり、二大政党化を通じて「自民党以外の政権を作り、日本を変える」といった平成期の政治の挑戦は、なんの意味もなかったとなった。一方で戦後日本の「豊かな社会」だって、実は地方に原発を押しつけることで成り立っていたじゃないかと。それは欺瞞であり、もう誇れるものじゃないよと思われていった。

なぜかあまり指摘されませんが、1995年のオウム真理教事件を指して大澤真幸さんが使った「アイロニカルな没入」の概念、これは江藤淳が楯の会を同時代に批判した「ごっこの世界」とほとんど同じですね。サブカル宗教がチープだと知りつつ、〝あえて〟信じてみる対象にすぎなかったように、日米安保に守られながら軍服を着て、国軍復活だとか叫ぶのは〝あえて〟言ってみるだけのお遊びでしょうと。西尾幹二さんは、この指摘が三島を自殺に追いやったんだといまも怒っている。つまりそうまで言われるなら腹を切って、遊びじゃなく本気なことをお前らに見せてやるよと。

しかしこれに対して、震災以降はもう〝あえて〟ですら没入できる対象がなくなってしまったのではないですか。私がいま非常に現代的だなと感じるのは、むしろ「アイロニカルな非没入」なんです。つまり本当は自分なりに好きなもの、こうであってほしいという理想があっても、それを表に出さない態度。

一番わかりやすい例は古市憲寿さんで、なにかに熱くなっている人全員を「すごいですねー。でも普通の人は興味ないじゃないですか」と相対化し続け、自分から「これ絶対実現してくださいよ！」とは打ち出さない。彼は態度が子供っぽいとよく批判されるけど、それは時代の空気が求めたもので、江藤淳の『成熟と喪失』をもじって「成熟なき喪失」とでもいうか、失うだけ失って得たものがないとする社会の実感を表現しているのではないか。

先崎　三島と同時代に、『北一輝論』を書いた村上一郎って日本刀で自裁した批評家がいたんだけど、三島が高く評価していた。彼らに共通している心情こそ、「アイロニカルな非没入」への怒りだね。生きていることイコール緊張感の醸成こそ、彼らが求めたものなんだ。

僕が非没入の現代社会を嫌うのは、人間が痩せ枯れていくからですよ。相手への無頓着だけならまだいい。でもそれで終わらないいんです。平成の終わりから顕著なんだけど、たとえばテレビで急に場所を占めはじめた司会者、タレントに共通しているのは、相手をイロニカルに批判したり、揶揄する、口の悪い人たちばかりです。「毒舌タレント」の登場、これがＳＮＳの炎上商法と全く同じ時期にはじまるのです。

人を批判して笑いをとり、注目を集め、批判されても痛くもかゆくもない人間が跋扈する現代。これがアイロニカルな非没入時代の人間像なんであって、ニーチェが『道徳の系譜』で言ったルサンチマンとニヒリズムの象徴です。自己保存欲求だけが自分を構成するから、結局、言っている言葉といえば、「人脈を多く持っていないと、この時代は生き抜けない」といった程度の、自己啓発ばかりになっている。言葉が成功体験談か、揶揄にしか使われなくなっている。うんざりするほど、人間が小さく痩せ細っているんだ。僕はそうしたニヒリズム状況に耐えられない。

僕がわざわざ保守主義者は云々、などと時代錯誤めいたことを言っているのは、要するに他者への健全な興味関心の回復を言いたいからで、それは別の言葉でいえば倫理の回復です。

「言葉」の役割を取り戻すには

與那覇　出版社に頼まれて書評したもの（『波』20年1月号）がウェブに載っていますが、その古市さんの『奈落』という小説が面白いんです。最初に話題になった『平成くん、さようなら』は明快に田中康夫『なんとなく、クリスタル』（1980年初出）の反復で、アイロニカルな非没入の表明でした。消費社会を席巻している（しそうな）風俗をきらびやかに描写しつつ、「僕は醒《さ》めた人間だから、そこまではまってませんけどね」と突き放す自意識で書かれている。

ところがJ－POPは珍しく、彼にとってほぼ唯一「没入」できる対象らしいのに、『奈落』はその好きなはずの平成歌謡史を使ってダークなストーリーを書いている。若者のカリスマになりかけた瞬間に事故で全身不随・会話不能になり、ケータイやSNSでコミュニケーション過剰になってゆく時代から、完全に取り残される女性歌手の話です。

インタビュー記事では「家族はいいもので、愛しあうのは当然みたいな思想を強要する風潮が疑問で書いた」と語っていて、実際に描かれる歌姫の家族がかなり最低なのですが（苦笑）、これっていい！ではなく「これは嫌だ」で繋がっていくのが現代的なのかもしれません。それは村田沙耶香さんの『コンビニ人間』の大ヒットにも通じます。

ネガティヴさで繋がること自体は別にありだと思うんですが、問題は文学や小説といったゆったりした媒体ではなく、日替わりのワイドショーや秒刻みのツイッターと癒着する場合です。芸能人への不倫バッシングが典型ですが「みんな、コイツだけは絶対嫌でしょ？　さぁ痛めつけよう！」という、魔女裁判化したお祭りを恒常的に行う場になっている。そこでは自明視された絶対善としての「われわれ」意識と、悪魔化された吊し上げの対象が向きあっているだけで、先崎さんのいう他者感覚はないし、だから確立された自己も存在しない。

先崎　でも芸能人の日常生活を裁くことが倫理な

んですかね？　ここでもまた、正義を語る人間が極小化している。僕は何回も「原理的」って言葉を使っているけれど、もう少し、思考にブレーキをかけて、これだけ騒がしい時代に迂遠《うえん》に見えたとしても、「信じるとは何か」とか、「人間にとって善悪とは何なんだ」みたいな問題を、系譜学的に考える構えだけでも持つべきではないのかな。

言葉というものは良し悪しは別にして、抽象化を不可避としている。でも今日、再三にわたって言ってきたように、ＳＮＳは眼の前にあることへの喜怒哀楽、リアクションに言葉を奉仕させてしまっているんだ。現状から身を引きはがしつつ現状を論じる、この緊張感に今、多くの識者が耐えられていない。

與那覇　病気から復帰した後、一転して私が歴史学を批判し続けているのも同じ理由なんです（笑）。人文系の中で一番、歴史学がそうした問題意識を欠いているんじゃないかと危惧しています。ちょっと知的レベルが低すぎないかと。

前世紀末からの「つくる会」騒動の副作用もあって、歴史とは本来言葉を通じて「作られるものだ」、ベタで生な現実ではなく人間の知的営為の所産なのだという発想が、忌避されているんです。そういうことを言うと大変嫌がられて、「俺はすごい回数、場末の寺に足を運んで、何百枚もの古文書を翻刻してきたんだぞ！」と来る（苦笑）。歴史が史料というモノと等置されて、物理的にそれと接触する営為が歴史の探求なんだと思われているから、いつまでも原理的な思考や抽象化が起こらない。

『荒れ野の六十年』の後記に少し書きましたが、日本史学には異様なカルチャーがあって、「本を書く」という行為の意味をわかっていない人が多い。学会誌や紀要に発表した個別の論文を、たまってきたからファイリングする感覚で、文字どおり「集めて1冊に綴じた」ものを著作と称している。欧米の研究書だと本という単位で、序文に問題意識を書き、一貫した筋を通し、読者の印象に残るモチーフをちりばめ……と工夫してあるのがわかりますが、むしろ日本ではそれをやらない怠惰な学者が「実証に徹する本格派」だとかいうことになっている。彼らが解明した過去の史実自体は有意味でも、そうした人が大学でやっている教育に価値はありません。

読むこと、書くこと、そして他者感覚

先崎　僕らが学生時代に、その「新しい歴史教科書をつくる会」が話題になった。僕が一番、嫌だったのは彼らが登場するまで、歴史学界なんて教科書問題について一つも考えてこなかったはずなんだ。つくる会が登場したら急に以前から考えていたかのように、学会誌その他で特集を組んだりいきり立ったり。

要するに現実の急変に心奪われて政治に走るわけでしょう。実証主義者が簡単に政治に足元を掬われる。これは與那覇さんの加藤典洋論で、加藤が湾岸戦争（1991年）のとき、憲法9条を掲げて急に反戦運動をはじめた知識人に感じた違和と、おなじことなのです。

與那覇　家永裁判のようなものはむろんあったのですが、現状よりも〝よい〟方向に教科書を持っていこうとする発想が湧きにくく、明らかに〝悪い〟提案が出てくる（＝ショックが起きる）のを潰すことしかしなかったと。そのあたりに「左派自身がショック・ドクトリンに走る」遠因があったのかもしれません。そうした変化に流される言葉ではなく、自己を保つための言葉は、どうすれば獲得できるのか。

『知性は死なない』にも書いたように、うつで言葉の読み書き自体が一時はできなくなった体験を踏まえて、私はいま「セーフティネットとしてのリテラシー」ということを考えています。セーフティネットというと生活保護やベーシックインカムなどお金の問題か、「居場所」としての家族やご近所コミュニティを再生させるといった議論になりがちです。むろんそれらも大切ですが、その一歩手前により根源的な、人が他者とともに生きるための条件があって、それこそが読み・書くという実践、すなわちリテラシーではないでしょうか。

うつが一番ひどいときはそもそも本を読めませんが、ある程度回復してきたがまだ人と話すのは苦しいと。昔の友人と会ってもきっと萎縮してしまうし、うまく喋れない。そういうとき、いかに読書に救われるかということですね。

加藤典洋が『テクストから遠く離れて』で述べているように、読むという行為には「作者はきっとこんな人だったんじゃないか」という像を自分の中に作ってゆく、その意味で他者と出会い対話する側面がありますから。リアルでは誰とも会っていなくて、一人で書物と向きあっているだけでも、決して意識が孤立しない。これこそが最後のセーフティネットでしょう。

読むことがいわば、孤独で自殺しないための安全網だとすれば、書くことは逆に他人を殴ったり、殺したりしないための最後のストッパーだと思います。2019年夏の京都アニメーションへの放火事件を見たときほど、それを痛切に感じたことはなかった。容疑者はかなり不幸な生い立ちで、十分に教育を受けられなかった側面があるようですが、私は彼が京アニを嫌いになったらなったで、それを言葉で表現する道がなぜなかったのか、そのことばかりずっと思っていた。稚拙でもかまわないから、ネットで「最近の京アニ批判」を評論の形で書いていれば、そこで気が晴れたり、意外に同好の士が見つかったりして、少なくとも火をつけて何十人も殺す事態まで行かずにすんだのではないかと。

私は大学というものにかなり絶望したので、先崎さんはじめお勤めになっている知人と会うと本当にお疲れさまというか、「どうか消耗されないでください」と頭が下がるのですが（苦笑）、こうしたセーフティネットとしての読み書き能力を育てていく場所は、どこかになければ当然まずい。これからも自分にできる範囲・可能な形態で、そうした作業を続けていきたいなと思っています。

先崎　結論めいた言い方をすると、現在、よく社会的包摂性ということが言われていて、それを失った結果、二極化・格差社会化したと指摘されますね。與那覇さんがいま言ったのは、読み・書くという行為、それ自体が一種の社会的包摂の手段だということです。そして、それはこの対談の核心にある「他者感覚」の養成とも一体の関係にある。

これだけSNSが普及して「つながり」が増えても、一般人と有識者とを問わず他者感覚は摩耗し続けている。成功者の「リア充」ぶりをアピールしたり、逆に本人の苦しさ・生きづらさをただ吐き出すだけの書籍が本屋で平積みになるけど、そこには自然主義文学をより一層劣化させた文章しか綴られていない。そして、そうした事態を指摘し問題提起する「批評家」という存在が、メディア上からすっかり消えている。これらの問題の根本に、歴史と倫理の衰退があるという現状が見えてきたと思います。

今日は本当に長時間、対談できて楽しかったです。もっとも上記のような認識を踏まえると、ますます社会全体への見通しは暗いものになるけれども……（苦笑）。また話のつづきができることを楽しみにしています。

初出＝『ひらく』3号（エイアンドエフ）

対談

日本文化論の欠落が最大の「盲点」

與那覇 潤×開沼 博

2021年3月10日

3・11から10年、何が変わったか

――開沼《かいぬま》さんには『Voice』誌にて「ニッポン新潮流 現代社会」をご担当いただき、2021年2月、同連載をまとめた新著『日本の盲点』を刊行されました。

與那覇 拝読して、タイトルにも込められた開沼さんらしいスタンスに共感しました。知識人とは本来、「盲点＝普通の人が見過ごしてしまう問題」を指摘することが役割だったのに、いまはそうなっていない。論壇でもSNSでも言論人がみな「応援団長」と化して、世論と同じ内容を「大声で叫ぶ」ことが仕事だと思われている。

直近の例だと、東京五輪・パラリンピック組織委員会会長だった森喜朗さんが女性蔑視とも受け取れる失言をしたとき、大衆と一緒に「(会長を)辞めろ」としかいわない〔2月12日に辞任表明〕。どうして彼のような一見「女性排除」的な人が、他面では「根回しと気配り」で政財界を差配する人心掌握《しょうあく》の達人であり得たのか。そこまで掘り下げて、より問題の根源からの議論を呼びかけるような動きは目にしません。

開沼　その掘り下げをしようとした瞬間、「お前は糾弾合戦に加わらないのか！　あの言動を肯定するわけか！」と支離滅裂な口封じをされるパターンがあるわけですよね。言論人として盲点を衝《つ》くのは〝普通の話〟ですが、たしかに周りを見渡してもその態度と気概のある人はほぼいない。今回、その稀有《けう》な一人である旧知の與那覇さんとお話しできることを嬉しく思います。

応援団長とは、まさにそのとおり。旬な話題をつうじて「自分の信仰心の正しさを確認したいだけの人」に向けて、「君の信仰は正しいよ」と安堵《あんど》させるような言説を吐き続け、カルトをつくろうとする人びとともいえますね。また別なところには、あらゆる問題を「こういうもんです」としたり顔で、解説者として説明する役割を一手に担おうとする人びともいる。聞いていると、「わかった気」になれて安心できる。

つまり、既存の信仰心を破壊して「あ、そんな考え方もあるんだな」と気付く知的快感を与える知識人は劇的に少ないわけです。

與那覇　悪い意味で「予備校のカリスマ教師」的な態度の論客が増え、「正解は全部、俺に聞け」として聞き手の思考を停止させる「プチ権威」ばかりが目立つ。今年は3・11から10年の年ですが、当時は「ポスト震災」の若い言論人が登場し、『「フクシマ」論』を著《あらわ》された開沼さんはそのシンボル的な存在でした。

ところが活性化するはずだった論壇は、議論を深めるのではなく、動員のゲームを競う場に変わっていった。多くの有識者がインフルエンサー化し、「あの先生もデモに来てくれたぞ!」として、すでに存在する運動の広告塔になることに意義を見出していきました。

しかし言論人が「新しい視点や言説」を打ち出さないのなら、インテリ層にしか人気のない「二流のCMタレント」と同じでしょう。そうした先導者にカルトのようについてゆく少数のファン層と、「本当にその運動、広がっているのか?」と疑問に感じる大多数の読者とが、どんどん遠心分離していった10年間といえそうです。

開沼　脱原発からはじまり、2013年の秘密保護法案や15年の安全保障関連法案にしても、SNSでは雑で過激な議論のほうが「バズって」いました。その意味では、メディアの構造的な変化のなかで、悪貨が良貨を駆逐する世の中になった点は恐ろしい。

そこで最近、10年前にあって、いま消えたものが何か考えたのですが、当時は「評論家がダメだ」・「評論家みたいになるな」という言い方ってよく聞いたな、と。

與那覇　「口だけでなく、行動で示せ!」として、眼前の運動へのコミットが求められた時代でしたね。

開沼　いまはテレビのコメンテーターもＳＮＳの発信者も誰もが評論家然としているから、その批判はブーメランのように自己批判となり返ってくる。「一億総評論家時代」とは昔から言われていましたが、それがさらに具体化・草の根化している。上や外から文句だけいうという意味での評論家的態度に、誰も歯止めをかけられなくなっている。そりゃあ盲点は放置されるわけです。

メタな語りほど嫌われる理由

與那覇　「評論家」の株が下がる裏面で、「専門家と運動家」の連携が理想視されたのが、この10年間だったと思います。要は個別のデータやエビデンスを当該分野のプロから受け取ったら、あとは行動あるのみだと。しかしその結果、いったん内省して問題の「全体像」を把握しなおす営みが、どんどんスキップされています。

たとえば森喜朗さんが「女性の理事は我《が》が強くて、話が長い」と失言したのであれば、私だったら「そこまで女性に〝自己主張しなくちゃ！〟とプレッシャーをかける環境は、どこから来るのでしょう？」と問い返します。しかしそういう議論は、おっしゃるようにいまのＳＮＳでは受け入れられにくいでしょう。なんらかの炎上トピックが生まれるたびに、「あなたはどちらの側につくんだ」として、著名人が旗幟《きし》を鮮明にするよう迫られる「踏絵」の場になっていますから。

開沼　「あなたはなぜＳＮＳを続けているのか」と問われ、本当の意味で説明できる人はほとんどいないでしょう。客観的にみれば金にもならないしメリットは少なく、むしろトラブルのリスクは明確に大きい。承認欲求の補完や、自分が社会を生きている実感を嗜癖《しへき》的に得るための場になっている側面は強い。饒舌《じょうぜつ》さに反比例して、思考は減っていくように最適化されています。

與那覇　ＳＮＳにはゲーム感覚的な要素があって、「こんな発言をしたらフォロワーが増えた」・「有名人からリプライをもらえた」などの楽しさで続ける人は多いですよね。その場合、ユーザーはゲームの「攻略法」が知りたい――どっち派が勝ち馬かを教えてほしいのであって、ゲーム世界の外部に立つ視点から「全体の構造」を説明されても、興《きょう》をそがれてしまう。

開沼　メタっぽい「小ネタ」は話題になっても、根本的な語りが求められない風潮はたしかに強い。既成オピニオンリーダーは雪崩《なだれ》を打つようにその流れに乗った10年だったといえるかもしれません。

――とはいえ、一方でジャレド・ダイアモンドやユヴァル・ノア・ハラリなど、人類史的に壮大な見方をする言説も日本では受けています。潜在的にはメタな語りを求めていることの裏返しとはいえないでしょうか。

與那覇　「賢者」は外国のような、遠くの場所にいてほしいのですよ。隣人にやられるとムカつく（笑）。

――なるほど（笑）。

與那覇　日本人には「ルール・セッター」を海外に求めたがる癖があります。トランプでさえ大統領になった直後には、「あれこそが新しい国際政治のリアルであり、われわれは適応すべき」とする議論が流行りました。昔、拙著『中国化する日本』に書いた例でいうならば、江戸時代の儒学者以来の「国民病」ですね（苦笑）。

さすがに度し難いと思ったのは、2014年末から起きたトマ・ピケティのブームです。彼が説いた「資本主義と格差の縮小とが両立した20世紀半ばは、幸運な例外期だ」という主張は、日本でも近現代史の研究者がずっと前提にしている、ごく常識的な歴史像でした。しかし、それは「海外の偉人」が指摘して、ようやく耳目《じもく》を集めるのです。

開沼　舶来物《はくらい》を有り難がる風潮は反復していますね。外の世界の「外国人識者」は絶対的な賢者でいてほしい一方で、SNSはじめTangible（手触り感のある）なところでは、身の回りの議論をしてほしい、と。

與那覇　不思議なのは、平成の前半期にはむしろ逆のムードがあったことです。開沼さんの専攻である社会学の分野から、宮台真司さんや上野千鶴子さん、大澤真幸さんらが「誰もが知る著名学者」になり、彼らは普通の生活者の意識には上りにくく、盲点になってしまう諸問題を、社会の「全体像」を示すかたちで指摘していた。こうした空気は、なぜ消えてしまったのでしょう。

開沼　90年代はソビエト連邦の崩壊でマルクス主義の権威が失墜するなかで、別のグランドセオリーをどう出していくかが学術的のみならず大衆レベルで求められていた、というのは一つの説明の仕方でしょう。だから超越的な視点からオルタナティヴな世界像を語ることが、社会学者あるいは精神科医などに許されていた。

ただ同時に、学界では内在的な議論、つまり、個別具体的なテーマが好まれるようにもなり、こちらが主流になった。大きな全体像がほしかったり、いいたかったりする「客」は多少残っているから、そこに媚びたい人は応援団長やカリスマ講師になり、彼らの言説をオウム返しするような人たちと宜《よろ》しくやっていたり、騒いだりしているという構図でしょう。

すべてを可視化した先に生まれた盲点

與那覇　包括的な大理論が嫌われて、バラバラの個別研究ばかり量産される時代の副産物が「エビデンス主義」です。要は統計のかたちをとった「目に視《み》える」指標がないと、曖昧な抽象論だとして批判される。しかしそうした発想自体が、逆に盲点をつくり出してはいないでしょうか。世界の問題すべてを数字で可視化できるかのようにみなすのは、あまりにも驕った考え方です。

平成期には「情報公開」の必要性が謳われましたが、それが裏返って、物事を「表に出して〝視える化〟」すれば自動的によくなるかのような、おかしな楽観主義が生まれてはいませんか。大衆が情緒的に反応しそうな数字やグラフだけを目立つ媒体に放ってやれば、食いついて騒いでくれるだろうといった、データ・ポピュリズムの危険が高まっている。

開沼　本当にそのとおりで、Evidence based policy making（証拠に基づく政策立案）も普遍化してきていますが、一方でデータでは表せない問題などいくらでもあるし、むしろ数値化できないからこそ重要な課題もあるはずです。

情報公開は手段であって目的ではない。その手段を肥大化させるための細かなテクニックや知恵ばかりが発達しているようにもみえる。些末にみえる問題を極大化し、自分の利益に繋げる論法も蔓延《はびこ》ってきています。

——なんでも「視える化」すればいいと安直に考

えてきた結果、今回の新型コロナ禍のようなきわめて複雑な問題に対処できていないともいえそうです。

與那覇　まさにそうで、平成期には輝かしくみえた潮流のもとで溜まっていた「澱《おり》」が、一気に噴き出したのがコロナ禍だと考えています。感染者数という「視える数字」だけが独り歩きし、メディアで（自称）専門家が「（数字を）下げるためならなんでもやれ！」と煽って、数値化できない生活の諸側面が犠牲にされていく。

2021年２月２日、二度目の緊急事態宣言下の名古屋にて。老舗飲食店が掲示した「もう限界…でも諦めない‼」のメッセージ

たとえば飲食店を経営し、「やっぱり旨いね、この店は」というお客さんの言葉を生きがいにして暮らす人に、「一日いくら、補償してるだろ」といって閉店を求めるやり方は、本来ならば「暴力」でしょう。極端までいけば、「生きがい」のように数値化不能でエビデンスもないものは、無視していいということになりかねない。

私はこうした「データと数字の専制」に対して、「おかしいよ！」と声を上げる人文学者がもっと出るだろうと思っていました。しかし、彼らの大多数は沈黙するか、ＳＮＳで「リモート講義でステイホームしてます」といった現状適応ぶりを誇るのみ。3・11後と比べても退嬰《たいえい》的ないまの状況は、どうご覧になりますか。

開沼　2013年に上梓した『漂白される社会』でも提示した、あってはならぬものを見て見ぬふりをして済ます構造はより強固になっています。日本には女性のホームレスも、ストリートチルドレンもいないようにみえる。コロナ禍でいえば「夜の街」にだけ責任を押し付けて取り締まれば、そのほかではあたかも然《さ》したる問題は生じていないように実感されています。

與那覇　あらゆる問題を「可視化」できるという錯覚が広まると、不可視である以上は「問題は別にないんだ」とする現状肯定はむしろ強まってしまう。10年間で、社会を漂白する技術ばかりが進歩しているのですね。

開沼　社会の不確実性が高まるなかで、量的なものにだけ向き合おうとするから、因果関係を説明できない領域に対応できず、かえって大きく道を踏み外してしまう。いまの株価の上がり方にしても、多くの方がそれらしい説明を加えているものの、根本的にはよくわからない。量と質、双方について眼前の現象を捉えるべきところが、量の一本足打法になっているわけです。

與那覇　私が『心を病んだらいけないの？』（斎藤環氏との共著）で使った用語でいうと、「人間のＡＩ化」になります。計算機で処理できるタイプの量的なデータしか心に響かず、反応しない人が増えている。

開沼　ここで強調したいのが、中庸・中道という概念の現代的な意義です。極端に寄るほど、自分が認識している世界がマイノリティを見落としている可能性が高まるわけですから。

與那覇　難しい問題ですよね。中庸や中道が大事だというと、いまのオンラインの評判社会では「どっちにもいい顔をしようとしている」として叩かれてしまう。

――お二人が指摘されているように、言論の世界も極端化しているのが現実です。

開沼　むしろ中庸・中道を保つこと自体が独自性になる気もするんですけどね。とはいえ、いまの新聞やテレビはもうそこに回帰できないし、SNSにも当然無理。その意味では、メディアを介さない、ある種のコミュニティ論に重きを置くことが必要です。

地域の繋がりでも、趣味の繋がりでもいい。「場」をもつ意味を考えなおすべきです。人間関係を繋ぐ共有物があり、それが記憶として残り、信頼の基盤になる。近代的メディアの発達が始まる前は、そこにこそ社会の活力があったし、被災地などの現場をみていてもそう思います。さまざまな場の上につくられた中間集団を再構築する先に、まっとうな盲点を衝くような言論が生まれるでしょう。

「正解」なき時代に必要な力

與那覇　かつては中間集団をはじめとする、人間同士の「密」な交際のなかで、異なる立場の人とも〝ほどほどに〟一緒にやっていく相場観が養われた面がありました。『日本の盲点』に登場する用語でいえば「生活世界」ですね。これに対し、世界のどこからでも閲覧可能なデータに基づき、具体的な人間関係をスキップして画一的に統治するのは「システム」の発想になります。

コロナ禍でいえば、いかにマウスシールドの効果が低かろうと、テレビ業界や夜の店など顔を出さないと仕事にならない人もいるのだから、「着用して他者への配慮は示している以上、認めてあげよう」とするのが、生活世界の中庸な感覚です。しかし、科学者の統計だけをネット記事などでみて、「不織布《ふしょくふ》のマスク以外はダメだ、取り締まれ！」と主張するグループが出てきた。こうしたシステム一辺倒の姿勢を、エビデンス重視と称して言論人が正当化する風潮には、強い危惧を覚えます。

――『Ｖｏｉｃｅ』誌がＪＡＸＡで「はやぶさ2」プロジェクトのプロジェクトマネージャーを務める津田雄一さんに話を聞いた際、津田さんは不確実性の高いミッションを成功させるには事前に議論を遊ばせる「余白」が大事と語っていました。これはいまのお二人の議論に通じる部分もあると思いますが、不確実性が高い危機の時代にはどんな考え方が必要と考えますか。

開沼　新著では「unknown unknowns」という話もしています。つまり、私たちは「何がわからないかがわからない」時代を生きているわけです。これまでの「何がわからないかはわかる」問いは、特定の専門家・専門知があれば解ける。でも、そうではない問題が次々と生まれている。

たとえば、3・11後にはじまった福島第一原発の廃炉では、原子力工学だけではなく医療や宇宙の研究者も呼び、一見すると全然関係ないジャンルの人同士でアイデアを出し合わないと解決しない。コロナ禍もそう。まずは、「何がわからないかをわかろう」という議論をすべきだし、そのためにはいろいろな立ち位置の人同士の議論をする余裕が欠かせません。

與那覇　いまのお話を聞いて思い出すのは、精神科医で作家の帚木蓬生《ははきぎほうせい》さんが書いた『ネガティブ・ケイパビリティ』です。普段「能力」というと、問題に対して「かたちのある答えをだす力」を指している。それはもちろん大事ですが、この世界には答えのない問題が多々存在し、「答えをだす力」が高い人ほど不安に駆られ、無力感に陥ってしまう。だからむしろ、性急には「答えをださない」――その意味でネガティヴ（消極的）な能力も求められる。そういう視座の転換が先のみえない時代には必要だと、帚木さんは説いています。

卑近な例でいうと、自己啓発本が教えてくれるのはポジティヴな能力（ハウツー）であり、対して一見、読んでもなにも「できる」ようにはならない文学の世界はネガティヴ・ケイパビリティを養う場所でした。しかし3・11直後の「行動しない評論家はダメだ」とする空気の結果、いまではもはや言論人が総じて「自己啓発化」しています。「ソリューションを提示できるかがすべてだ」・「〝僕はこんなに深く悩みました〟なんて話は知るか」といった発想が強まり、学者と実業家とがどちらも、「これが次に来る時代の正解だ！」といった未来予測を競い出して、傍目には区別がつかなくなってしまいました。

開沼　おっしゃるとおりです。マックス・ウェーバーが第一次世界大戦末期、「あらゆる意味と価値を与える全能的指導者を希求するのはやめろ」と唱えたわけですが、現代もまた、中身を吟味せず、とにかくわかりやすい答えを示してくれる「教祖」への欲望は高まるばかりです。新著ではユーチューバーの話もしていますが、オンラインサロンカルチャーを含めて、正負両面ありますが負の側面が加速しないことを祈るばかりです。

いまこそ「日本文化論」の再興を

――開沼さんの新著は社会科学入門と、日本社会論の双方がミックスされた内容です。とくにいま、日本社会や日本文化を論じる重要性が増しているものの、そうした動きが乏しいと感じますが、いかがでしょうか。

與那覇　日本史の研究者として後悔しているのは、戦後昭和では学者がベストセラーを出す際の定番だった「日本文化論」というジャンルを、平成期に滅ぼしてしまったことです。「大雑把《おおざっぱ》な話でエビデンスがない」・「ナショナリズムの亜種だ」と叩かれて、いまはむしろプロの学者ほど書きにくくなっている。そうした攻撃に便乗して、自らを誇る歴史学者も後を絶ちません。

内容が100%正しいかは別にして、日本人論・日本文化論は、普段は学問と縁遠い政治家や経営者でも自然と目を通す、貴重な媒体だった。それを消し去った結果、いまの社会で影響力をもつのは、「日本最高」「いや日本クソ」といった粗雑なネット世論でしかありません。だからコロナ禍でも、理系の発信者が「欧米は地獄だから日本もそうなる」と語ったとき、「いやいや。良きにつけ悪しきにつけ、欧米と日本では初期条件がいろいろと違わないか?」と問い返すことができずに、国民全体が冷静な判断力を失ってしまうのです。

開沼　日本は衛生意識が高いという話はまだしも、同調圧力が強いなどと「日本らしさ」の俗論がだいぶ出ましたよね。それを詳《つまび》らかに説明した人がどれだけいたか。

與那覇　発足時に対しての菅義偉政権の人気低迷ぶりは、保守政治家すら日本人論に疎《うと》くなった時代の象徴でもあります。安倍晋三前首相を支えた官房長官のころは、「トップは毛並みのよさが売りの〝お飾り〟で、縁の下の力持ちたるナンバー2がいちばん苦労しているんだ」とする日本文化論で定番の構図にはまったから、ぶっきらぼうな答弁でも自ずと愛嬌《あいきょう》が出ていた。それを忘れてトップとして人気取りに走ると、パンケーキ好きとか「ガースー」だとかの、痛々しいパフォーマンスになってしまいます。

開沼　3・11後の福島という対象に向き合うなかでは、日本文化論について考えることは多いです。たとえば、「暫定的《ざんてい》」という言葉。除染で出た土を袋詰めしたものに対して、どこに「仮置場」をつくって保管するかが問題になったとき、50センチの覆土《ふくど》をすれば99・8％放射線をカットできるけど、近隣住民からすればそれでも近所には置いてほしくない。仮置場を決定していく作業は非常に難航しました。

この膠着《こうちゃく》状態をほどいたのは、「仮々置場」という奇妙な名称の保管場を設置するという策でした。すると「じゃあ、いいか」という反応になる。海外での同様の議論も揉《も》めたり解決したりしますが、このパターンは聞いたことがない。日本人は良し悪しは別として物事に対して、中心を明確に決めることを厭《いと》います。

違う話でいえば、ロンドンでは混雑緩和のため、車が街の中心部に入った瞬間にナンバープレートが読みとられてお金を徴収される仕組みがあります。技術的には日本でも可能で、導入すれば違法の路上駐車から罰金を次々と徴収できるでしょう。

しかし、その選択をしていないのは、「暫定的な統制」が秩序の根本にあるからです。

コロナ禍における「自粛のお願い」にも通じる話で、ポジティヴな意味を込めて日本文化的だとみえます。日本でしか通用しない枠組みかもしれませんが、厳しい規制をかけるとむしろ事が上手く運ばないとは、政治家も国民も直感しているところでしょう。

與那覇　コロナ禍ではまさに、そうした日本社会論的な「中庸さ」をみんなが無視したことで、言論が両極化してしまいましたね。片や「欧米並みのロックダウン以外あり得ない！」とするゼロ・コロナ派、もう片や麻生太郎財務相の「日本は民度が高い」という言葉に代表される自画自賛派。

開沼　まさにそのとおりですね。ナショナリズムへの嫌悪感からそれを避けてきた人も含めて、あらためて日本とは何かを考えたり語ったりすることで、みえることは多いでしょう。新著でもその点に触れた部分もありましたが、より深い盲点がそこに広がっていそうです。

與那覇　同感です。行政国家やIT社会といった近代的なシステムの面では、欧米と類似のフォーマットを採用しているにせよ、生活世界、ないし生活世界とシステムの「繋ぎ方」には日本固有の性格がいまも強い。そうした盲点をぜひ、これからも開沼さんならではの筆致で明るみに出すお仕事を、楽しみにしています。　聞き手＝水島隆介

初出＝『Ｖｏｉｃｅ』２０２１年４月号（PHP研究所）

対談者略歴

浜崎洋介　はまさき・ようすけ

1978年生まれ。文芸批評家、日本大学芸術学部非常勤講師。日本大学芸術学部卒業、東京工業大学大学院社会理工学研究科価値システム専攻博士課程修了博士（学術）。著書に『福田恆存　思想の〈かたち〉』（新曜社）、『反戦後論』（文藝春秋）、『三島由紀夫　なぜ、死んで見せねばならなかったのか』（NHK出版）など。

大澤　聡　おおさわ・さとし

1978年生まれ。批評家、近畿大学文芸学部准教授。専門はメディア論、思想史。東京大学大学院総合文化研究科博士課程修了。著書に『批評メディア論』（岩波書店）、『教養主義のリハビリテーション』（筑摩選書）、編著に『1990年代論』（河出ブックス）、『三木清教養論集』ほか3部作（講談社文芸文庫）など。

先崎彰容　せんざき・あきなか

1975年生まれ。日本大学危機管理学部教授。専門は日本思想史。東京大学文学部倫理学科卒。東北大学大学院博士課程を修了、フランス社会科学高等研究院に留学。著書に『ナショナリズムの復権』（ちくま新書）、『違和感の正体』『国家の尊厳』（新潮新書）、『未完の西郷隆盛』（新潮選書）、『鏡のなかのアメリカ』（亜紀書房）など。

開沼　博　かいぬま・ひろし

1984年生まれ。東京大学大学院情報学環准教授。東京大学文学部卒。同大学院学際情報学府博士課程単位取得満期退学。専攻は社会学。著書に『漂白される社会』（ダイヤモンド社）、『日本の盲点』（PHP新書）など。『「フクシマ」論』（青土社）で、第65回毎日出版文化賞人文・社会部門、第32回エネルギーフォーラム賞特別賞。

あとがきにかえて
100年前の少女たちに学ぶ「成熟による安心」
――映画『フェアリーテイル』とコロナパニック

2020年12月28日

2020年の疫病と不安

世の中には2種類の人がいる。「不安」で他人を動かそうとする人と、「安心」でそれを行おうとする人である。

もちろん正確には、存在するのは2種類の「行為」であって、同じ人が双方のやり方を使いわけることもある。ただ、ここでは伝わりやすくするために、あえて「2種類の人」と書かせてほしい。

一見すると不安を口にする人は、安心を語る人よりも〝知識豊富で意識が高く〟見える。たとえば新型コロナは人類共通の脅威と言うべき極度に危険なウィルスで、徹底した封鎖と行動変容が必要であり、そうしなければ日本は破滅する――といった話を海外の事例を交えつつ語る人のほうが、「ほどほどのところで落ち着くんじゃないの」とのんびり構える人に対して、マウントを取れる。そうした状態が、この春からずっと続いてきた。

しかしこれは、完全な錯覚である。

不安や恐怖で人を動かすこと自体は、根本的に安易な行為で、誰にでもできる。もしあなたがどの家庭にもある調理包丁を手にして、通行人のいる街頭をうろうろすれば、簡単に「人を動かす」ことができるだろう。——動いた結果としておまわりさんが呼ばれて、あなたは逮捕されるけれども。

逆にむずかしいのは、「安心」で人を動かすことだ。ここでいう「動かす」にはむろん、不安に駆られて動き出してしまった人たちを「止める」行為も含まれる。

人を不安に陥れて動かすには、凶器があれば十分で、言葉はいらない。しかし人を安心させるには、言葉が必要になる。それも誰でも使えるテンプレートのように幼稚な用い方ではなく、その人なりに社会の中で揉まれ・磨かれ・習熟されたやり方で、言葉を使わなくてはならない。

「私の言うとおりにしなければ大惨事になる」（たとえば、感染症で大量の死者が出る）といった言い方は、典型的な不安のテンプレにすぎない。惨事が起きなくても、「私が警告して行動を変えさせたおかげだ」と言い張ればよいだけだからだ。刃物を振り回して周囲を怯えさせる通り魔が、「とにもかくにも俺は他人に影響を与えた」と自賛するなら滑稽であるように、本来こうした「言い逃げ」は最も稚拙で、低劣な犯罪である。

1917年の妖精と安心

しかしそれでは、成熟した形で言葉を使うとは、どのようなことだろうか。1997年の映画『フェアリーテイル』（FairyTale: A True Story）に、こんなシーンがある。

I know [what] "missing" means.（「行方不明」の意味がわかった）

1917年、第一次世界大戦下の英国で、8歳の少女フランシスはこう口にする。母親をすでに亡くしており、父子家庭だったのだが、その父は西部戦線に出征し「行方不明」になったと伝えられてきた。ただし定期的に父親名義の手紙が届くので、それまでは字義どおりに「所在がわからない」だけだと思ってきたのだが、そうではないかもしれないという不安が初めて芽生える。そのときの台詞である。

少女はいま、亡母の姉夫婦の一家に間借りしており、年長の従姉《いとこ》エルシーと同じ部屋で寝ている。天真爛漫《らんまん》なフランシスに対して、12歳になるこの従姉はいつも表情が暗い。当時の英国では、もうすぐ初等教育が終わって働きに出る年齢であり、「大人」になることを始終意識させられているという背景がある。

この映画は有名な「コティングリーの妖精事件」を素材にしている。2人の女の子が撮った他愛のない偽造写真が「妖精の実在」を示す証拠として全国的に流布し、『シャーロック・ホームズ』の作者であるコナン・ドイルまでが太鼓判を押して、大騒動になったものだ。いま風にいえば、フェイクニュースの走りということになろう。

しかし巧みな脚色に基づくこの映画の主題は、情報社会やマスメディアの批判ではない。むしろ「フェイクか否か」よりも人間にとって、はるかに大切な観点を示すことにある。

映画の中ではフランシスと、エルシーのすでに病没した兄ジョセフの目には、子どもの無垢《むく》さゆえに実際に妖精が「見えて」いる。逆に大人になりかけているエルシーと、彼女の母親はいくら努力しても見ることができず、そのために親子仲もぎくしゃくしている。なんとか亡兄と同じ景色を母親に見せてあげたいと思ったエルシーが、フランシスを誘って「捏造写真」を撮ったという設定になっている。

大人たちは慣れ切って忘れているが、言葉に「意味という次元」があることを知るのは、ほんとうは恐ろしい体験だ。字面だけ読めば「所在地がわからないだけで、生きている」というメッセージだったはずの言葉が、意味としては「死亡」を示している（かもしれない）と気づく。そのことにフランシスは怯え、直感的に、大人になる――意味という「見えない次元」を意識するようになった時、引き換えに妖精を見る能力は失われるだろうことを悟る。

この年少の従妹を安心させようとして、4つ年上のエルシーが語りかける。その内容は、というよりも語るしかたには、胸を揺さぶるものがある。

「妖精が見えなくなっても、私たちには写真があるよ」という趣旨のことを、彼女は述べる。しかしその写真が当の2人で作った「フェイク」であることを、互いに熟知している以上、これは変といえば変だ。捏造写真ではない「リアル」な妖精を、もうフランシスは見ることができない。そうした不安の解消には、表面上はまるで役立たない言葉である。

実際にはここでエルシーは、フランシスが身をすくませる「意味」という見えないもの、、、、の世界が、リアルに妖精が飛び交うのと同じくらい豊かな空間にもなりえるのだという事実こそを、伝えようとしている。

2人で作り上げた妖精の写真自体はフェイクでも、それに込めた家族への愛情――兄の死を嘆き続ける母の心を癒したい――は、まぎれもなくリアルだった（実際にそれが伝わり、映画の中途でエルシーは、母親との和解を達成する）。言葉や行為に「意味」があることは、怖くない。むしろそれを通じてこそ、私たちは子どものときに夢見たファンタジックなものをもう一度、手にすることができる。

それが大人になるということなんだよ。そう告げた結果として、エルシーにもフランシスにも奇跡が起きる。その内容は映画の進行どおり、本稿でも最後に明かすことにしたい。

2021年への意味と成熟

不安で人を動かすために、もっぱら凶器として使われる言葉は、こうした「字義どおりではない部分に現れる、対話者相互の関係の豊かさ」としての意味の次元を、しばしば欠いている。典型は、バカや死ねといった罵倒語だ。それらは〝文字どおり〟バカに死ねと伝えるメッセージとしてしか機能せず、そうした単調さがより暴力性を増幅する。

逆に同じ「バカ」でも、たとえば孤立無援の自分を損得抜きで支えてくれた友人に「君もバカだね」と言う際には、まったく異なる意味の次元に開かれている。そうした地平をともに共有しているという感覚こそが、人を安心させることができる。だから、安心のために言葉を使うことは、成熟した人でなければできない。

そうした意味の次元を、もうだいぶ長いこと私たちは忘れるばかりか、むしろ進んで破壊してきた。その結末が2020年に露呈した、人びとが互いに「脅しあう」ことで社会を不安の底へと突き落とすコロナパニックである。

このとき罵倒語のように「そのまま」突き刺さることで、人を動かした表現の媒体は数字だ。10人感染の後に「100人感染!」、さらにその後には「300人感染!」……と吊り上げていくだけで、容易に聞く者の理性を麻痺させることができる(きちんと判断すれば「5000人感染しても直ちに医療崩壊はしないのに、100人で大騒ぎしたのがそもそも過剰だった」とわかるのだが、そうした人は少ない)。実際には幼稚な脅迫でしかないものを、データやエビデンスの名前で知的に粉飾《ふんしょく》する傾向は、コロナ以前からメディアに定着して久しい。

むろんコンピュータを典型として、入出力が数値化され「意味という次元が生じ得ない」ことを前提として動くシステムが、今日大きな役割を果たしていることは事実だ。しかしその意義を誇張し、あたかも人間の方がコミュニケーションの様式を「計算機のように改めるべき」だと主張するのは、本末転倒である。人間の内実はAIと大差ないといった近日の議論は、そうした倒錯の上でのみ流行してきた。

こうした諸潮流がパンデミックと相互触発して生じたのが、大々的な規模での「数字による、意味の虐殺」だった。人は、金銭（収入）のためだけに労働するのではない。人生は生きるに値《あたい》するという「意味」を摂取することが不可欠だからこそ、その手段として働くのである。だから代価を払ったからと言って、商品を売り手の目の前で叩き壊す（＝相手が得るはずだった意味を毀損する）ような行為は、けっして許されてはならない。

そんなことは、平常時の大人であれば、誰もがわかっていたはずのことだ。

ところがコロナ禍に際しては、他人の生業に「不要不急」のレッテルを貼り、「金はやるんだからいいだろう」として休業を強要する、すなわち補償金という「数字」で日常生活における「意味」を踏みにじる行為が、官民一体であたかも善行のように翼賛された。その後に生じた、経済的にはなんら不自由のない著名人が相次いで世を去る異常な事態は、こうした生きる意味の破却によってしか説明がつかない。

私たちはもう一度、安心のために言葉を使うことを覚えなければならない。意味という次元を回復させ、ひとりでも多くがそれを共有できる成熟のあり方にたどり着いたとき、はじめてポストコロナの社会が見つかったと言えるのだから。

この意味で、1世紀前の少女たちに託して「大人になること」を描いた『フェアリーテイル』の終幕は、ほんとうに味わいが深い。

映画の末尾、「行方不明」ではなく戦死したのだろうと諦めかけていた父親が、姿を現す。夢中で駆け寄るフランシスの目には、もはや妖精たちは映らない。——彼女は純真無垢に見えて、実は最初から父の死の予感に憑かれ、その代償行為として妖精を見出していたのかもしれないことが、さりげなく示唆される。

一方でこのとき、ずっと妖精たちを目撃できずにいたエルシーとその両親は、初めて彼らの存在を見る。長兄の早世というトラウマに苦しみ、「自分が」見たいと念じたときには決して目に映じなかった妖精は最後、周囲が互いに込めてきた意味への思いやりに気づくことで、「みんな」の前に姿を見せた。それこそは人間が成熟を通じて、不安ではなく安心を共有できるようになることの隠喩である。

初出＝「こころ」のための専門メディア 金子書房ｎｏｔｅ

写真提供　23、319ページ右上／佐藤雄治
29、42、80、99、112、159、175、180、215、
274、287、289、292、303、319（左上、右下）、
349、411、431ページ／朝日新聞社
241ページ／ホビージャパン
319ページ左下／開沼 博
図版作成　46ページ／二階堂ちはる
260ページ／鳥元真生

與那覇　潤　よなは・じゅん

1979年生まれ、歴史学者（日本近代史・同時代史）。2007年、東京大学大学院総合文化研究科博士課程修了、博士（学術）。同年から15年まで地方公立大学准教授として教鞭をとった後、病気休職を経て17年離職。以降は在野で活動している。
講義録『中国化する日本』（文春文庫、原著11年）、『日本人はなぜ存在するか』（集英社文庫、原著13年）、病気と離職の経緯を綴った『知性は死なない』（文藝春秋、18年）など話題書多数。2020年、『心を病んだらいけないの？』（斎藤環と共著、新潮選書）で第19回小林秀雄賞。

朝日新書
821

歴史《れきし》なき時代《じだい》に

私たちが失ったもの 取り戻すもの

2021年6月30日第1刷発行

著　者　與那覇　潤

発行者　三宮博信
カバーデザイン　アンスガー・フォルマー　田嶋佳子
印刷所　凸版印刷株式会社
発行所　朝日新聞出版
〒104-8011　東京都中央区築地5-3-2
電話　03-5541-8832（編集）
　　　03-5540-7793（販売）

Published in Japan by Asahi Shimbun Publications Inc.
ISBN 978-4-02-295123-6
定価はカバーに表示してあります。

落丁・乱丁の場合は弊社業務部(電話03-5540-7800)へご連絡ください。
送料弊社負担にてお取り替えいたします。

朝日新書

宗教は嘘だらけ
生きるしんどさを忘れるヒント

島田裕巳

一番身近で罪深い悪徳「嘘」。嘘はどのように宗教で扱われ、嘘つきはどう罰せられるのか。偽証を禁じるモーセの十戒や仏教の不妄語戒など、禁じながらも解釈の余地があるのが嘘の面白さ。三大宗教を基に、嘘の正体を見極めるクリティカル・シンキング！

自分を超える心とからだの使い方
ゾーンとモチベーションの心理学

下條信輔
為末　大

スポーツで大記録が出る時、選手は「ゾーン」に入ったと表現される。しかし科学的には解明されていない。無我夢中の快や「モチベーション」を深く考察することで、落ち込んだ状態や失敗に対処する方法も見えてくる。心理学者とトップアスリートの対話から探る。

内村光良リーダー論
チームが自ずと動き出す

畑中翔太

ウッチャンはリアルに「理想の上司」だった！　内村と仕事をする中で人を動かす力に魅せられた著者が、芸人、俳優、番組プロデューサー、放送作家、ヘアメイクなど関係者二四人の証言をもとに、最高のチームを作り出す謎多きリーダーの秘密を解き明かした一冊。

歴史なき時代に
私たちが失ったもの　取り戻すもの

與那覇　潤

第二次世界大戦、大震災と原発、コロナ禍、日本はなぜいつも「こう」なのか。「正しい歴史感覚」を身に付けるには。教養としての歴史が社会から消えつつある今、私たちはどのようにしてお互いの間に共感を生み出していくのか。枠にとらわれない思考で提言。